Sylvie

La fiancée chinoise

Du même auteur
aux Éditions J'ai lu

Un tempérament explosif, *J'ai lu* 5916

Marie Jo Putney

La fiancée chinoise

Traduit de l'américain
par Catherine Plasait

Titre original :
THE CHINA BRIDE

A Ballantine Book

This translation published by arrangement with
The Ballantine Publishing Group,
a division of Random House, Inc., N.Y.

À Elisa Wares

Je voudrais remercier Ye Ling-Ling (Suntree Faprathanchai) Shirley Chan, Hannah Lee, Brenda Wang Clough, Lisa Wong, Hope Karan Gerecht, Julie Booth, Betsy Partridge et Susan King.

…IÈRE PARTIE

…a poursuite des rêves

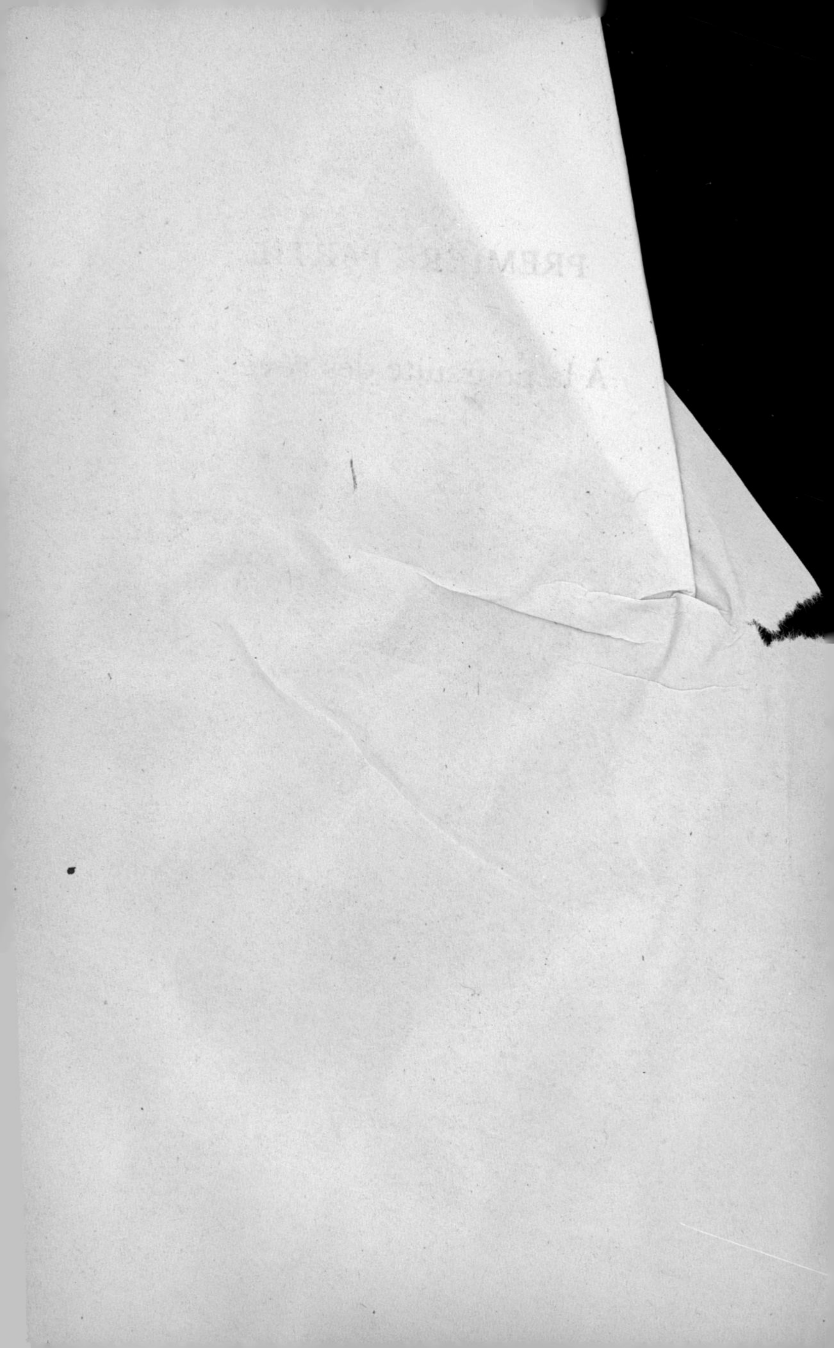

PROLOGUE

Shropshire, Angleterre
Décembre 1832

Elle ne s'attendait pas à ce froid!

Verity Montgomery frissonna tandis qu'elle descendait du fiacre de louage et serra davantage son manteau autour d'elle afin de se protéger du vent mordant de décembre. Certes, l'Angleterre se trouvait dans les contrées du Nord, mais une vie passée sous les tropiques ne l'avait pas préparée à la rudesse de ce climat.

Bien qu'elle ait eu hâte que cet interminable voyage prenne fin, elle était à présent terrifiée à l'idée de rencontrer ces inconnus.

— Nous sommes bien à Warfield Park? demanda-t-elle au cocher afin de gagner du temps.

Il toussa dans sa main gantée.

— Pour sûr, c'est bien Warfield!

Il posa son unique sac de voyage sur le trottoir à côté d'elle, puis fit faire demi-tour à ses chevaux, pressé de rentrer chez lui.

Comme l'attelage passait devant elle, elle aperçut son reflet dans la vitre. Elle portait une sage robe bleu marine, aussi respectable et britannique que possible, pourtant elle se trouva affreuse, avec ses cheveux sombres et ses yeux d'Orientale.

Mais il n'était plus possible de faire demi-tour. Elle saisit son bagage et monta avec difficulté les marches de la vaste bâtisse à pignons. En été, les pierres grises paraissaient peut-être un peu moins austères, mais dans ce crépuscule hivernal, Warfield semblait sinistre et glacial. Elle ne se sentait pas à sa place en ce lieu. D'ailleurs elle ne se sentait à sa place nulle part.

Elle frissonna de nouveau, et cette fois ce n'était pas à cause du froid. Les habitants de cette demeure n'apprécieraient pas la nouvelle qu'elle leur apportait, néanmoins, par égard pour Kyle, ils lui offriraient sans doute un lit pour la nuit.

Elle actionna le lourd heurtoir en forme de tête de faucon et, au bout d'un long moment, un valet en livrée vint lui ouvrir. Il haussa les sourcils en la découvrant sur le seuil.

— L'entrée de service se trouve à l'arrière de la maison, dit-il, dédaigneux.

Elle releva la tête avec défi.

— Je suis venue voir Lord Grahame, de la part de son frère, rétorqua-t-elle, glaciale, son accent écossais plus marqué que jamais.

Le maître d'hôtel la laissa pénétrer dans le hall d'entrée à contrecœur.

— Votre carte ?

— Je n'en ai pas. Je... j'étais à l'étranger.

Visiblement, le laquais avait envie de la jeter dehors, mais il n'osait pas.

— Lord Grahame et son épouse sont en train de souper. Il vous faudra attendre qu'ils aient terminé. Qui devrai-je annoncer ?

Elle eut du mal à prononcer son nom, comme si elle l'usurpait.

— Lady Maxwell. L'épouse de son frère.

Le domestique écarquilla les yeux.

— Je vais immédiatement prévenir Lord et Lady Grahame.

Comme il se hâtait vers ses maîtres, Verity se mit à arpenter le hall mal chauffé, malade d'angoisse. Lord Grahame la ferait-il fouetter, après avoir entendu ce qu'elle avait à lui dire ? On racontait que les aristocrates punissaient les porteurs de mauvaises nouvelles.

Elle se serait volontiers enfuie, quitte à affronter le vent coupant, mais sa voix rauque la hantait. *Allez voir ma famille, Mei-Lian. Il faut qu'ils sachent ce qu'il m'est arrivé.* Kyle Renbourne, dixième vicomte Maxwell, avait éprouvé de l'affection pour elle, mais son fantôme viendrait la tracasser si elle n'accédait pas à cette dernière volonté.

Elle se ressaisit et ôta ses gants afin de dévoiler la bague que Kyle lui avait offerte, seule preuve de la véracité de ses propos.

Il y eut un bruit de pas derrière elle, puis une voix étrangement familière s'éleva.

— Lady Maxwell ?

Elle se retourna. Un couple entrait dans la pièce. La femme était aussi menue qu'une Orientale, mais sa somptueuse chevelure était d'un blond argenté, spectaculaire, même dans ce pays de diables étrangers. Elle dévisageait Verity avec la curiosité d'un chat, mais sans la moindre hostilité.

— Lady Maxwell ? répéta l'homme.

Le regard de Verity se posa sur lui... et elle eut l'impression que son cœur s'arrêtait de battre. Ce n'était pas possible ! Il était grand, mince, bien bâti, avec des traits énergiques et des yeux d'un bleu étonnant. Il se dégageait de toute sa personne une autorité naturelle.

C'était impossible !

Ce fut sa dernière pensée avant de perdre conscience.

1

Macao, Chine
Février 1832

Kyle Renbourne, dixième vicomte Maxwell, dissimulait son impatience tandis qu'il saluait poliment des douzaines de membres de la communauté européenne de Macao rassemblés pour faire la connaissance d'un véritable lord anglais. Son devoir mondain accompli, il sortit dans la véranda, songeant à la dernière et passionnante aventure qu'il allait entreprendre le lendemain.

La vaste demeure était perchée sur l'une des collines qui dominait le port de Macao. Cette exotique petite ville située à l'extrémité de l'estuaire de la Pearl River avait été fondée par les Portugais, seuls Européens à trouver grâce aux yeux des Chinois.

Depuis presque trois siècles, cette enclave accueillait des marchands, des missionnaires, et présentait un rare mélange de races. Kyle avait pris plaisir à la visiter, cependant ce n'était pas véritablement la Chine, et il avait hâte de partir pour Canton.

Il s'appuya à la balustrade, laissant la brise lui rafraîchir le visage. Peut-être était-ce un effet de son imagination, mais elle lui semblait porteuse de ces parfums inconnus et de ces mystères immémoriaux qui l'attiraient irrésistiblement vers ce pays dont il rêvait depuis l'enfance.

Son hôte, ami et associé, Gavin Elliott, vint le rejoindre.

— On dirait un enfant le soir de Noël, dit-il. Tu parais sur le point d'exploser de joie anticipée.

— Tu trouves peut-être banal d'embarquer pour Canton, puisque tu le fais régulièrement depuis quinze ans, mais pour moi, c'est la première fois, et sans doute la dernière, ajouta Kyle après une légère hésitation.

— Ainsi, tu es vraiment décidé : tu rentres en Angleterre. Tu nous manqueras.

— Il le faut.

Kyle se souvint de toutes ces années passées à voyager en Orient. Il avait vu la Grande Mosquée de Damas, traversé les collines où prêchait Jésus, exploré les Indes, depuis le sud coloré jusqu'aux montagnes sauvages et désertes du nord-ouest. Il avait vécu bien des aventures, survécu à des catastrophes qui auraient laissé son frère hériter du titre de comte – et Dieu sait si Dominic aurait détesté cela ! Il avait perdu en chemin cette espèce de révolte intérieure dont il était affligé dans son jeune âge. Et il était grand temps, il allait avoir trente-cinq ans !

— La santé de mon père décline, reprit-il. Je ne voudrais pas risquer d'arriver trop tard.

— J'en suis désolé, fit Gavin en allumant un cigare. Une fois Wrexham parti, tu seras trop occupé par tes fonctions de comte pour continuer à courir aux quatre coins de la planète.

— Le monde rapetisse. Les navires sont plus rapides, les régions les plus reculées sont explorées, on en dresse des cartes... J'ai gardé la Chine pour la fin, ensuite je serai prêt à rentrer chez moi.

— Pourquoi la Chine en dernier ?

Kyle se rappela le jour où il avait découvert l'existence de ce pays.

— Quand j'avais quatorze ans, j'ai trouvé chez un brocanteur, à Londres, un recueil de gravures chinoises. Par quel miracle étaient-elles arrivées là ? Je ne saurais le dire. En tout cas, cela m'a coûté six mois d'argent de poche. Ces dessins me fascinaient, c'était comme de pénétrer dans un autre univers. C'est alors que j'ai décidé de partir vers l'Est.

— Tu as de la chance d'avoir pu réaliser ton rêve.

Il y avait une pointe d'amertume dans la voix de son ami, et Kyle se demanda quels étaient ses rêves, mais il ne lui posa pas la question. C'était trop personnel.

— Mon dernier rêve sera peut-être hors de portée. As-tu entendu parler du temple de Hoshan ?

— Je l'ai vu en reproduction, une fois. Il se trouve à quelque cent cinquante kilomètres de Canton, c'est cela ?

— En effet. Crois-tu possible de le visiter ?

— N'y songe pas.

Gavin tira sur son cigare et le bout s'embrasa.

— Les Chinois sont farouchement opposés à ce que les Européens sortent du périmètre des quartiers qui leur sont réservés, expliqua-t-il. Tu n'auras pas le droit de pénétrer dans la cité de Canton proprement dite, et encore moins celui de te promener dans la campagne avoisinante.

Kyle avait entendu parler de ce quartier, une étroite bande d'entrepôts situés entre le front de mer et les murs de la ville. Il connaissait aussi les Huit Règles destinées à maintenir les étrangers dans le « droit chemin ». Toutefois, l'expérience lui avait enseigné qu'un homme déterminé et doté de moyens financiers arrivait souvent à transgresser les règles.

— Peut-être qu'un billet glissé dans la bonne main me permettra de m'aventurer à l'intérieur des terres, suggéra-t-il.

— Tu ne ferais pas un kilomètre sans que l'on t'arrête ! Tu es un *Fan-qui*, un diable étranger. Tu passerais à peu près aussi inaperçu qu'un éléphant à Édimbourg, et tu finirais tes jours au fond d'un cachot, sous l'accusation d'espionnage.

— Tu as sûrement raison, admit Kyle.

Il avait cependant bien l'intention d'essayer d'en apprendre davantage durant son séjour à Canton. Il y avait vingt ans que le temple de Hoshan était présent dans son esprit, vision paisible, d'une ineffable beauté. S'il existait un moyen de le visiter, il le trouverait.

Dans la lumière de l'aube, le jardin chinois avait un aspect mystérieux, irréel, avec ses arbres torturés et ses rochers. Sans bruit, telle une ombre, Verity pénétra dans l'enceinte familière. C'était le moment de la journée qu'elle préférait, celui où elle avait presque l'impression qu'elle se trouvait encore dans la maison de son père à Macao.

Ce matin, elle allait pratiquer ses exercices *chi* près de la mare. L'eau immobile reflétait les gracieux roseaux et l'arche du pont de bambou. Verity sentait l'énergie *chi* monter de la terre sous ses pieds, et elle se détendit afin de ne faire qu'un avec la nature, de devenir aussi proche d'elle que les nénuphars ou les poissons dorés qui évoluaient silencieusement sous leurs feuilles plates.

Elle n'atteignait pas toujours ce parfait état de grâce. D'ailleurs le mot « grâce » venait de son côté diable étranger, qui refusait obstinément de disparaître.

Comme elle se tendait un peu, elle entama les premiers pas d'un mouvement *tai chi*. Précise mais détendue, souple mais en éveil. Après toutes ces années, ces gestes lui étaient devenus une seconde nature, et ils lui apportaient la sérénité.

Lorsqu'elle était petite, son père venait souvent prendre son thé matinal dans le jardin afin de la regarder s'exercer. Ensuite, il éclatait de rire et disait que quand il l'emmènerait dans son pays, elle serait la meilleure de toutes les danseuses écossaises. Elle s'imaginait aussitôt vêtue comme une dame *Fan-qui*, pénétrant dans une salle de bal au bras de son père. Elle aimait surtout les jours où celui-ci lui affirmait que sa taille ne serait pas ridicule, en Écosse. Au lieu de baisser les yeux vers les femmes et la moitié des hommes, comme en Chine, elle serait normale.

Normale. Comme les autres. Un but si simple et pourtant impossible à atteindre.

Puis Hugh Montgomery était mort naufragé, emporté par l'un de ces terribles ouragans qui détruisaient tout sur leur passage. Verity Montgomery était morte aussi, ce jour-là, ne laissant derrière elle que Mei-Lian, une insignifiante petite Chinoise au sang mêlé. Elle n'était plus Verity que dans sa tête.

Elle se lança dans une série de mouvements *wing chun*, qui étaient une véritable danse avec des coups simulés. Parmi les nombreuses techniques de *kung fu*, art martial, on lui avait enseigné le *wing chun*, une méthode de combat vigoureuse qu'elle pratiquait après s'être échauffée à l'aide des mouvements plus calmes du *tai chi*. Elle avait presque terminé ses exercices quand une voix froide s'éleva dans le jardin.

— Bonjour, Jin Kang.
Elle se raidit à l'approche de son maître.
Chenqua, chef de l'association de négociants appelée le Cohong, était puissant et influent. C'était lui qui s'était occupé des marchandises de son père, lui aussi qui l'avait recueillie à la mort de celui-ci. Pour cette raison, elle lui devait reconnaissance et obéissance.
Cependant elle n'aimait pas qu'il l'appelle Jin Kang, le nom masculin qu'il lui avait donné lorsqu'il l'avait envoyée espionner les Européens pour la première fois. Bien qu'elle fût affreuse, trop grande, avec ses grands pieds non bandés et ses traits accusés, preuves de son métissage, elle était tout de même une femme. Mais pas aux yeux de Chenqua ni des gens de sa maisonnée. Pour eux, elle n'était que Jin Kang, une créature étrange, asexuée.
Refoulant son amertume, elle s'inclina.
— Bonjour, mon oncle.
Il était vêtu d'une simple tunique et d'un pantalon de coton, comme elle, donc il était venu partager son entraînement. Il leva les bras selon la position rituelle, et elle posa les paumes de ses mains contre les siennes, leurs avant-bras collés. Il avait la peau sèche, lisse, et elle sentit la puissance de son énergie *chi* vibrer entre eux. Il était plus grand que Verity, et, malgré ses soixante ans, il était fort et en pleine possession de ses moyens. Elle était la seule de la maisonnée digne de l'affronter aux sports de combat.
Il dessina lentement des bras un cercle dans l'air, mais elle ne rompit pas le contact, anticipant ses gestes qui se firent plus rapides, plus compliqués. On aurait dit un ballet mystérieux.
Finalement, Chenqua tenta une vive attaque, qu'elle para du poignet. Comme il était déséquilibré, elle contra du talon de la main, mais il détourna le coup qui ne l'atteignit qu'à l'épaule. De nouveau, leurs mains s'unirent et reprirent leurs mouvements gracieux et cependant pleins de tension retenue. Tels deux loups, ils s'observaient.
— J'ai une nouvelle mission pour toi, Jin Kang.
— Oui, mon oncle ?
Elle s'efforçait de se détendre jusqu'à se sentir ancrée dans le sol.

— Un nouvel associé doit venir à la société de Gavin Elliott, un certain Maxwell. Il faudra te montrer particulièrement prudente.

L'estomac de Verity se noua.

— Elliott est tout à fait correct. Pourquoi son associé serait-il inquiétant ?

— Elliott vit ici, alors que Maxwell est anglais. Or les Anglais causent toujours plus de problèmes que les autres *Fan-qui*. De plus, c'est un noble, il est sûrement arrogant. Ces hommes sont dangereux.

Il tenta de nouveau de briser la garde de la jeune fille. En vain.

Elle se battait bien, ce matin-là et, galvanisée par l'exercice, elle formula enfin la requête qui la taraudait depuis des années.

— Pourrais-je être dispensée d'espionnage, mon oncle ? Je... je n'aime pas jouer la comédie.

Il haussa les sourcils.

— Il n'y a rien de mal à cela ! Étant donné que les marchands de Cohong et moi-même sommes responsables des faits et gestes des étrangers, il est indispensable pour notre sécurité que nous connaissions leurs projets. Ce sont des enfants turbulents, capables de causer du tort sans même s'en rendre compte. Il faut les avoir à l'œil, contrôler leurs actions.

— Ma vie est un mensonge !

Elle lança une attaque, mais, ce faisant, donna l'occasion à Chenqua de la frapper au bras.

— Je déteste passer pour un interprète alors que j'écoute leurs conversations privées, que je fouille dans leurs papiers.

Son père, un honnête Écossais, aurait été horrifié à cette idée.

— Je ne connais personne d'autre qui parle couramment l'anglais et le chinois. Ton devoir est de surveiller les diables étrangers.

Chenqua essayait de la déséquilibrer, mais elle esquiva, épousa son mouvement et l'envoya rouler au sol. Aussitôt, elle le regretta. Si Chenqua était excellent, elle était meilleure encore, cependant, d'habitude, elle s'efforçait de laisser la suprématie à son maître.

Il se releva vivement, une étincelle au fond de ses prunelles sombres, et, changeant de tactique, se mit à danser autour d'elle en attendant l'occasion d'attaquer.

— Je t'ai recueillie, nourrie, je t'ai accordé certains privilèges contrairement aux autres femmes qui vivent sous mon toit. Tu me dois gratitude et obéissance filiales.

— Oui, mon oncle, murmura-t-elle, toute velléité de rébellion évanouie.

Elle était soudain sans énergie aucune, et il n'eut aucun mal à la punir de n'avoir pas su rester à sa place. Après une feinte, il lança simultanément un coup de main et un coup de pied qui alliaient force et *chi*. Elle chuta brutalement et, au lieu de se relever, demeura allongée, afin de le laisser savourer sa victoire.

— Pardonnez-moi, mon oncle.

Un peu radouci, il répondit :

— Tu n'es qu'une femme. On ne peut s'attendre à un comportement logique de ta part.

Verity Montgomery, l'Écossaise, aurait discuté cette affirmation. Mais Mei-Lian baissa la tête avec soumission.

2

L'arrivée sur Canton rappela à Kyle le port de Londres, en vingt fois plus peuplé et cinquante fois plus bruyant. Les navires marchands étrangers étaient amarrés à une vingtaine de kilomètres en aval, à Whampoa, tandis que cargaison et équipage terminaient le voyage sur des chaloupes. Le bateau sur lequel se trouvaient Kyle et Gavin se glissait hardiment parmi les jonques dont les énormes yeux peints à la proue étaient censés détecter les démons. Certaines embarcations étaient propulsées par des rameurs, d'autres par des hélices actionnées manuellement. La collision semblait souvent inévitable, mais leur bateau s'esquivait toujours à temps.

Une embarcation joliment décorée de fleurs passa près d'eux. De ravissantes Chinoises, penchées sur le bastingage, appelaient les *Fan-qui* avec des gestes sans équivoque.

— Ne t'y risque surtout pas, dit Gavin à son ami. Ce sont les plus séduisants bordels des mers de Chine, mais on prétend que l'on ne revoit jamais les Européens qui goûtent aux charmes de ces filles.

— Mon intérêt était purement intellectuel, se défendit Kyle.

Il ne mentait pas. Bien qu'il fût attiré par les frêles et brunes beautés asiatiques, il était resté la plupart du temps célibataire durant ses années de voyage. Il avait aimé une fois, et quand le désir d'une femme le prenait, c'était pour lui rappeler douloureusement combien le simple plaisir était inférieur à l'amour.

Néanmoins, il suivit des yeux le bateau fleuri jusqu'à ce qu'il disparaisse derrière une jonque. Il comprenait sans peine que les Européens installés à Macao prennent des concubines chinoises.

— Voilà le quartier réservé, annonça Gavin en désignant une étroite bande de bâtiments alignés entre le fleuve et les murs de la cité.

Des drapeaux américain et européen claquaient au vent au-dessus des entrepôts où les étrangers stockaient leurs marchandises. Ils avaient aménagé des logements à l'étage où ils vivaient pendant la saison commerciale.

— Étrange de songer que le thé que nous buvons en Occident vient principalement de ces entrepôts.

— C'est un commerce qui procure suffisamment de richesse pour que les hommes se prennent pour des rois, fit Gavin, qui plissait les yeux pour se protéger du soleil. Un comité d'accueil nous attend à quai. L'homme en tunique de soie brodée est Chenqua.

Kyle avait naturellement entendu parler de Chenqua, le prince des marchands de Canton, et peut-être du monde entier. Il était à la tête du Cohong, et s'occupait en outre personnellement des affaires de la société Elliott ainsi que des plus importantes compagnies anglaises et américaines.

Grand, sec, il se tenait très droit, et même de loin il se dégageait de sa personne une dignité impressionnante.

— Comment a-t-il su que nous arrivions ?

— Les informations descendent le fleuve plus vite que le courant. Chenqua n'ignore rien de ce qui concerne les commerçants *Fan-qui*. D'ailleurs il a l'un de ses espions près de lui.

— Seigneur ! Ces redoutables Huit Règles imposent-elles que les Européens acceptent d'être espionnés ?

— Non, mais je ne peux pas reprocher à Chenqua de vouloir garder un œil sur nous. Vous, les Britanniques, êtes particulièrement indisciplinés, et bien souvent vous chahutez les lois par simple esprit de contradiction.

— Ne me rends pas responsable des défauts de mes compatriotes !

Gavin sourit.

— J'avoue que tu te tiens relativement bien, pour un aristocrate anglais. Si l'idée te prenait de dépasser les bornes, n'oublie pas que Chenqua et les autres marchands seraient punis à ta place. Avec un peu de chance, il s'agirait seulement d'une forte amende, mais il n'est pas impossible qu'eux et leurs familles soient arrêtés, torturés ou égorgés afin de payer pour les crimes des *Fan-qui*.

— Tu plaisantes ?

— Je crains que non. Nous sommes en Chine, et rien n'est pareil, ici. Les commerçants du Cohong sont sans doute les gens les plus honnêtes que j'aie jamais connus, pourtant ils risquent de perdre tout ce qu'ils possèdent à cause des filouteries des *Fan-qui*.

Kyle observait le petit groupe qui les attendait à l'écluse.

— Lequel est l'espion ?

— Le jeune homme mince à la gauche de Chenqua. Officiellement, c'est un des interprètes qui travaillent pour le Cohong. On les appelle les linguistes, bien qu'aucun d'entre eux ne soit très compétent. Ils considèrent comme indigne d'étudier le langage des Barbares, aussi, pour la plupart, ils ne baragouinent que le pidgin parlé par les gens qui travaillent régulièrement avec des étrangers. À peine de quoi traduire les questions commerciales élémentaires.

Ils approchaient, et un marin aux pieds nus sauta à terre afin d'amarrer le bateau près des marches qui menaient au quai. Comme les passagers débarquaient dans l'enclos muré appelé le Jardin anglais, Kyle songea que Chenqua était plus impressionnant encore vu de près. Il était vêtu d'une tunique bleu foncé brodée et portait autour du cou des rangées de perles de jade merveilleusement sculptées.

Son rang social était indiqué par la richesse de sa tenue, mais également par un insigne brodé sur sa poitrine et un bouton bleu au milieu de son bonnet. Ce bouton désignait un mandarin, et sa couleur précisait l'importance de sa position officielle. Un mandarin qui offensait son empereur risquait de perdre son bouton. Pour un Occidental, cela paraissait plutôt amusant, mais en Chine, c'était extrêmement grave.

Gavin s'inclina.

— Mes respects, Chenqua. Nous sommes grandement honorés que vous soyez venu nous accueillir.

— Vous êtes resté longtemps absent, *Taipan*, dit Chenqua, utilisant le terme habituel pour désigner le dirigeant d'une société commerciale.

Gavin présenta Kyle, qui s'inclina à son tour.

— C'est un honneur de vous rencontrer, Chenqua. J'ai beaucoup entendu parler de vous.

— L'honneur est pour moi, Lord Maxwell.

Le regard perçant s'attarda un instant sur Kyle avant de revenir à Gavin.

— Pardonnez-moi si je vous semble brutal, mais nous avons un problème urgent à traiter. Pouvez-vous m'accompagner à Consoo House sur-le-champ ?

— Certainement. Avec votre permission, Jin Kang pourrait-il conduire Lord Maxwell à mon appartement, afin qu'il s'y installe ?

— Bien sûr, *Taipan*. Occupe-toi de Lord Maxwell, Jin !

Une fois Chenqua et Gavin partis pour Consoo House, le quartier général du Cohong, Kyle reporta son attention sur son guide. Jin Kang était beaucoup moins impressionnant que son maître. Il portait la tunique à col montant et le pantalon qui servait d'uniforme aux hommes comme aux femmes, avec comme seul ornement une étroite bande brodée au bas de ses manches pagodes.

— Si cela ne vous ennuie pas, dit-il au jeune homme, j'aimerais me dégourdir un peu les jambes et jeter un coup d'œil au front de mer.

— Comme vous voudrez, murmura Jin Kang sans le regarder.

Ils quittèrent le Jardin anglais pour se mêler à la foule des quais. On déchargeait des marchandises européennes tandis que des caisses de thé chinois et d'autres produits locaux étaient empilés dans des barques qui les emporteraient jusqu'aux navires marchands ancrés à Whampoa. Kyle et son compagnon prenaient soin d'éviter les ballots suspendus et les dockers en sueur tandis qu'ils se frayaient un chemin dans la foule.

Kyle observait le jeune Chinois du coin de l'œil. Le bonnet bleu du garçon lui couvrait la tête depuis le milieu du front jusqu'à la naissance de son épaisse tresse brune. Il était mieux habillé qu'un ouvrier et portait à la ceinture une petite bourse, mais son regard fuyant et ses épaules voûtées en faisaient un individu assez falot. Bien qu'il fût plus grand que la moyenne, il aurait pu aisément se fondre dans la foule de ses compatriotes.

Évidemment, c'était plutôt une qualité, pour un espion, et Jin Kang devait avoir des talents cachés. Kyle le regarda plus attentivement. Jin était joli, presque féminin, avec un teint délicat et des traits légèrement différents de ceux des Cantonais. Sans doute venait-il du nord de la Chine. Les gens y étaient plus grands, disait-on, et peut-être avaient-ils d'autres différences physiques.

Comme l'expression de Jin restait indéchiffrable, Kyle reporta son attention sur son environnement. Au-delà du port se trouvait un village flottant de bateaux arrimés les uns aux autres, tels des pâtés de maisons, avec juste assez de place entre eux pour laisser passer un sampan. Chaque barque comportait un petit fourneau à la poupe et dans des cages caquetaient des volailles qui attendaient d'être rôties pour le dîner. Des familles entières vivaient dans cet espace exigu.

Kyle allait se détourner quand il vit un petit enfant tomber du bateau le plus proche. Il retint son souffle, inquiet, puis s'aperçut que le bébé portait une espèce de bouée de bois dans le dos, en prévision de tels accidents.

Une grande sœur se matérialisa près de l'enfant qu'elle sortit de l'eau en le grondant férocement.

— Heureusement que cette petite fille avait une bouée, fit remarquer Kyle, soulagé.

Il n'attendait pas de réponse, mais Jin déclara :

— C'est un garçon, pas une fille.

— Comment le savez-vous ?

— Les filles n'ont pas de bouées, rétorqua le jeune homme. Elles n'en valent pas la peine.

Kyle crut qu'il avait mal entendu.

— Les filles ne valent pas la peine d'être sauvées de la noyade ?

— « Nourrir une fille simplement pour la marier, c'est comme engraisser un porc pour le festin d'autrui », dit Jin, citant un vieux proverbe.

Quelle cruauté ! Que Dieu vienne en aide aux femmes chinoises, pensa Kyle.

Il se dirigea vers la place qui s'ouvrait entre le quai et les rangées d'entrepôts. l'endroit ressemblait à une foire en Angleterre, avec des mendiants, des diseuses de bonne aventure, des marchands ambulants, des badauds. Kyle n'attirait pas particulièrement les regards, car c'était l'unique endroit en Chine où l'on avait l'habitude de voir des Européens.

Des mendiants aveugles, attachés à la même corde, avançaient en traînant les pieds, en gémissant et en frappant sur des casseroles. Ils faisaient un vacarme à réveiller un mort ! L'air exaspéré mais pas surpris, un Européen sortit d'un bâtiment et remit une petite bourse à celui qui se trouvait en tête. Ce dernier s'inclina avant d'entraîner ses compagnons vers la cité. Kyle se demanda quel était le prix à payer pour se débarrasser de ces bruyants individus.

— Ces gens en remontreraient aux traîne-savates de Londres ! fit-il.

— Ils appartiennent à la Heavenly Flower Society, répondit Jin.

— Ah, une association ! Bien sûr.

Quelques semaines passées à Canton, et Kyle ne s'étonnerait plus de rien !

Un peu plus loin, un jongleur faisait de la place pour sa représentation en balançant une pierre attachée au bout d'une corde. Kyle fendit la foule et se dirigea vers la rive du fleuve. Il admirait une canonnière ornée de brillants drapeaux quand il entendit derrière lui un cri perçant.

— Attention !

Il fut poussé de côté tandis qu'un filet plein de caisses de thé s'écrasait à l'endroit où il se tenait une seconde plus tôt. Jin et lui se retrouvèrent par terre, couverts de poussière et de fragments de bois.

Kyle se redressa sur un coude, et son regard croisa celui de Jin. Les yeux du jeune homme étaient bruns, et non pas noirs, et brillaient d'intelligence.

Mais ce ne fut pas cette couleur inhabituelle en Orient qui retint l'attention de Kyle. À quelques occasions, dans sa vie, il avait rencontré des personnes avec lesquelles il s'était senti immédiatement en communion. Récemment, il y avait eu ce saint homme en Inde, qui d'un seul regard avait semblé voir au fond de son âme. Il s'était passé la même chose avec Constancia dès leur première rencontre ; ce lien avait duré jusqu'à sa mort, et bien au-delà. Curieusement, quelque chose dans ce jeune homme résonnait intensément en Kyle.

Jin Kang baissa la tête et se releva, mais à peine avait-il posé le pied droit au sol, qu'il se déroba. Il étouffa un petit cri de douleur.

La foule s'était massée autour d'eux, et les dockers baragouinaient des excuses en pidgin, pour la rupture de la corde.

— Vous souffrez beaucoup ? demanda Kyle au jeune homme.

— Pas... pas trop, répondit Jin qui tenta de nouveau de marcher.

Comme il faisait la grimace, Kyle le prit par le bras.

— Où est le logement d'Elliott ?

— Là, fit Jin, le doigt pointé vers un bâtiment au milieu de la rangée.

— Pourrez-vous marcher jusque-là, si je vous aide ?

— Il n'est pas convenable que vous m'aidiez ! Cela ne plairait pas à mon maître, Chenqua.

— Ma foi, tant pis, je n'ai pas l'intention d'oublier que vous venez de me sauver la vie.

Kyle soutint le jeune homme qui parvint à boitiller sans trop de mal. Sans doute sa cheville n'était-elle que foulée.

Comme ils traversaient la place, Kyle sentit l'énergie qui bouillonnait dans le corps si frêle de Jin. Il fallait qu'il fût particulièrement vif pour avoir réussi à pousser Kyle sans être blessé lui-même. Cependant, il tremblait, à présent, sans doute de peur rétrospective.

Ils atteignaient la porte qui menait au logement d'Elliott, et Kyle se fit connaître au portier avant d'aider Jin à franchir les larges grilles. Ils pénétrèrent dans un entrepôt qui fleurait bon le santal, les épices, le thé.

Jin eut un geste vers la droite.

— Le bureau est là.

Il y avait un étroit passage entre les piles de caisses, et ils entrèrent dans le bureau où travaillaient une demi-douzaine d'employés. Un homme se leva.

— Lord Maxwell, fit-il avec un fort accent américain. Nous vous attendions.

— Vous êtes Morgan, le directeur, je présume? Elliott m'a dit le plus grand bien de vous. Voulez-vous demander une tasse de thé pour Jin? Il serait bon qu'un médecin examine sa cheville et la bande. Il vient de m'éviter d'être écrasé par un chargement de thé dont la corde s'est rompue.

— Il y a un docteur à l'Usine anglaise, dit Morgan qui fit signe à un jeune Portugais. Bravo, Jin!

Kyle aida Jin à s'asseoir sur une chaise. Le jeune homme se tassa sur lui-même, visiblement embarrassé de créer tant de dérangement. Il tremblait toujours. Redoutait-il Chenqua à ce point? À moins que Kyle n'eût violé quelque tabou en le touchant?

Kyle avait beaucoup à apprendre sur la Chine. Dommage qu'il n'ait que quelques semaines à y consacrer!

3

Chenqua leva les yeux de sa table de travail, le pinceau à la main.

— Maxwell, le nouveau *Fan-qui*. Comment est-il ?

Verity tenta de mettre de l'ordre dans les pensées qui bouillonnaient dans sa tête. Son maître ne s'intéressait ni au beau visage de Maxwell ni à ses larges épaules, et encore moins à son contact troublant.

— Maxwell est honnête et réfléchi, je crois. Pas un fauteur de troubles mais... un homme habitué à obtenir ce qu'il désire.

Chenqua plissa les yeux.

— Heureusement qu'il ne reste ici qu'un mois. Surveille-le bien.

Il se pencha de nouveau sur sa table, congédiant ainsi Verity qui sortit de la pièce en boitillant, appuyée sur la canne que lui avait procurée Maxwell. Il l'avait même raccompagnée jusqu'au quai, après que l'on eut bandé sa cheville. Dieu merci, il ne l'avait plus touchée !

Elle avait protesté, mais il avait insisté pour attendre qu'elle fût en sécurité sur un bateau qui la conduirait au palais de Chenqua, sur l'île de Honam, face à Canton. Bien sûr, cette sollicitude n'était pas destinée à Jin Kang en tant qu'individu, c'était simplement une façon de la remercier. Tel un bon chien de garde ou un cheval fidèle, elle avait rempli son devoir et elle était traitée en conséquence.

L'expression indéchiffrable, elle grimpa cahin-caha les deux volées de marches qui menaient à sa petite chambre, en haut de la demeure, et verrouilla la porte. Puis elle se roula en boule sur son étroite couchette.

Elle tremblait encore. Non de douleur, car elle avait été bien souvent blessée au *kung fu*, et elle savait qu'elle guérirait très vite.

Mais elle ne guérirait pas aussi vite de Maxwell. Depuis la mort de son père, aucun homme ne l'avait traitée avec une telle bonté, et elle était choquée par la violence de sa réaction. Peut-être aurait-elle été moins bouleversée si elle n'avait pas plongé son regard dans ces yeux si bleus. Ou s'il n'avait pas tâté son pied, sa cheville, parties du corps si intimes et érotiques pour une Chinoise.

Certes, c'était un contact impersonnel, il aurait fait de même pour n'importe qui... Mais elle, stupide femelle, en était restée frémissante d'émotion, son énergie féminine *yin* à la recherche de l'équilibre de son *yang* masculin. Elle avait eu envie de se serrer contre lui, de sentir son corps contre le sien.

Quel effet cela ferait-il de lire le désir dans le regard d'un tel homme ?

Les yeux secs, elle fixait le plafond. Elle ne serait jamais concubine, ni épouse, ni mère. Elle devrait se contenter de ses conditions de vie actuelles. Elle était bien nourrie, elle s'était acquis un certain respect de la part de son maître, elle jouissait d'une merveilleuse intimité dans sa petite chambre. Elle disposait même de plus de liberté que les autres femmes de la maisonnée, mais c'était seulement parce qu'on ne la considérait pas vraiment comme une femme, de même qu'elle n'était pas vraiment chinoise.

Elle parcourut son refuge du regard. Elle l'avait aménagé avec le plus grand soin, respectant les principes du *feng shui*, l'harmonie des objets. L'ameublement était limité : un lit, une chaise, une table qui servait de bureau. Un tapis bleu et beige, des commodes de différentes tailles. Une tapisserie représentait le monde à l'aide des symboles taoïstes de l'eau, de la terre, de l'air et du feu.

Dans un coin, elle avait disposé un petit autel où elle pouvait honorer la mémoire de son père et de sa mère, qui n'avaient personne d'autre qu'elle pour penser à eux et prendre soin de leurs esprits. Son père l'avait élevée dans la religion chrétienne, mais il y avait d'autres dieux, en Chine, et il était plus prudent de ne pas les négliger.

Face au lit se trouvait un coffre laqué qui renfermait ses trésors secrets. Peut-être en avait-elle besoin, en cet instant ? Elle s'agenouilla avec précaution et l'ouvrit à l'aide d'une petite clé attachée à un cordon de soie, qu'elle portait en permanence autour du cou.

Le parfum du santal s'en échappa dès qu'elle souleva le couvercle. Au fond, il y avait la bible de son père, d'autres livres en anglais et l'écrin qui contenait ses bijoux. Au-dessus, ses atours féminins.

Il lui avait fallu des années pour composer cette garde-robe secrète. Chenqua lui versait une petite rente, et parfois les commerçants *Fan-qui,* particulièrement contents de ses services, lui donnaient un peu d'argent. Ces quelques pièces, elle les avait dépensées pour meubler sa chambre et acheter des vêtements féminins.

Comme Chenqua lui interdisait de sortir autrement qu'habillée en garçon, elle prétendait regarder ces vêtements pour sa sœur lorsqu'elle pénétrait dans les boutiques d'occasion. Elle avait dû courir à l'autre bout de la ville, là où on ne la connaissait pas, pour chercher des vêtements à sa taille.

Elle sortit du coffre la robe de soie bleue dont elle était si fière. Elle était usée, raccommodée, cependant elle avait dû appartenir autrefois à une grande dame du Nord, de Mandchourie, peut-être. Elle se déshabilla, ôta la bande qui comprimait ses seins, puis enfila les sous-vêtements de soie, si doux et sensuels sur sa peau.

Elle se débarrassa de son bonnet et défit sa longue tresse, typiquement masculine, avant de se brosser consciencieusement les cheveux et de les réunir en un chignon retenu par de longues épingles à têtes d'or ciselé, cadeau que son père avait fait à sa mère.

Une touche de parfum derrière les oreilles, une ombre de rose aux lèvres, et elle enfila la robe richement brodée. Même les perles de jade qui servaient de boutons lui semblaient luxueuses.

Enfin vinrent les bijoux : du jade pour les poignets, au cou des rangs de perles de cristal et de bois sculpté ; puis le délicat mouchoir que toutes les dames se devaient de porter. Elle se redressa de toute sa taille, la tête haute, comme si elle était belle.

Li-Yin, sa mère, était une beauté. Elle aimait à raconter comment Hugh Montgomery avait décidé de l'acheter et d'en faire sa concubine au premier regard. Au début, elle avait été terrifiée par ce gigantesque Barbare aux cheveux rouges et aux yeux gris. Mais il s'était montré si bon envers elle qu'elle n'avait pas tardé à se féliciter de l'avoir pour maître.

Verity ne se lassait pas d'entendre cette histoire, rêvant du jour où un *Fan-qui* la verrait et tomberait sur-le-champ amoureux fou. Elle était encore bien naïve à l'époque !

Elle effleura les broderies de la main. Des pivoines pour la vitalité, des chauves-souris pour la chance. Se sentant délicieusement féminine, elle se mit à danser, et la lourde soie tournoya autour d'elle. Maxwell la trouverait-il jolie s'il la voyait ainsi ?

Mais son regard se posa sur le miroir, et elle se décomposa. Orientale ou Occidentale, elle était affreuse. Pourquoi se torturait-elle à plaisir en s'habillant comme une dame, en feignant d'être ce qu'elle ne serait jamais ? Petite fille, à Macao, elle admirait les dames *Fan-qui* qui avaient toutes des traits différents, des couleurs de cheveux variées. Avec sa silhouette pataude et ses immenses pieds de servante, on l'aurait moins remarquée parmi elles qu'au milieu des délicates Cantonaises. Cependant, jamais on ne l'aurait pour autant considérée comme jolie.

On gratta à la porte.

— Jin Kang ?

C'était Ling-Ling, la quatrième compagne de Chenqua, la plus jeune, la plus belle et la plus vive de ses épouses. Elle était aussi la meilleure amie de Verity. Ne voulant pas être surprise avec les vêtements interdits, elle répondit :

— Un instant, Ling-Ling !

Elle se hâta de ranger la robe et les accessoires avant d'enfiler pantalon et tunique. Elle n'avait pas le temps de tresser ses cheveux, et les laissa libres sur ses épaules, puis elle alla ouvrir.

Ling-Ling entra, ravissante, ondulant délicieusement sur ses minuscules pieds bandés. Ses « lis dorés » mesuraient à peine dix centimètres, et elle en était très fière. Elle écarquilla les yeux, surprise.

— Quelle quantité de cheveux tu as ! Et quelle drôle de couleur un peu rouge ! Ton sang *Fan-qui*, bien sûr.

Verity réprima un soupir. Son amie était pour le moins directe ! Tressée, sa chevelure semblait à peu près brune, mais lâchée, elle s'allumait de reflets roux.

— Tout le monde ne peut avoir ta chance, Ling-Ling.

— C'est vrai, répondit la jeune femme avec un sourire espiègle en se perchant sur l'unique chaise. Je vois que tu as ôté la bande de tes seins. Ils sont si volumineux !

— Encore cet horrible sang *Fan-qui* !

Ling-Ling acquiesça.

— Ces Barbares sont tellement énormes ! Et velus ! La dernière fois que mon seigneur en a reçu un, j'ai regardé, cachée derrière un paravent. Cela doit être horrible d'appartenir à l'un de ces individus !

— Quelle horreur, en effet ! Tu pourrais te retrouver avec un enfant qui me ressemblerait !

— Ce n'est pas ta faute si tu es métisse.

Verity savait qu'il n'y avait là aucune insulte de la part de son amie. Elle s'assit au bord de son lit, pour soulager sa cheville douloureuse.

— Tu es venue pour une raison particulière ? demanda-t-elle.

Ling-Ling se pencha en avant, les yeux brillants.

— Je crois que j'attends un bébé !

— C'est merveilleux ! Tu es sûre ?

— Pas tout à fait encore, mais je le sens. Je vais donner un fils à mon seigneur !

— Ou une fille.

Ling-Ling secoua la tête.

— J'ai prié au temple de Kuan Yin, et je lui fais brûler des bâtons d'encens tous les jours. Ce sera un garçon, et mon seigneur le souhaite aussi, sinon il n'aurait pas lâché sa semence en moi. Il sera tellement heureux !

C'est au cours de ses conversations avec Ling-Ling que Verity avait appris ce qui se passait entre un homme et une femme, et elle l'avait toujours écoutée avec la plus grande curiosité, tout en se sentant un peu coupable de s'intéresser à des sujets si osés. Elle imaginait mal Chenqua dans la peau d'un amant, pourtant Ling-Ling affirmait que sa vigueur n'avait d'égale que son endurance. D'ailleurs, pour engendrer un nouvel enfant à son âge, il fallait qu'il fût en forme.

— Garçon ou fille, je t'envie, Ling-Ling !

La jeune Chinoise pencha la tête, songeuse.

— Vraiment ? Je croyais que la vie de femme ne t'intéressait pas.

— Je n'ai pas le choix, aucun homme ne voudrait de moi.

— Aucun Chinois, c'est évident, mais un *Fan-qui*... Il serait honoré d'avoir une concubine qui a du sang de l'Empire Céleste.

Verity avait secrètement observé les négociants européens en se demandant comment serait la vie auprès d'eux. Gavin Elliott l'attirait tout particulièrement, car il lui rappelait son père : grand et séduisant, honorable et intelligent, courtois envers tout le monde. Mais Lord Maxwell... Verity rougissait, rien que d'y penser. Il avait enflammé son âme et son imagination, bien qu'une relation entre eux fût proprement impensable.

— Y en aurait-il un qui te plaise ? demanda Ling-Ling, fine mouche. Dois-je prier mon seigneur, ce soir, quand nous serons couchés, de te donner au *Fan-qui* que tu désires ?

Verity parvint à hausser les épaules d'un air indifférent.

— Non. Je suis moi-même à demi barbare, mais ça ne signifie pas que j'aie envie de vivre avec l'un d'entre eux.

Ling-Ling hocha la tête. C'était un sentiment tout à fait raisonnable.

Et un mensonge, naturellement. Si épouser un *Fan-qui* était impossible, Verity rêvait d'en connaître un intimement !

Gavin versa du thé dans une tasse sans anse qu'il offrit à Kyle.

— Qu'en penses-tu ?

Kyle le goûta consciencieusement. Grâce à son ami, il commençait à devenir expert en matière de thés.

— Un peu fade.

— Tu es charitable! Je le trouve affreusement insipide. Mais si je le vendais un prix attractif? Cela vaudrait peut-être la peine de l'expédier jusqu'à Boston.

Kyle en prit une autre gorgée.

— Si on lui ajoutait un parfum, cela le rendrait plus intéressant.

Gavin semblait intrigué:

— Tu as une idée?

— En Inde, j'ai bu du thé parfumé à la cardamome, et j'ai trouvé cela délicieux. Tu peux aussi essayer du citron. Ou encore de l'orange.

Gavin hocha la tête, pensif.

— Je vais commander une bonne quantité de ce thé, et nous réaliserons quelques expériences. Je ferai de toi un véritable homme d'affaires. Que dirais-tu d'ouvrir à Londres une succursale de la société Elliott?

— Tu veux exporter en Angleterre?

— Cela me semble assez logique, répondit Gavin en souriant. Il y a plus de clients en Grande-Bretagne qu'aux États-Unis. Quand j'étais gamin, à Aberdeen, je m'imaginais dans la peau du patron d'une des plus grandes compagnies au monde d'import-export.

— Ma foi, tu sembles en bonne voie!

Kyle lui-même n'avait pas mal réussi. Il avait commencé à se mêler un peu de commerce afin de voir s'il pouvait réussir sans se servir de ses relations, et il s'en était fort bien sorti. Bien qu'il eût décidé de rentrer en Angleterre mener la vie tranquille d'un aristocrate, il désirait garder un lien avec l'Orient, et c'était sans doute une des raisons qui poussaient Gavin à élargir son rayon d'action.

— Je pense qu'un bureau à Londres serait une excellente idée, reprit Kyle. Et cela me sauverait d'un excès de respectabilité.

Tout en lui fournissant une bonne excuse pour de futurs voyages! Mais avant cela, il devrait remplir son devoir en se mariant afin d'avoir des héritiers. Cela ne l'enchantait guère, pourtant il trouvait cette perspective moins insupportable que lorsqu'il avait quitté l'Angleterre. Il existait certainement quelque part une charmante jeune femme qui deviendrait une épouse agréable et pas trop exigeante. Le grand amour, il n'y comptait pas. Cela n'arrivait qu'une seule fois dans une vie.

Gavin ajouta quelques chiffres sur une feuille de papier qu'il sortit de la poche intérieure de sa veste.

— J'ai une réunion à Consoo House, et je vais être en retard, dit-il. Cela t'ennuierait-il de demander à Jin Kang de t'écrire cette lettre pour Pao Tien, le marchand qui m'a envoyé l'échantillon de thé ? C'est une commande.

— Jin lit l'anglais ? s'étonna Kyle.

— J'en doute. Lis-lui simplement la lettre à haute voix, il traduira en chinois et ajoutera les traditionnelles formules de politesse.

— Je m'en occupe tout de suite, fit Kyle, heureux d'avoir un prétexte pour revoir le jeune homme.

Peut-être comprendrait-il pourquoi Jin lui avait fait si forte impression lors de leur première rencontre ?

Il tournait les talons quand Gavin le rappela.

— N'oublie pas qu'il y a un grand dîner en ton honneur à l'Usine anglaise, ce soir !

— Je m'efforçais de ne pas y penser, gémit Kyle. Pourquoi les types de la compagnie de l'Orient se sentent-ils obligés de m'offrir une réception officielle ? Je pense avoir déjà rencontré tous les marchands occidentaux de Canton.

— C'est tout simplement qu'il n'y a rien à faire dans le quartier réservé. Les femmes et les maîtresses n'y ont pas droit de cité, et nous nous retrouvons parqués sur ce bout de terre à peine plus grand qu'un terrain de cricket... Alors nous sautons sur toutes les occasions de sortir l'argenterie, et recevoir un vicomte en est une rêvée !

C'était une réponse sensée. Malgré son amour de la Chine, Kyle savait qu'il serait devenu fou s'il avait dû vivre une existence aussi confinée. Au bout de trois jours, il avait déjà envie de galoper à cheval dans la campagne. Mais, pour ce faire, il devrait attendre d'être de retour chez lui, à Dornleigh. Tandis qu'il traversait l'entrepôt bondé, il crut sentir la fraîcheur de la brise anglaise sur son visage. Oui, il était temps qu'il retrouve sa patrie.

Mais il lui restait encore un mois à passer à Canton. Même s'il ne parvenait pas à visiter le temple de

Hoshan, il lui fallait au moins en apprendre le plus possible sur le commerce avec les Chinois. Lorsqu'il hériterait du titre de comte et siégerait à la Chambre des lords, il aurait à s'occuper de commerce et de politique étrangère, or, en ce domaine, rien ne valait l'expérience directe.

L'opium faisait hélas partie intégrante du commerce avec la Chine, et les Occidentaux désapprouvaient le fait que les marchands britanniques deviennent pourvoyeurs de drogue. Kyle était de cet avis, et s'il avait sauvé la firme Elliott de la faillite, c'était justement parce que cette société américaine était l'une des rares qui n'avaient rien voulu avoir affaire avec l'opium.

Certes, l'Amérique possédait des fourrures, du ginseng et d'autres marchandises appréciés des Chinois, ce qui n'était pas le cas de tous les pays. La Chine ne s'intéressait pas aux produits manufacturés européens... Mais quant à l'opium en provenance de Turquie ou des colonies indiennes, c'était une autre histoire !

Il pénétra dans le bureau où travaillaient une demi-douzaine d'employés, portugais pour la plupart. Jin Kang, assis à un coin de table, s'affairait avec un boulier. On aurait dit un jouet, mais c'était, paraît-il, très utile pour compter, et Kyle se promit de demander un jour au jeune homme de lui en expliquer le fonctionnement.

— Comment va votre cheville, Jin ?

Il s'était approché sans bruit. Verity sursauta, et lui lança un vif regard de ses yeux d'un brun très chaud.

— Très bien, monsieur, répondit-elle d'une voix à peine audible en retournant à son boulier.

Kyle prit une chaise et s'assit près de la table.

— M. Elliott aimerait que vous rédigiez cette lettre pour lui.

— Certainement, monsieur.

Jin repoussa le boulier et sortit le matériel nécessaire d'un tiroir. Kyle le vit avec curiosité écraser une sorte de pâte noire sur une pierre avant de la mélanger à de l'eau afin d'en faire de l'encre.

Quand tout fut prêt, Kyle commença à lire la lettre à haute voix. À l'aide d'un pinceau, le jeune homme traça des colonnes d'idéogrammes compliqués, de la droite vers la gauche. Parfois, il s'interrompait pour demander un éclaircissement sur un mot, une tournure de phrase. Son anglais était un peu lent et laborieux, mais il s'en sortait plutôt bien.

Une fois la lettre terminée, Kyle fit remarquer :

— L'écriture chinoise est tout à fait particulière. Fort élégante.

— La calligraphie est un art. Ma façon d'écrire est rudimentaire, tout juste bonne pour le commerce.

— Moi, je la trouve belle. Il y a tant de lettres différentes ! Pourriez-vous m'apprendre l'alphabet ?

— Il est interdit d'enseigner le chinois à un *Fan-qui*, répondit Jin en gardant la tête baissée.

Il était capable de tenir toute une conversation sans lever les yeux une seule fois.

— Et pourquoi donc, grands dieux ?

— Il ne m'appartient pas de deviner les motivations de l'empereur céleste.

Cette interdiction était certainement dictée par la xénophobie légendaire des Chinois. Trois jours à Canton avaient suffi à Kyle pour s'apercevoir que le plus pauvre des Chinois regardait les diables étrangers de haut. C'était assez amusant d'imaginer la réaction d'un aristocrate anglais collet monté apprenant que le dernier des coolies se considérait comme supérieur à lui !

Paradoxalement, toutefois, Kyle n'avait eu affaire dans ses relations professionnelles qu'à des hommes d'une courtoisie parfaite qui semblaient respecter sincèrement les *Fan-qui* avec qui ils traitaient. Décidément, ce pays était une terre de contrastes !

— M'apprendre l'alphabet ne serait pas m'apprendre votre langue ! insista-t-il.

Jin secoua la tête.

— Nous n'avons pas d'alphabet.

— Pas d'alphabet ? Alors que veut dire ceci ? demanda Kyle en désignant un caractère.

— Je demande respectueusement l'attention du marchand.

Jin posa son pinceau sur un petit socle de porcelaine, les sourcils froncés par l'effort que ces explications lui demandaient.

— Dans notre langue, reprit-il, chaque lettre correspond à un son. En les assemblant, on arrive au son du mot entier. En chinois, chaque caractère est... une idée. En les combinant, on produit une nouvelle idée. C'est... subtil.

— Et fascinant ! Combien existe-t-il de caractères ?

— Énormément. Des dizaines de milliers.

Kyle siffla entre ses dents.

— Cela semble bien compliqué. Il faut sûrement des années pour apprendre à lire et à écrire.

— Peu de gens excellent dans cet art, répondit Jin avec raideur. L'écriture, la poésie et le dessin sont les Trois Perfections. Seuls les intellectuels et les poètes maîtrisent ces arts.

— Puisque vous savez écrire, vous êtes un intellectuel, vous aussi ?

— Oh, non ! Jamais je ne serais capable de passer un examen, je suis tout juste bon secrétaire.

Visiblement, il trouvait la question de Kyle absurde.

— Accepteriez-vous de me montrer comment dessiner un caractère ? Ce n'est pas comme de m'apprendre à écrire.

Les coins de la bouche de Jin se retroussèrent imperceptiblement. L'ombre d'un sourire ?

— Vous êtes tenace, monsieur.

— En effet ! déclara Kyle en contemplant le pain d'encre octogonal orné d'un dragon. Alors, autant céder tout de suite, sinon je vais vous importuner jusqu'à ce que j'arrive à mes fins.

Oui, Jin réprimait bien un sourire.

— Un modeste secrétaire ne saurait résister à une telle force, monseigneur.

Il posa une feuille blanche sur la table.

— Regardez. Je vais tracer le caractère « feu ». Les coups de pinceau doivent tous être exécutés dans un ordre déterminé.

Il dessina par deux fois le caractère, très lentement afin que Kyle suive le mouvement du pinceau. Puis il le trempa dans l'encre et le tendit à Kyle.

— À vous.

Même pour un néophyte, il fut clair que l'essai de Kyle n'était pas une réussite.

— C'est plus difficile qu'il n'y paraît.

Il fit une nouvelle tentative, parut se rapprocher du modèle, mais cela n'avait rien à voir avec l'élégance de l'écriture de Jin.

— Vous tenez mal votre pinceau. Ce n'est pas une plume. Plus droit, comme ça...

Jin posa spontanément sa main sur celle de Kyle afin de changer l'inclinaison du pinceau.

Un étrange fourmillement traversa Kyle. Par le diable ! Jin dut le ressentir aussi, car il retira vivement sa main.

Ce garçon était-il un saint homme, comme le vieux sage en Inde ? Le regard de Sri Anshu pouvait faire fondre le plomb, peut-être Jin Kang possédait-il le même feu intérieur ? À moins que cette inexplicable réaction ne vînt de pulsions que Kyle ne voulait même pas envisager !

Malgré son trouble, il demanda, comme si de rien n'était :

— Plus droit, le pinceau ?

Jin déglutit.

— Oui. Et tenu plus souplement.

Kyle s'exerça encore plusieurs fois. Le résultat était un peu plus satisfaisant, mais il restait du chemin à parcourir !

Quant à sa surprenante réaction face à Jin Kang, il était bien loin de lui trouver ne serait-ce qu'un début de réponse !

4

Angleterre
Décembre 1832

Verity se réveilla dans un lit moelleux dont les draps fleuraient bon la lavande. Il faisait nuit, mais des bûches crépitaient dans une cheminée, à sa droite, et pour la première fois depuis ce qui lui semblait des années, elle avait chaud.

— Comment vous sentez-vous ? demanda une voix familière.

Elle tourna la tête vers l'homme dont la vision lui avait fait perdre connaissance à son arrivée à Warfield Park. Pourtant, à présent qu'elle le voyait de plus près, elle se rendait compte que ce n'était pas Kyle, malgré la stupéfiante ressemblance.

— Vous êtes Lord Grahame ?

Il acquiesça.

— Et vous êtes Lady Maxwell, l'épouse de mon frère. Mais avant d'engager une conversation plus sérieuse, avez-vous faim, soif ? Un peu d'eau, peut-être ?

Elle se rappela qu'elle n'avait rien avalé depuis le matin.

— Avec plaisir.

Il y avait une carafe sur la table de chevet, il remplit un verre avant de redresser les oreillers afin qu'elle pût boire.

Elle vida le verre d'un trait, et se sentit mieux.

— Il ne m'avait pas dit que vous étiez jumeaux, Lord Grahame.

— Alors, je ne m'étonne plus que vous vous soyez évanouie en me voyant ! Les vrais jumeaux apprennent très tôt que les gens sont tellement fascinés par leur ressemblance qu'ils en oublient qu'ils ont une individualité propre. Il est plus simple de ne pas révéler que l'on a un jumeau, sauf en cas de nécessité.

Il n'y avait eu aucune raison, en effet, pour que Kyle aborde le sujet. Tout avait été si vite, à la fin !

Elle ne pouvait s'empêcher d'étudier le visage de son hôte. Il était un peu plus mince, ses yeux peut-être d'un bleu plus profond, mais quand même...

— La ressemblance est surprenante, Lord Grahame.

Il eut un sourire douloureusement familier.

— Puisque je suis votre beau-frère, vous pourriez m'appeler Dominic.

— Je m'appelle Verity.

Elle triturait nerveusement un coin du drap.

— Vous acceptez sans poser de questions que je sois l'épouse de votre frère ?

— Vous portez sa bague. Et je ne suis pas du tout étonné qu'il vous ait choisie pour femme. Où est-il ? Il a été retenu à Londres ?

Verity s'aperçut que, sous ses dehors calmes, Dominic était tendu. C'était la raison pour laquelle il avait attendu près d'elle qu'elle reprenne conscience. Peut-être sentait-il que quelque chose n'allait pas, tout en espérant se tromper.

Le cœur à l'envers, elle parvint à murmurer :

— Je suis désolée d'être porteuse d'une mauvaise nouvelle... Kyle est mort en Chine.

Dominic se pétrifia, le sang se retira de son visage.

— Non... Ce n'est pas possible.

— Je le voudrais bien...

D'une voix tremblante, bien qu'elle vécût depuis des mois avec sa peine, elle décrivit le décès de Kyle en quelques phrases courtes.

Quand elle eut terminé, Dominic enfouit sa tête dans ses mains.

— Je me doutais que quelque chose n'allait pas, souffla-t-il. Mais j'ai toujours pensé que s'il était mort, je le saurais.

Elle se mordit la lèvre.

— Je suis navrée, tellement navrée ! Sa dernière volonté était que je vienne vous raconter ce qui s'était passé.

Il leva les yeux vers elle, l'air hagard.

— Pardonnez-moi. Cela doit être encore plus pénible pour vous que pour moi.

— Je ne connaissais Kyle que depuis quelques semaines.

Des semaines qui l'avaient changée à jamais.

— Tandis que vous, reprit-elle, vous le connaissiez depuis toujours.

— Je suppose qu'il ne sert à rien de comparer nos chagrins, dit Dominic avant de se lever. Si vous avez besoin de quoi que ce soit, sonnez et on viendra aussitôt.

Il ouvrit la bouche pour ajouter quelque chose, secoua la tête.

— Par... pardonnez-moi.

Il quitta la pièce en titubant, comme s'il avait reçu un coup mortel, et Verity sut qu'il allait chercher du réconfort auprès de son épouse, la seule sans doute qui pût l'aider à surmonter cette cruelle épreuve.

Sa mission accomplie, Verity enfouit le visage dans ses oreillers et laissa enfin libre cours aux sanglots qu'elle retenait depuis trop longtemps.

5

Canton, Chine
Février 1832

Kyle cligna des yeux en pénétrant dans les locaux de l'Usine anglaise, comme on appelait la Compagnie anglaise des Indes. Des centaines de chandelles illuminaient la pièce et la longue table somptueusement dressée.

— Tu ne plaisantais pas, quand tu parlais de sortir l'argenterie, souffla Kyle à son ami. En comparaison, une réception chez un duc ressemblerait à une sauterie intime.

Gavin eut un petit rire.

— Ça, tu le sais mieux que moi.

Kyle remarqua un groupe de Chinois vêtus de noir à un bout de la grande salle.

— Nous n'avons tout de même pas besoin d'autant de serviteurs !

— Traditionnellement, il doit y en avoir un derrière chaque convive. J'ai demandé à Jin Kang de s'occuper de toi, ainsi si tu as des questions concernant le protocole, il pourra te répondre.

Peut-être, mais Kyle éviterait de lui adresser la parole. Il était encore embarrassé par l'effet que le jeune garçon produisait sur lui.

Un homme chauve à la silhouette imposante se détacha d'un groupe d'hommes pour venir tendre la main à Kyle.

— Permettez-moi de vous accueillir officiellement à l'Usine anglaise, Lord Maxwell.

C'était William Boynton, le directeur de la Compagnie des Indes à Canton ; il entreprit de faire faire à

Kyle le tour de la pièce afin de lui présenter tous les participants. Kyle réprima un soupir. La première leçon qu'il avait apprise de son père, c'était qu'avec le rang venaient les responsabilités. Et les corvées.

— Essayez de tenir Maxwell à l'écart des ennuis, avait demandé Gavin à Jin avant le banquet. Ce garçon est beaucoup trop curieux et pas assez prudent.

Elle l'avait remarqué ! Maxwell ne cherchait que les difficultés ! Tandis que les *Fan-qui* s'installaient autour de la table, elle les observait. Certains étaient des marchands avisés, comme son père. D'autres des gens sectaires qui avaient fait fortune grâce au commerce mais méprisaient les habitants du pays qui leur procurait de telles richesses. Elle les connaissait tous, pourtant aucun ne la connaissait vraiment.

Elle se posta derrière Lord Maxwell qui avait la place d'honneur, à la droite de Boynton. Quand elle approcha, il lui adressa un petit signe de tête, pourtant elle lut dans ses yeux un mélange de curiosité et de méfiance bien proche de ce qu'elle-même ressentait, et elle fut un peu réconfortée de le voir troublé, lui aussi.

Qu'est-ce qui la touchait tant chez lui ? Il n'était pas le plus grand de l'assemblée, ni le plus richement vêtu, ni sans doute le plus beau, puisque Gavin Elliott était là. Mais il possédait une présence, une autorité naturelle qui éclipsaient celles de Boynton lui-même, le plus puissant commerçant *Fan-qui* de Canton.

Durant l'interminable repas, composé de tranches de viande, de pudding et autres nourritures lourdes typiques des Occidentaux, Verity eut tout loisir de contempler le crâne de Maxwell. Bêtement, elle se repaissait d'admirer la légère ondulation de sa chevelure châtaine, la naissance de ses épaules. Et elle ne cessait de se remémorer l'étrange frémissement qui l'avait parcourue quand elle avait étourdiment posé la main sur la sienne afin de lui montrer comment tenir le pinceau. Lorsqu'on n'avait rien d'autre à faire que de rester debout derrière une chaise, on avait le temps de laisser son imagination vagabonder !

Le souper en était à la phase finale, porto et cigares, quand la conversation prit un tour inquiétant. Cela commença avec les habituelles doléances sur les Huit Règles, qui bridaient les activités des négociants européens. Verity écouta à peine, car elle connaissait tout cela par cœur.

Puis Caleb Logan, un Écossais qui avait été un associé de son père, déclara :

— Vous feriez mieux de travailler avec une société anglaise, Maxwell, plutôt qu'avec une compagnie américaine.

C'était dit sur le ton de la plaisanterie, et cependant...

— La Compagnie des Indes a besoin de concurrence, répondit Kyle, bon enfant. En outre, j'aime la philosophie d'Elliott.

— Philosophie ? La seule philosophie que nous connaissons tous est de gagner le plus d'argent possible.

Maxwell ne répondit pas, mais un Anglais passablement éméché, Colwell, prit la parole :

— Par *philosophie,* vous voulez dire qu'Elliott ne touche pas à l'opium ?

Maxwell hésita un instant.

— J'avoue préférer ne pas me lancer dans un trafic de marchandise illégale.

— Nous n'avons pas tous la chance de disposer de castors morts et de vieilles racines pourries.

— Les Américains ont en effet la chance de pouvoir exporter de la fourrure et du ginseng, mais les Anglais devraient sans doute suivre leur exemple et chercher de nouveaux produits à vendre, suggéra Maxwell. Le commerce de l'opium n'est pas populaire, chez nous. Beaucoup le considèrent même comme infamant.

— Et que diraient nos compatriotes bien-pensants si on les privait de leur thé ? rétorqua Logan. Pas d'opium, pas de thé. Nous avons offert d'autres marchandises, mais les mandarins les ont refusées.

— Nous sommes fiers que Napoléon nous ait traités de peuple de marchands, mais aucune loi n'oblige la Chine à traiter avec nous. Le gouvernement a raison d'essayer d'empêcher l'opium de pénétrer dans le pays.

— Le commerce est la force vive du monde. Les Chinois le savent, même si leur gouvernement l'ignore. Il y a de nombreux acheteurs d'opium, et c'est ce qui maintient l'équilibre commercial.

Comme la plupart des négociants, Logan considérait le trafic de l'opium du point de vue de la rentabilité, non de la morale. Verity, qui avait vu les ravages causés par cette drogue, ne partageait pas ce point de vue. Fort heureusement, son père ne s'était pas adonné à ce trafic. Pourtant il aurait gagné plus d'argent s'il l'avait fait.

Maxwell fit tourner le porto dans son verre. Verity sentait que le sujet le dérangeait, mais il n'avait pas l'intention de revenir sur sa position.

— C'était vrai autrefois, cependant les temps ont changé. La Compagnie des Indes va sans doute perdre son monopole d'ici à un an ou deux, alors il y aura davantage de compétition. Il est possible également que le Parlement interdise aux citoyens britanniques de participer au trafic d'opium.

Un lourd silence tomba sur la pièce.

— Êtes-vous un espion du Parlement, reprit froidement Logan, qui va retourner à Londres pour essayer de nous priver de notre moyen d'existence ?

— Certainement pas ! protesta Kyle. La Grande-Bretagne a besoin de vous, de votre talent, de votre expérience et de votre thé. Je suggérais seulement que vous envisagiez de vous diversifier.

— C'est inutile. Tout le système commercial païen est sur le point de s'écrouler, intervint l'Anglais éméché. Il tient seulement parce que les mandarins ont peur que leur peuple nous voie et reconnaisse notre supériorité. Alors ils nous traitent de Barbares et nous enferment dans ce ghetto. Ce sont eux, les Barbares.

Boynton intervint.

— Cette conversation est déplacée. Nous sommes reçus dans leur pays, et chacun de nous a bien profité du système.

— Nous sommes prisonniers ! contra l'ivrogne. La navigation de plaisance nous est interdite, nous n'avons pas le droit de pénétrer dans la cité, ni même d'amener nos épouses ou nos maîtresses. Il faudrait que la Royal Navy remonte la Pearl River et enseigne un peu les bonnes manières à ces mandarins. Ensuite, nous pourrions faire du commerce partout, et pas seulement à Canton.

— Ça suffit ! ordonna Boynton.

— Vous avez raison, approuva Logan. Les hommes civilisés doivent savoir respecter les opinions d'autrui.

Pourtant la tension demeurait palpable, et Verity sentit qu'une grande partie de l'animosité ambiante était dirigée contre Maxwell, comme s'il était responsable des problèmes du commerce avec la Chine. Elliott lui jeta un coup d'œil. La plupart des serviteurs ne parlaient pas anglais, mais Verity avait compris la conversation, il le savait.

Elle affichait un air impassible, les yeux baissés comme si elle s'ennuyait trop pour suivre l'échange. Elle serait obligée de rapporter la discussion à Chenqua, mais il ne s'était pas dit grand-chose de nouveau. Les négociants *Fan-qui* grognaient tout le temps. Seul Maxwell, avec ses suggestions raisonnables, sortait du lot.

— Je comprends que vous vous sentiez emprisonnés, disait-il sur le ton de la conciliation. Je ne suis ici que depuis une semaine, et j'ai déjà des fourmis dans les jambes. Certains d'entre vous osent-ils défier les interdits et pénétrer dans la cité, ou à l'intérieur des terres ? Je serais heureux d'en voir un peu plus.

La plupart des hommes semblèrent choqués à cette idée. Un Hollandais s'écria :

— Nous n'irions pas très loin ! Les diables étrangers ne passent pas inaperçus.

— Les jésuites portugais voyagent à travers le pays. Un commerçant pourrait peut-être en faire autant, à condition de porter une longue robe noire.

Maxwell avait parlé d'un ton léger, mais Verity sentait que la réponse l'intéressait vraiment.

Boynton secoua la tête.

— Certes, l'empereur autorise la présence des jésuites, mais ils ne sont pas autorisés à aller où ils le désirent. Il leur faut des permis, des guides, il y a des règles à respecter. Dommage, sinon je serais moi-même tenté de me glisser dans une robe noire, pour voir !

Il y eut quelques rires.

— Alors, je devrai me contenter d'explorer Hog Lane. J'irai demain soir. Le contraste avec la soirée mondaine d'aujourd'hui devrait faire paraître l'endroit plus exotique encore.

L'ironie était à peine décelable dans son intonation.

— Est-ce vraiment un lieu de perdition ? insista-t-il.

— Les baraques vendent les alcools les plus frelatés de tout l'Orient, et vous verrez des marins européens en train de vomir dans les allées, ou carrément ivres morts dans les caniveaux, expliqua Logan. On vous fera peut-être les poches, mais comme Hog Lane fait partie de la colonie, au moins vous ne risquez pas d'être poignardé dans le dos. Cet endroit est finalement moins dangereux que Londres.

— Hog Lane semble relativement calme, comparé à certains ports. Calcutta, par exemple.

La réflexion de Maxwell déclencha une discussion sur les différents ports et leurs caractéristiques, descriptions à l'appui. Verity trouva cela fort instructif, bien qu'elle se demandât quelle était la part d'authenticité et la part d'exagération.

Quand le moment vint de se séparer, toute trace d'agressivité avait disparu. Mais tandis que Verity se retirait avec les autres serviteurs, elle comprit pourquoi Elliott lui avait demandé de veiller sur Maxwell. Sa sincérité risquait fort de lui attirer des ennuis !

6

Verity travailla tard, ce soir-là, à l'Usine anglaise, où elle traduisait et rédigeait des lettres pour Boynton. En tant qu'employée de Chenqua, une partie de son travail consistait à effectuer les tâches demandées par les clients de son maître. D'ailleurs, elle était heureuse d'avoir cette excuse pour ne pas se trouver chez Elliott, où elle risquait de rencontrer Maxwell. Il avait hanté ses rêves la nuit précédente et elle s'était réveillée palpitante de désir, et humiliée. Heureusement, il s'en irait bientôt, pour ne plus revenir !

Ce soir-là, il avait l'intention de visiter Hog Lane. L'endroit l'intéresserait-il ? Pour un grand voyageur tel que lui, les tavernes locales et les prostituées ne devaient pas avoir vraiment l'attrait de la nouveauté. Verity eut un pincement au cœur, lui enviant sa liberté. Si seulement elle était née garçon !

Elle ne cessait de rêvasser, alors son travail lui prit plus de temps que de coutume. Elle écrivait moins nettement et dut recommencer plusieurs caractères, pourtant elle fut étonnée d'entendre la pendule du bureau sonner minuit quand elle eut enfin terminé. Peut-être sauterait-elle son entraînement du lendemain afin de s'offrir un peu de sommeil supplémentaire.

En bâillant, elle quitta l'usine, salua le portier qui était habitué à ses horaires irréguliers.

Hog Lane, à un pâté de maisons de là, bourdonnait d'activité, mais le quai était calme ; seuls quelques sampans croisaient silencieusement sur l'eau. Elle se dirigeait vers l'un des bateaux-taxis, pour rentrer à Honam Island, quand une sombre silhouette s'approcha.

— Jin Kang ?

Elle reconnut la voix d'un jeune homme qui était serveur dans un bar de Hog Lane et lui fournissait parfois des informations.

— Bonsoir, Teng. Qu'est-ce qui t'éloigne de ton travail à une heure aussi animée ?

Il baissa le ton.

— J'ai entendu quelque chose qui va t'intéresser.

Visiblement, il savait aussi qu'elle travaillait tard. Il n'y avait guère de secret, sur ce petit territoire. Elle étouffa un bâillement.

— Je suis fatiguée. Est-ce urgent ?

— Il y avait au bar deux types d'un gang puissant, et je les ai entendus parler de l'argent qu'ils allaient gagner en tuant un *Fan-qui*. Un qui est sous la protection de Chenqua.

Verity n'était plus fatiguée du tout !

— Personne n'oserait tuer un *Fan-qui* ! protesta-t-elle.

— Peut-être, mais ils comptaient déjà les tas d'argent qu'ils auraient quand ils auraient brisé le crâne du nouveau *Fan-qui*, Max-Well.

Bon sang ! S'il était encore à Hog Lane, il serait une cible rêvée.

— Tu as vu Lord Maxwell, ce soir ?

Teng haussa les épaules.

— Je ne le connais pas, mais la rue est pleine de marins *Fan-qui* en permission. Il se trouve peut-être parmi eux.

— Quand as-tu surpris la discussion de ces hommes ?

— Il y a quelques minutes.

Chercher de l'aide lui ferait perdre un temps précieux. Hog Lane n'était pas très vaste et, avec un peu de chance, elle trouverait Maxwell avant les membres du gang. Elle allait s'élancer quand Teng la retint par la manche.

— Mon information avait de la valeur ?

Elle se libéra d'une secousse.

— Tu auras ta récompense demain, c'est juré !

Elle partit en courant le long des quais paisibles, en direction du tapage et des lumières de Hog Lane.

La dépravation était la même partout dans le monde, songea Kyle. Toutefois la rude amitié des marins qu'il rencontra dans les différents débits de boisson le changeait agréablement de l'atmosphère étouffante de la veille.

Bien qu'il portât ses vêtements les plus simples, on le remarquait, mais comme il n'était pas officier de marine, on l'acceptait aisément. D'autant qu'il offrait volontiers des tournées de *samshu*, un redoutable alcool local, tout en buvant lui-même très peu.

En général, on en apprenait beaucoup, dans les classes les plus basses de la société, et Hog Lane ne faisait pas exception à la règle. De bar en bar, Kyle s'entretenait avec des marins de différentes nationalités, évitant habilement les bagarres qui se déclenchaient ici et là. À mesure que la soirée avançait, il engrangeait des opinions de toutes sortes sur le commerce chinois, et se disait que ses futurs collègues de la Chambre des lords auraient été horrifiés d'apprendre dans quelles conditions il faisait son éducation !

Mais cela ne le dérangeait pas. Tout petit déjà, il rêvait de parcourir le monde. Ce fut seulement après avoir atteint son but qu'il comprit la raison de ce désir. Sa naissance l'avait condamné à une vie toute tracée ; il avait surtout connu des hommes comme lui, élevés de façon stricte et destinés à gouverner un jour leur pays. C'était pourquoi il avait cherché à rencontrer d'autres personnes. Et s'il avait aimé Constancia, c'était en grande partie parce qu'elle était espagnole, à la fois exotique et merveilleusement chaleureuse.

Mais c'était en Asie qu'il avait trouvé des idées, des communautés, des peuples réellement différents de lui. Le saint homme indien dont les yeux brûlaient d'intelligence se moquait qu'il fût le vicomte Maxwell. Les camarades avec qui il avait lutté contre les pirates ne s'en souciaient pas davantage. Après la bataille, le bosco lui avait dit que « sa Seigneurie ne se battait pas comme un fichu gentleman ». Kyle avait rarement reçu de plus beau compliment.

Grâce à ses voyages, il avait appris à se connaître, il était devenu plus libre, plus tolérant. Même s'il ne devait plus jamais quitter l'Angleterre, il se croyait meilleur qu'avant son départ, et se sentait désormais prêt à rentrer chez lui. En attendant, il avait l'intention de jouir pleinement de ses dernières semaines à l'étranger.

Hog Lane se terminait à Thirteen Factories Street, une rue parallèle aux murailles de la cité qui s'élevaient à une centaine de mètres de là. Décidant qu'il vaudrait mieux explorer les boutiques de l'autre côté de cette rue en plein jour, Kyle allait rebrousser chemin lorsqu'un petit garçon jaillit d'une étroite ruelle.

Dans le pidgin parlé par les locaux, il dit :

— M'sieur, veut voir cliquets qui chantent ? Mon maître a beaux cliquets.

Des criquets chantants ?

— Où est la boutique de ton maître ? demanda Kyle, amusé.

— Juste là, m'sieur !

Le garçon s'engagea de nouveau en trottinant dans la ruelle, non sans se retourner, pour s'assurer que Kyle le suivait. La plupart des échoppes étaient fermées, mais il en restait une allumée, avec de minuscules cages accrochées au mur. Lorsque l'on approchait, le crissement des insectes devenait assourdissant.

Aussi Kyle n'entendit-il pas la personne qui se glissait derrière lui, mais une ombre lui fit faire instinctivement un pas de côté. Juste à temps pour éviter un coup de massue.

— Bon Dieu ! jura-t-il.

Trois Chinois arrivaient en renfort, et trois autres débouchaient au fond de la ruelle. Le gamin, sa tâche accomplie, s'était évanoui dans la nature. Kyle chargea en direction des Chinois qui l'empêchaient de battre en retraite. S'il parvenait à retrouver les marins éméchés, deux pâtés de maisons plus loin sur Hog Lane, ils l'aideraient volontiers à se débarrasser de ses agresseurs.

Sa force et sa rapidité faillirent lui ouvrir le passage, mais une autre massue l'atteignit à l'épaule gauche. Il tituba et faillit s'écrouler.

Comme il n'avait guère d'argent sur lui, il aurait été plus sage de jeter sa bourse aux malfrats, cependant, il n'était pas dans sa nature de céder à la menace. Il agrippa l'homme le plus proche et le jeta contre ses compagnons.

Les attaquants, à l'autre bout de la ruelle, approchaient, l'air déterminé. Seigneur, ils avaient l'intention de le tuer! Kyle recula afin de se trouver dos à un mur, puis il se mit à crier de toutes ses forces, dans l'espoir que sa voix porterait jusqu'à Hog Lane.

Il utilisa tous les trucs censés tenir ses assaillants en respect – il en avait appris pas mal en luttant contre des pirates, des bandits, des voleurs. Mais ils étaient six, et il avait eu la sottise de sortir sans son pistolet!

Remerciant tout de même le ciel d'avoir eu l'idée de glisser un poignard dans sa botte, il s'en saisit vivement et en frappa l'un des hommes dont la main se mit à saigner abondamment. Les autres grondèrent, et deux d'entre eux sortirent aussitôt des couteaux.

Lorsqu'une autre massue le frappa à la tête, Kyle s'effondra, à demi assommé. Les coups de pied pleuvaient sur ses côtes, son ventre, et il vit l'éclat d'une lame près d'entrer en action. Il songea vaguement que c'était une curieuse façon de mourir, dans une ville «sûre», juste avant de rentrer en Angleterre. Dominic se retrouverait comte, finalement.

Un cri à faire dresser les cheveux sur la tête déchira soudain l'air, et une silhouette sombre bondit sur ses assaillants. Avec une grâce et une rapidité incroyables, le nouveau venu envoya un coup de pied dans le bas-ventre de l'un des bandits, frappa un autre du tranchant de la main sur la gorge, tandis que son poing écrasait le nez d'un troisième. Ils roulèrent au sol en hurlant de douleur.

Les autres ne parvinrent pas à mettre la main sur ce feu follet aussi insaisissable qu'une ombre et plus rapide qu'un tigre. Glissant hors de portée des mains et des massues, il fit sauter le poignard d'un malfrat d'un coup de pied, pendant qu'il en envoyait un autre à terre.

Deux des bandits tentèrent de le clouer au mur, mais l'homme en noir bondit pour se retrouver perché sur le dos d'un assaillant comme s'il s'agissait d'un numéro de cirque.

Kyle vit la lame d'un couteau briller, et cria afin d'avertir son sauveteur, tout en luttant pour se relever et lui venir en aide. Hélas, la douleur lui fit perdre conscience.

Soulagée que les bandits n'aient pas appris le *kung fu*, Verity se servit de l'élan de son agresseur pour le jeter contre un mur. Il s'effondra et ne se releva pas. Les deux derniers Chinois filèrent sans demander leur reste.

Verity courut s'agenouiller près de Maxwell, le cœur battant. Elle avait été attirée là par ses cris, et lorsqu'elle était arrivée, il se battait encore comme un beau diable. Peut-être n'était-il pas mortellement touché.

En effet, son cœur battait avec force, il n'avait pas le crâne enfoncé, il saignait peu. Il survivrait. Mais que faire ? Il n'était pas question de s'attarder ici, car trois des hommes qu'elle avait envoyés à terre commençaient à reprendre leurs esprits et faisaient de faibles efforts pour se redresser. En outre, ceux qui s'étaient enfuis risquaient de revenir avec des renforts.

Il était possible de demander de l'aide à Hog Lane, mais l'attaque serait alors connue de tous, ce qui serait catastrophique pour Chenqua, puisque les commerçants du Cohong étaient considérés comme responsables de tout ce qui arrivait à leurs clients *Fan-qui*. La tentative de meurtre sur la personne de Maxwell vaudrait une sévère punition à Chenqua, voire une peine de prison. Sa richesse et sa puissance lui avaient attiré bien des inimitiés.

Il fallait donc qu'elle ramène Maxwell chez Elliott sans que personne apprenne ce qui s'était passé. Elliott jouerait le jeu, car il n'avait pas intérêt à ce que Chenqua soit puni, au contraire.

Elle trouva le poignard de Maxwell et le remit dans sa gaine à l'intérieur de la botte, puis elle le saisit aux épaules et le secoua.

— Levez-vous ! Il faut partir !

Il poussa un grognement sans pour autant bouger d'un pouce. Elle le secoua encore et encore, mais il était trop profondément évanoui pour répondre.

Verity se rappela soudain un fragment de conversation surpris entre Elliott et Maxwell ; ce dernier disait qu'il avait eu, enfant, une nourrice écossaise. Peut-être qu'une voix autoritaire, qui lui rappellerait son enfance, le réveillerait mieux qu'un murmure anglais teinté d'accent chinois.

Elle prit donc l'accent de son père pour aboyer :

— Levez-vous, espèce de paresseux ! Vous voulez qu'on vous découpe en rondelles ?

Cela marcha ! Faiblement, Kyle tenta de se redresser, et Verity l'y aida, grâce à ses années d'entraînement.

— Je vous ramène à la maison, mon garçon ! dit-elle sur le même ton.

Elle passa l'un des bras de Kyle autour de ses épaules et le guida vers la sortie de la ruelle. Avec un peu de chance, les passants penseraient que son compagnon était ivre.

Maxwell titubait, mais il parvenait à se tenir debout.

— Vous... vous ne pouvez pas être une Écossaise, balbutia-t-il. Pas de femmes européennes...

— Je ne suis pas écossaise, répliqua-t-elle en chinois. Vous délirez.

Pourvu qu'il ne se souvienne de rien, plus tard !

Elle transpirait à grosses gouttes lorsqu'ils atteignirent l'appartement d'Elliott. Maxwell était lourd, et ils avaient failli s'affaler plusieurs fois en pleine rue.

— Votre *Fan-qui* supporte mal le *samshu*, lança-t-elle au portier.

L'homme se mit à rire en lui ouvrant.

— Tu as besoin d'aide, petit ?

— Pour partager le pourboire qu'il me donnera ? Non, merci !

Avec Maxwell lourdement appuyé sur elle, le portier ne la reconnaîtrait sûrement pas, et elle savait par où filer ensuite sans être vue.

Elle fut un instant tentée de laisser Maxwell dans un coin discret de l'entrepôt, mais mieux valait l'accompagner jusqu'à sa chambre, même si cela signifiait qu'il fallait monter deux étages. Heureusement, elle était assez habituée aux lieux pour se diriger dans le noir. Quand ils arrivèrent à l'escalier de derrière, elle reprit son accent écossais.

— Montez les marches !

Il se remettait peu à peu. Il s'empara de la rampe de fer tout en continuant à s'appuyer sur Verity. Ils parvinrent à monter les marches cahin-caha, non sans avoir failli perdre deux fois l'équilibre et tomber à la renverse.

Ils se retrouvèrent enfin, à bout de souffle, devant la porte de la chambre.

— Vous avez les clés, petit ? aboya-t-elle.

Maxwell tâtonnait vers une poche intérieure, mais elle trouva la clé dans son manteau et ouvrit la porte.

Une fois à l'intérieur, elle l'amena jusqu'au lit sur lequel elle le laissa choir sans cérémonie. Elle aurait bien aimé pouvoir en faire autant, mais plus vite elle se sauverait, moins il aurait de chance de se rappeler qu'elle lui avait sauvé la vie. Apprendre qu'elle avait mis en fuite six malfrats attirerait trop l'attention sur l'insignifiant secrétaire de Chenqua. Elle allait se contenter de réveiller Elliott afin qu'il s'occupe de son turbulent associé.

Elle alluma une lampe et examina Maxwell plus sérieusement que dans la ruelle sombre. Il aurait une quantité d'ecchymoses et un horrible mal de crâne, mais rien de plus grave, apparemment. Déjà il ouvrait les yeux.

— Ce n'est pas dramatique. Je vais envoyer quelqu'un pour vous soigner.

Elle se détournait quand il la saisit au poignet.

— Qui êtes-vous ?

— Vous ne me connaissez pas.

— Bien sûr que si. Jin Kang ?

Il fronçait les sourcils, s'efforçait de s'éclaircir les idées. Ses yeux si bleus semblaient cernés d'ombre.

Elle tenta de se dégager, mais sa poigne était étonnamment solide, et elle ne voulait pas risquer de lui faire du mal en forçant. Elle prononça quelques phrases en chinois, espérant qu'il se rappellerait cela plutôt que l'anglais dont elle s'était servie avec autorité un peu plus tôt.

Avant qu'elle ait pu se libérer, il lui arracha son bonnet bleu, révélant toute sa tête.

— Mon Dieu ! murmura-t-il. Jin Kang est une femme !

7

Elle avait l'air d'un faon pris au piège, avec ses grands yeux bruns effrayés. Il constata qu'elle n'avait pas la moitié du crâne rasé, comme les hommes chinois. Sa chevelure sombre s'éclairait de reflets auburn, et ses traits, que Kyle avait trouvés presque trop fins pour un garçon, étaient si évidemment féminins qu'il se serait giflé de s'être fait avoir ainsi.

Non seulement féminins, mais ravissants. Troublé, il lui lâcha le poignet.

— Je suis soulagé de constater que ma réaction en votre présence n'est pas aussi inquiétante que je le craignais. Vous êtes eurasienne ?

Elle le regardait, affolée. Elle semblait prête à fuir, mais se rendait compte qu'il était trop tard.

Il se redressa contre les oreillers avec un petit gémissement de douleur.

— Asseyez-vous. Je ne vous veux aucun mal, mais si vous ne me dites pas qui vous êtes, je mourrai de curiosité, et vous m'aurez sauvé la vie pour rien.

Avec un soupir, elle s'assit au bord du lit.

— Je suis bien Jin Kang, la secrétaire de Chenqua, mais autrefois j'étais Verity Mei-Lian Montgomery.

Cela expliquait sa pointe d'accent écossais. Son élocution parfaite était bien différente de l'expression hésitante de Jin Kang, et en l'écoutant, Kyle eut soudain le mal du pays de sa mère, dans les Highlands.

— Votre père était un négociant écossais ?

— Oui. Il s'appelait Hugh Montgomery, et ma mère était sa concubine. Je suis née et j'ai été élevée à

Macao, on m'a enseigné les deux cultures et les deux langues.

Contrairement à Jin Kang, Verity Montgomery croisait le regard de Kyle avec la hardiesse d'une Occidentale.

— Votre père est mort ?

— Quand j'avais douze ans. Et ma mère l'année précédente. Ils ne m'avaient rien laissé, alors Chenqua m'a recueillie. C'était l'agent de mon père. Comme je lui étais plus utile en tant que garçon... j'en suis devenu un. Et je le suis resté.

— Tout le temps ? Aux yeux de tous ?

— Les gens de la maisonnée de Chenqua savent que je suis une fille, mais... officiellement, par une sorte d'agrément tacite, je suis un garçon. C'est ainsi que je m'habille et c'est ainsi que l'on me traite.

Kyle essayait d'imaginer son existence, sa véritable nature rejetée, sang-mêlé dans un pays qui méprisait les étrangers.

— Ainsi vous vivez entre deux mondes de plus d'une façon.

Pour la première fois, elle baissa les paupières, dissimulant ses pensées, et il en profita pour l'examiner plus attentivement. Ses yeux bridés étaient délicieusement exotiques, mais on retrouvait son père dans les traits du visage, plus allongés, plus prononcés que ceux d'une Cantonaise. Elle avait aussi hérité de lui sa haute taille, cependant, elle avait une silhouette déliée et plus asiatique que britannique.

Il était toutefois difficile de deviner ses formes sous les vêtements chinois, larges et couvrants. Elle aurait eu beaucoup plus de mal à tenir son identité secrète en Angleterre.

Comment un corps si mince pouvait-il receler une telle force ? Kyle était à la fois stupéfait et agréablement impressionné qu'elle eût mis en déroute une demi-douzaine de malfrats à elle seule.

— Je n'ai jamais vu personne se battre comme vous. Par le diable, comment faites-vous ?

— Je suis experte en *kung fu*, en arts martiaux, expliqua-t-elle. Il en existe diverses formes. Je pratique le *wing chun*, qui a été conçu à l'origine pour tirer parti des forces et des faiblesses des femmes.

Il massait son crâne douloureux, encore sous le coup de sa découverte. Verity. Un beau nom écossais, et qui lui allait si bien!

— Je n'ai jamais rien vu qui ressemble à votre *wing chun*. Tous les Chinois le pratiquent-ils?

— Si c'était le cas, vous seriez mort, dit-elle avec flegme. La maîtrise des arts martiaux est un talent rare, secret, et il se transmet de maître à disciple. Ma nourrice à Macao, la servante de ma mère, excellait au *wing chun*, elle m'a enseigné sa science dès que j'ai été capable de tenir debout.

— J'ignorais que les femmes chinoises pouvaient être des guerriers.

— Il y en a eu. Il a même existé, à une époque, une armée de veuves. Une des légendes les plus populaires en Chine raconte l'histoire de Mu-Lan, une fille qui a pris la place de son père dans l'armée, où elle a servi avec courage et efficacité.

Elle se leva, remit son bonnet. Son expression changea aussitôt, elle courba les épaules.

— Je dois partir, maintenant.

— Attendez!

Il tendit machinalement le bras pour la retenir et fut récompensé par une violente douleur. Ravalant un juron, il dit:

— Il est tard, mais j'aimerais vous revoir très bientôt, mademoiselle Montgomery.

— Il n'y a pas de Mlle Montgomery. Seulement Jin Kang.

— C'est impossible. J'ai tellement à apprendre de vous! fit-il avec son plus séduisant sourire. Il n'y a pas de mal à bavarder, je présume.

— Pour vous, non. Pour moi, si.

— Chenqua serait furieux d'apprendre que votre identité n'est plus secrète pour tout le monde?

Elle hésita.

— Il serait contrarié, car il a ordonné que personne dans la communauté ne puisse apprendre que je suis une femme. Les femmes ne sont pas autorisées à fréquenter les *Fan-qui*, et si les gens du gouverneur entendaient parler de moi, Chenqua serait puni, ainsi que peut-être sa maisonnée tout entière. Et puis, il y a... d'autres raisons.

— Il vous serait trop difficile d'être Jin Kang si vous étiez parfois Verity ?

Elle le fusilla du regard.

— Un Chinois ne poserait jamais une telle question.

— Mais je ne suis pas chinois, et vous ne l'êtes pas complètement... Êtes-vous contente de votre sort ?

Elle releva le menton.

— On me traite bien, mon maître apprécie la qualité de mes services, donc je considère que j'ai de la chance.

— Pourtant, votre existence repose sur un mensonge qui pourrait être découvert à tout moment, observa-t-il, autant pour elle que pour lui.

Son regard se fit glacial.

— C'est une menace ?

— Grands dieux, non ! Détruire votre vie serait une bien piètre façon de vous remercier d'avoir sauvé la mienne. Je ne révélerai votre secret à personne.

Elle se détendit imperceptiblement.

— Merci. Je n'aimerais pas que Chenqua apprenne combien j'ai été légère.

— Vous avez été plus héroïque que légère, protesta Kyle. Quel âge avez-vous ?

— En calculant comme les Occidentaux, répondit-elle, vingt-sept ans. Bientôt vingt-huit.

Bien qu'elle parût plus jeune, elle était adulte, piégée dans une vie où elle n'était absolument pas femme.

— Avez-vous déjà souhaité visiter le pays de votre père ?

Un instant, ses yeux se voilèrent d'une incommensurable nostalgie. Puis elle secoua la tête.

— Mon encens me lie à la Chine.

— Votre encens ?

— Mon sort, mon destin. Nous brûlons des bâtons d'encens pour que nos dieux nous donnent la chance.

Il avait en effet vu brûler des bâtonnets, il avait entendu le nom, mais il n'avait jamais demandé quelle en était la signification exacte.

— Vous voyez combien j'en apprends, à votre contact ? remarqua-t-il.

Il s'assit avec les plus grandes précautions, cette fois, et se pencha vers elle.

— N'aimeriez-vous pas voir quelqu'un avec qui vous puissiez vous détendre, parler librement, plutôt que de toujours jouer la comédie ?

Elle fit une petite grimace.

— Le fait que je vous aie sauvé la vie ne vous donne pas le droit de m'interroger, Lord Maxwell.

Il se rendit compte qu'il se montrait indiscret et s'appuya de nouveau contre les oreillers.

— Pardonnez-moi, mais vous me fascinez.

— Vous trouvez sans doute tous les phénomènes et les monstres fascinants, rétorqua-t-elle, acide. Bonne nuit, Lord Maxwell. Ne vous promenez plus seul dans des lieux publics. Les gens qui vous ont attaqué étaient payés pour vous tuer, et celui qui souhaite votre mort risque bien de renouveler l'expérience.

Il en avait presque oublié l'agression !

— Pourquoi souhaiterait-on ma mort ?

— Je n'en ai pas la moindre idée. Peut-être un ennemi de Chenqua cherche-t-il à créer une situation qui mettrait mon maître dans l'embarras. À moins que vous ne vous soyez fait des ennemis tout seul, avec votre franchise.

— C'est la façon d'être dans mon pays, et je n'ai rien dit à Canton qui puisse m'attirer des ennemis mortels.

D'après ce que lui avait raconté Gavin sur les coutumes locales, c'était sans doute la première solution la bonne. La mort d'un lord anglais qui était en affaires avec Chenqua créerait un gros scandale à la fois en Chine et en Occident.

— Comment avez-vous su que j'allais être attaqué ?

— Un de mes informateurs de Hog Lane a entendu des hommes se vanter des taels d'argent qu'ils allaient toucher quand ils vous auraient tué. Il a eu l'intelligence de venir m'en parler tout de suite, alors que je quittais l'entrepôt.

— Donc, vous êtes bien une espionne.

— Oui. Et vous avez toutes les raisons de vous en féliciter.

Sur ces mots, elle sortit, la tête haute, soudain très écossaise. Mais Kyle se doutait qu'au bout de quelques pas, elle redeviendrait Jin Kang.

De nouveau, il se massa les tempes en songeant à l'étincelle qui avait jailli entre eux lorsque « Jin Kang » lui avait montré comment tenir le pinceau à calligraphier. Jamais il n'aurait pu imaginer alors que le timide secrétaire était une redoutable guerrière capable de mettre six malfrats en déroute à mains nues.

Et maintenant qu'il l'avait rencontrée, comment parviendrait-il à l'oublier ?

Malgré sa fatigue, Verity alla faire son rapport à Chenqua dès son retour sur Honam Island. Il la reçut dans son bureau privé, vêtu d'une robe de chambre enfilée à la hâte.

— Qu'y a-t-il de si urgent, pour que tu me déranges à cette heure-ci ? demanda-t-il d'un ton sévère.

Elle s'inclina profondément.

— Je vous prie de bien vouloir pardonner à l'humble créature que je suis d'oser troubler votre repos, mais voilà deux heures, on a attenté à la vie de Lord Maxwell.

Il fronça les sourcils.

— Raconte.

Elle fit un bref résumé de l'aventure, depuis le message de Teng jusqu'au moment où elle avait raccompagné Maxwell chez Elliott. Elle passa sous silence le fait que l'Anglais avait découvert sa véritable identité, non seulement parce que son maître en aurait été contrarié, mais parce que parler de ces rares moments de totale honnêteté les priverait de leur magie.

— As-tu reconnu les assaillants ? demanda Chenqua quand elle eut terminé.

— L'un d'entre eux était Xun Kee, du gang des Red Dragons. Je pense qu'ils appartenaient tous aux Red Dragons.

Il se caressait la barbe.

— Zhan Hu, le chef des Red Dragons, n'aurait jamais commandé une attaque de ce genre. Cela devait être une mission privée. Je lui en parlerai. À nous deux, nous découvrirons qui a engagé ces malfrats et nous veillerons à ce qu'ils soient punis comme ils le méritent.

Verity frissonna. Elle venait de condamner six hommes à la torture et à la mort. Bien qu'ils l'eussent mérité, elle était suffisamment la fille de son père pour déplorer la férocité de la justice chinoise.

— Il faut que tu protèges Lord Maxwell jusqu'à son départ de Canton, poursuivait Chenqua. Ne le quitte pas d'une semelle, au besoin demande l'aide d'Elliott, qui se soucie également de la santé de son ami.

Troublée, elle mit un genou en terre.

— Je vous en prie, seigneur, trouvez quelqu'un d'autre pour cette tâche. Je ne suis pas digne d'une telle responsabilité.

— Tu l'as sauvé de six Red Dragons qui voulaient sa mort. Peu d'hommes à Canton en seraient capables, en tout cas aucun de ceux que j'emploie.

— Maxwell est plus observateur que la plupart des *Fan-qui*, insista-t-elle. Si je passe beaucoup de temps avec lui, je crains qu'il ne me démasque.

Chenqua eut un mince sourire.

— J'ai confiance, tu sauras le tromper.

Elle salua avant de se retirer, moulue jusqu'aux os de fatigue. Et de douleur. Maxwell et Chenqua étaient impressionnés par son succès, mais elle savait que c'était en grande partie l'élément de surprise qui lui avait assuré la victoire. Et elle n'avait pas été épargnée non plus !

Dans l'intimité de sa chambre, elle se déshabilla, enfila un peignoir, dénoua ses cheveux. Puis elle se regarda dans le miroir. Le visage qui lui faisait face était sans attrait, mais c'était indéniablement celui d'une femme, pas de l'androgyne Jin Kang.

Elle passa la main dans son épaisse chevelure. Qu'est-ce qui lui avait valu ce regard intense de la part de Maxwell ? Son étrangeté, sans doute. Pourtant, un bref instant, elle avait cru y lire de l'admiration. Du moins n'avait-il pas été choqué de découvrir qu'elle était métisse.

Êtes-vous contente de votre sort ? Bien sûr ! Seuls les fous soupiraient après l'impossible.

Avez-vous déjà souhaité visiter le pays de votre père ? Grands dieux, si elle l'avait souhaité ! Durant les douze premières années de sa vie, elle n'avait rêvé que du jour où Hugh l'emmènerait en Écosse. Elle ignorait alors à quel point il était un père merveilleux. Dans ses yeux, elle se voyait belle, et bien que son amour inconditionnel ne l'eût pas préparée à affronter l'opinion des autres par la suite, elle ne pouvait regretter d'avoir été sa fille adorée. Si seulement il n'était pas mort...

Mais les jérémiades ne servaient à rien. Verity alla s'agenouiller devait son petit autel et alluma trois bâtons d'encens. L'odeur du bois de santal apaisa son cerveau en effervescence. Elle avait la chance de faire partie d'une puissante maisonnée, d'avoir appris deux langues à sa naissance, alors que bien des Chinoises étaient illettrées, de pouvoir se déplacer à sa guise. Elle serait devenue folle, si Chenqua l'avait reléguée avec les domestiques qui n'avaient jamais le droit de quitter la demeure.

Cependant, était-ce la vie que son père aurait souhaité lui voir mener? Elle regarda la spirale de fumée qui montait de l'extrémité incandescente des bâtonnets. Il aurait certainement été heureux que Chenqua lui évite de mourir de faim, car elle était trop laide pour se prostituer, même au plus bas de l'échelle.

Mais Hugh Montgomery n'aurait pas été content de voir sa fille unique en secrétaire déguisée qui n'osait pas lever la tête ni regarder les gens dans les yeux. Quand elle était petite, il lui racontait l'histoire de Mary, reine d'Écosse, qui menait ses hommes à la bataille, sa longue chevelure rousse flottant au vent telle une bannière. Il lui avait expliqué qu'en Angleterre, il fallait compter avec les femmes. Elles n'étaient pas d'humbles créatures considérées comme inférieures au plus insignifiant des hommes.

Et il l'avait élevée pour qu'elle soit chrétienne, qu'elle croie au paradis, qu'elle ne soit pas obligée de faire des offrandes aux morts afin qu'ils survivent au royaume des ombres.

Maudit soit Maxwell! C'était sa faute si elle se remémorait ses rêves d'enfant: chevaucher à travers la lande, discuter en égale avec les hommes, être une femme et fière de l'être au lieu de cacher ses robes comme un honteux secret.

Elle piqua les bâtonnets dans un porte-encens de porcelaine et se mit à arpenter nerveusement la petite chambre. Elle n'intéressait Maxwell que dans la mesure où elle pouvait satisfaire sa curiosité d'étranger. Lui ne rêvait pas la nuit qu'il la tenait dans ses bras, tandis qu'elle...

Elle prit son visage entre ses mains tremblantes. Bientôt il serait parti, et elle retomberait dans sa paisible routine.

Et cependant... En se mettant au lit, elle se demanda si elle retrouverait un jour la paix de l'esprit.

8

Kyle se réveilla tôt, le lendemain, encore tout endolori. Verity avait dû décider qu'il allait mieux, la veille, et qu'il était inutile de réveiller Gavin. Mais il lui fallait l'informer dès à présent de ce qui s'était passé.

Il s'aspergea le visage d'eau fraîche et claudiqua jusqu'à la chambre de son ami, qui donnait aussi sur le fleuve, alors que les plus jeunes associés de la firme devaient se contenter de pièces sans air ouvrant sur des cours étroites ou les murs de la cité.

— Entrez ! répondit Gavin lorsqu'il frappa à la porte.

Il rédigeait sa correspondance, assis à son bureau près de la fenêtre. Vêtu d'une robe chinoise, entouré de meubles orientaux et occidentaux, il avait tout du prince marchand. Il s'était sorti des difficultés financières héritées avec la maison Elliott et était en passe de devenir l'un des hommes les plus riches d'Amérique.

Il siffla entre ses dents en voyant l'état de son ami.

— Sapristi, que t'est-il arrivé ? Tu as jugé que ta visite à Canton ne serait pas complète si tu ne participais pas à une rixe de marins éméchés ?

— J'aimerais bien qu'il ne s'agisse que de ça.

Kyle se servit une tasse de thé et hocha la tête, approbateur.

— J'aime bien ce mélange. Citron ?

— Exact. C'est le meilleur pour l'instant, mais je poursuis mes expériences. Et ne détourne pas la conversation, je te prie. Que s'est-il passé cette nuit ?

Kyle s'installa avec précaution dans un fauteuil.

— J'ai été attiré hors de Hog Lane sous prétexte de voir des criquets chanteurs, et six malfrats me sont tombés dessus. Ils semblaient vouloir tuer plutôt que voler.

Gavin posa sa plume.

— Seigneur ! C'est la première fois que j'entends une histoire pareille. D'habitude, les Européens sont parfaitement en sécurité dans cette colonie. Comment t'en es-tu sorti ?

Kyle avait déjà concocté une version expurgée de son aventure.

— J'avais un poignard dans ma botte et, bien qu'ils m'aient sérieusement malmené, j'ai pu regagner Hog Lane sans trop de mal. Jin Kang, qui avait travaillé tard à l'Usine anglaise, m'a vu, et m'a aidé à revenir jusqu'ici.

Gavin, sombre, croisa les bras sur sa poitrine.

— Jin sait-il ce qui t'a valu cette attaque ?

— Il pense que ce sont des ennemis de Chenqua. Mon satané titre, de nouveau ! Tuer un lord causerait un plus grand scandale que tuer un roturier.

— C'est juste. Chenqua va prendre les choses en main et, à mon avis, dans moins de quarante-huit heures, ces bandits seront donnés en pâture aux chiens. Mais tu ferais mieux de rester dans ta chambre jusqu'à ton départ.

— Sûrement pas ! Je ne peux déjà pas voir grand-chose de la Chine, il n'est pas question que je reste confiné dans un entrepôt pour la durée de mon séjour ! Si cela peut te rassurer, j'emporterai mon pistolet partout, et je ne sortirai pas seul le soir.

— Sois discret, avec ton arme. Nous, les étrangers, ne sommes pas censés en posséder.

Kyle acquiesça.

— Puis-je disposer de Jin Kang, lorsque je sortirai ? Il parle suffisamment bien l'anglais pour soutenir une conversation.

— Excellente idée ! Il te tiendra à l'écart des ennuis. Veux-tu que j'appelle un médecin ? Tu as un bel œil au beurre noir !

— Ce n'est pas le premier, et ce ne sera certainement pas le dernier !

Kyle se retira, satisfait. Il avait juré de ne pas trahir le secret de Verity, mais au moins il pourrait jouir de sa compagnie.

Ce matin-là, Verity travaillait à la société Elliott où elle traduisait une liasse de documents quand elle sentit sa nuque la picoter.

— Bonjour, Jin Kang, dit une voix familière. Elliott m'a permis de vous « emprunter » pour la journée...

Inquiète, elle se tourna et leva les yeux vers Kyle, qui parvenait à faire de ses blessures une séduction supplémentaire ! Il y avait une étincelle malicieuse dans son regard. Elle lava son pinceau dans le récipient d'eau.

— Vous avez du travail pour moi, monsieur ?

— Elliott dit que vous connaissez les meilleures boutiques de la colonie, alors, j'aimerais que vous veniez avec moi chercher des cadeaux pour ma famille.

Sa famille... Évidemment !

— Avec plaisir, monsieur. Je suis sûre que votre femme et vos enfants seront heureux d'apprendre que vous avez choisi vous-même les présents que vous leur rapporterez.

— Je n'ai ni épouse ni enfants, mais une grande famille à qui j'ai envie de faire plaisir. Êtes-vous libre tout de suite ?

— Je suis à votre disposition, monsieur.

C'était ridicule, mais Verity était heureuse d'apprendre qu'aucune femme passionnée n'attendait anxieusement le retour de son seigneur. Même dans ses rêves, son puritanisme écossais lui interdisait toute idée d'adultère. Cependant ses racines chinoises s'en moquaient, et Mei-Lian aurait accepté d'être l'une des épouses de Maxwell, ou même sa concubine, sans statut légal...

Honteuse de ses pensées scabreuses, elle sortit avec Kyle sur la place grouillante d'activité. Elle se sentait un peu nerveuse. Au milieu de la foule, il serait facile de poignarder Maxwell et de disparaître.

Heureusement, celui-ci n'était pas un inconscient. Il était calme mais vigilant, comme un homme qui a traversé bien des dangers. Néanmoins, à tout hasard, Verity portait désormais un poignard.

Deux chemins longeaient les bâtiments en direction de Thirteen Factories Street et, d'un commun accord, ils empruntèrent Old China Street plutôt que Hog Lane.

— Essayez d'avoir l'air moins sombre, Jin, dit Kyle au bout d'un moment. Le but de cette promenade est d'acheter des cadeaux, d'en apprendre davantage sur le commerce local, mais aussi de s'amuser.

— S'amuser, monsieur?

— Vous êtes beaucoup trop sérieux, pour un jeune homme, déclara Kyle devant une échoppe qui proposait des boules d'ivoire imbriquées les unes dans les autres. Voilà qui amuserait mon frère. Quel incroyable talent!

Il lança une boule à Verity qui, surprise, faillit ne pas la rattraper.

— Il faut plusieurs mois pour sculpter cet objet, expliqua-t-elle. C'est un très beau cadeau. Que cherchez-vous d'autre?

— Des jouets originaux pour les enfants. Des bijoux, des coffrets de laque et de la soie pour les femmes de ma famille. Peut-être aussi quelques petits meubles.

Il pénétra dans la boutique et s'arrêta devant de minuscules flacons sculptés dans des matériaux précieux tels le jade, l'ambre, la turquoise.

— De jolies babioles comme celles-là, ajouta-t-il.

Le propriétaire de la boutique s'approcha et promit à Verity une commission sur tout ce que le *Fan-qui* achèterait. Elle refusa sèchement. Elle mettait un point d'honneur à ce que Maxwell quitte Canton avec les plus beaux souvenirs au plus bas prix. Elle dit en anglais:

— Nous trouverons mieux ailleurs, monsieur.

Le commerçant avait compris, et il se mit à protester énergiquement en pidgin. Maxwell entra dans le jeu de Verity avec autant de finesse que s'ils avaient répété la scène auparavant. Une demi-heure plus tard, un bon nombre de flacons et d'ivoires sculptés étaient emballés, prêts à être livrés chez Elliott.

Ils se rendirent ensuite dans des échoppes qui proposaient des bijoux, de la laque, de la porcelaine. Maxwell avait l'œil pour repérer les objets de qualité, et il marchandait à merveille. Ils avaient mis au point un système pour se comprendre sans se parler. Kyle jetait un coup d'œil à Verity, et celle-ci, d'un signe de tête positif ou négatif, lui indiquait s'il avait atteint le meilleur prix. Kyle excellait dans le haussement d'épaules précédant une sortie, ce qui lui valait immanquablement un rabais supplémentaire.

Verity s'amusait, comme Kyle l'avait souhaité. Elle éprouvait un grand plaisir, par procuration, à voir son compagnon dépenser de l'argent.

Comme ils quittaient une boutique où Maxwell avait acheté une quantité impressionnante d'éventails de soie et d'ivoire, elle lui demanda :

— Vous allez faire des cadeaux à toute l'Angleterre ?

Il rit.

— Non, mais je veux avoir des réserves de présents pour mes amis et mes domestiques. Les gens qui n'ont jamais voyagé adorent tout ce qui vient de l'étranger, et c'est une façon de leur rappeler combien le monde est vaste !

Il caressa un petit flacon qu'il avait gardé avec lui de la première boutique, une ravissante fiole de cristal veiné de noir.

— Évidemment, reprit-il, il faut aussi que j'achète l'affection de mes nièces et neveux, que je ne connais pas encore.

Verity doutait qu'il eût jamais besoin d'acheter l'affection de quiconque, mais il deviendrait certainement l'oncle favori, avec tous les jouets dont il allait inonder ces enfants. Le père de Verity était ainsi. Chaque fois qu'il rentrait de voyage, elle dansait de joie en attendant de découvrir les trésors qu'il lui rapportait.

Elle s'amusait bien, pourtant à midi, elle était épuisée. Elle savait qu'il était fatigant de faire des courses quand on disposait de peu d'argent, mais elle s'apercevait que c'était également fatigant quand on achetait tout ce qu'on voyait.

— Êtes-vous prêt à rentrer déjeuner, monsieur ? demanda-t-elle.

— Pas particulièrement. Que mangent les Cantonais, à cette heure-ci ?

Il jeta un coup d'œil à une baraque où l'on vendait des nouilles, de l'autre côté de la rue.

— Si nous allions acheter quelque chose ?

— Vous ne pouvez pas manger dans ce genre d'endroit ! s'offusqua-t-elle.

— Pourquoi ? Les estomacs des *Fan-qui* sont-ils différents de ceux des Chinois ?

— Ce... ce n'est pas convenable, balbutia-t-elle, convaincue que Chenqua et Elliott n'auraient pas apprécié.

— Qu'est-ce que ces convenances qui vous empêchent de faire des expériences nouvelles ?

Il traversa résolument la rue.

Résignée, Verity commanda deux bols de bouillon aux nouilles, puis elle apprit à Maxwell comment on se servait des baguettes. Il ne s'en tira pas trop mal, pour une première fois.

— C'était excellent ! déclara-t-il. Que vendent les autres ?

Verity lui fit goûter du riz parfumé, des boulettes, des confiseries, puis ils allèrent se reposer dans une maison de thé. Partout, on regardait Maxwell comme une bête curieuse. On n'avait jamais vu un *Fan-qui* manger la nourriture servie dans la rue ! Apparemment habitué à attirer l'attention, il ne semblait guère s'en soucier.

Verity l'étudiait discrètement, étonnée de le voir s'intéresser ainsi à la vie quotidienne des Cantonais. Son enthousiasme était contagieux ! Finalement, il avait raison : elle était trop sérieuse. Depuis des années, sa vie était réglée par les devoirs, le travail. Grâce à Maxwell, elle posait sur le monde un regard nouveau.

Tout en sirotant son thé, elle songeait qu'il repartirait bientôt pour l'Angleterre, et que sa propre existence reprendrait son cours, morne et solitaire. Toutefois il s'était créé entre eux une sorte d'amitié, et elle aurait ses souvenirs pour lui tenir compagnie.

9

Après la maison de thé, ils s'arrêtèrent à une boutique spécialisée dans les parfums. Sous prétexte de donner son avis, Verity s'enivra de senteurs. S'il lui était permis d'être une femme, elle se parfumerait chaque jour.

Ils se rendirent ensuite chez un marchand d'épices. Maxwell en acheta divers échantillons, et plissa le nez en arrivant à la dernière jarre.

— De la bergamote séchée, à mon avis.

Verity n'avait jamais entendu prononcer ce nom.

— De la bergamote ?

— Un fruit qui ressemble plus ou moins à l'orange.

Maxwell en ajouta à sa commande déjà substantielle, puis ils allèrent dans le plus grand magasin de soies de la colonie.

Le commerçant avait déjà entendu parler des achats de Kyle, et il attendait sa venue avec impatience. Quand ils arrivèrent, il les salua bien bas.

— C'est un honneur de vous recevoir dans mon humble boutique, monseigneur. Permettez-moi de vous montrer mes misérables marchandises.

Il fit un signe à ses employés qui entreprirent de déplier des mètres de soie, si bien que, en quelques minutes, la boutique offrit un festival de couleurs chatoyantes. Maxwell choisit deux douzaines de pièces, et ajouta :

— Je voudrais aussi acheter des tenues de femmes selon la mode chinoise. En avez-vous ?

— Quelques-unes.

Un instant plus tard, on apportait des robes que l'on étala soigneusement sur la table.

Ces toilettes n'auraient pas déparé à la cour impériale de Pékin, et Verity ne put s'empêcher de caresser une ravissante toilette de brocart couleur pêche.

— La qualité est acceptable, murmura-t-elle, comme si elle ne s'intéressait qu'à la valeur marchande de la robe.

— Elle devrait aller à la femme de mon frère, et il me semble que la couleur s'accorderait à son teint.

— Il existe des dames *Fan-qui* si petites? s'étonna Verity.

— Meriel l'est, mais ma sœur est grande.

Maxwell prit une robe écarlate brodée de fleurs et de papillons, qui était peut-être une tenue de mariée, car le rouge était symbole de chance, et l'on en portait toujours lors des épousailles.

— Lucia est à peu près de votre taille, Jin.

Il tint la robe devant elle.

— Croyez-vous qu'elle aimerait cette toilette?

Tandis que ses doigts effleuraient ses épaules, elle ressentit un choc encore plus violent que lorsque leurs mains s'étaient touchées sur le pinceau. Et elle lut le même choc dans le regard de Kyle. Il y eut un silence qu'elle parvint enfin à briser.

— Votre... votre sœur sera sûrement enchantée de recevoir un si somptueux cadeau, monseigneur.

Il avala sa salive, recula d'un pas et reposa la robe sur la table.

— Merci pour votre avis.

Il termina ses achats tandis qu'elle se réfugiait dans un coin de la pièce. Il n'avait pas trahi son identité, pourtant le fait qu'il sût qu'elle était une femme changeait leurs rapports.

Mais elle ne le regrettait pas.

Après leur expédition, Verity retourna au bureau afin de terminer son travail de traduction. Pourtant, elle aurait préféré rentrer chez elle et se reposer d'une journée qui avait été épuisante à tous points de vue. Les ombres envahissaient la pièce quand elle eut enfin terminé, et elle rangeait sa table lorsque Maxwell apparut, un paquet à la main.

— Pour vous, dit-il. Un petit remerciement pour votre aide.

— Je ne mérite pas de cadeau alors que je fais simplement mon travail, monsieur, protesta-t-elle, stupéfaite.

Il baissa le ton afin de n'être entendu que d'elle.

— Vous m'avez sauvé la vie, hier soir. Ne puis-je vous prouver ma gratitude ?

Elle comprit qu'il ne voulait rien lui devoir, aussi répondit-elle :

— Comme vous voudrez, monseigneur.

— Je le veux. Bonsoir, Jin.

Il la gratifia de son plus éblouissant sourire avant de quitter le bureau.

Elle bouillait de curiosité, pourtant, elle n'osa ouvrir le paquet devant ses collègues. Impassible, elle sortit, traversa le fleuve avec un marinier qui l'emmenait souvent sur sa barque. Sa joie, cependant, était perceptible à la façon dont elle serrait le présent contre elle. Elle n'avait pas connu une telle excitation depuis qu'elle était petite, lorsqu'elle attendait le retour de son père. Maintenant adulte, elle se rendait compte que ce n'était pas seulement les cadeaux qui la comblaient, mais l'idée que son père eût pensé à elle. Et Maxwell lui offrait la possibilité de ressentir à nouveau ce plaisir si particulier.

Enfin seule dans sa chambre, elle ôta le papier d'emballage et ne put retenir un petit cri. C'était la somptueuse robe écarlate qu'il avait tenue devant elle dans la boutique de soieries. Il avait vu combien elle lui plaisait...

Elle la déplia avec le plus grand soin, et découvrit le petit flacon de cristal qui contenait à présent le plus capiteux des parfums. Il y avait aussi un long collier de jade, deux peignes dorés et un élégant éventail. Kyle avait remarqué tout ce qu'elle préférait, et c'était là le plus beau de tous les cadeaux ! Personne ne lui avait accordé autant d'attention depuis le décès de son père, quinze longues années auparavant. Plus de la moitié de sa vie.

Avec un plaisir sans mélange, elle se débarrassa de ses vêtements de garçon, enfila les sous-vêtements ainsi que le traditionnel pantalon de soie. Après avoir brossé ses cheveux, elle les arrangea grâce aux peignes, à la mode portugaise plutôt qu'à la chinoise. Ensuite elle se maquilla, puis enfila la robe rouge.

En se tenant à l'autre bout de la pièce, elle pouvait se voir en pied dans le miroir. La robe semblait faite pour elle, et elle fut surprise de découvrir dans la glace une séduisante jeune femme, heureux mélange d'Occidentale et d'Orientale.

C'était grâce à la toilette, évidemment, qui aurait mis n'importe quelle femme en valeur, mais son plaisir n'en était pas diminué pour autant. Elle était enfin satisfaite de son image... Elle eut un petit rire et se mit à danser dans la pièce. Elle se sentait délicieusement féminine. Qu'éprouverait-elle d'être femme en permanence?

Elle se rembrunit soudain et s'immobilisa devant le miroir. Les *Fan-qui* avaient des physiques bien plus variés que les Chinois, et si elle vivait parmi eux, on la remarquerait moins qu'à Canton. Sa peau était lisse, sa chevelure épaisse et brillante. En Angleterre, avec une garde-robe appropriée, elle serait à peu près passable. Sa taille semblerait normale, et ses pieds non bandés ne seraient pas comme ici la marque d'une basse extraction.

Troublée, elle se laissa tomber sur son lit. Son rêve d'Écosse avait disparu avec la mort de son père. Elle avait douze ans lorsque Chenqua était venu la lui annoncer à Macao.

Elle avait d'abord refusé d'y croire, mais Chenqua lui avait affirmé que le navire de Hugh Montgomery s'était écrasé sur des récifs, que son corps avait été rejeté sur la grève, puis identifié. Elle s'était mise à sangloter et à tempêter jusqu'à ce que Chenqua lui fasse remarquer qu'une telle attitude n'était pas convenable. Alors elle s'était efforcée de lui plaire et avait, dès cet instant, gardé ses larmes pour la nuit.

C'était une grande marque d'amitié pour un puissant marchand comme Chenqua que de régler les affaires de son père et d'assumer la responsabilité d'une gamine métisse sans le sou. La tempête avait non seulement détruit son père mais aussi la cargaison qui leur aurait permis de vivre toute une année. Verity avait appris par l'homme qui s'occupait de la maison de son père que Chenqua avait réglé les dettes de Montgomery afin que son nom ne fût pas souillé.

Malgré tout, Verity avait parfois entendu des négociants *Fan-qui* parler de lui avec mépris, et elle avait eu bien du mal à ne pas voler à son secours. C'était là la manière la plus difficile de tester sa maîtrise de soi.

Après avoir liquidé la maison, le marchand du Cohong avait embarqué Verity sur une de ses jonques de commerce et ils avaient remonté la Pearl River jusqu'à Canton. Durant le voyage, il lui avait expliqué que le fait qu'elle soit bilingue lui rendrait de grands services, mais qu'elle devrait se déguiser en garçon. Trop jeune pour se sentir femme, et désireuse de plaire à Chenqua, elle n'avait pas fait la moindre objection.

Une fois à Canton, Verity Montgomery était devenue Jin Kang, qui était bien plus utile que Mei-Lian n'aurait jamais pu l'être. Elle avait accepté sa nouvelle vie avec docilité, car elle était reconnaissante à Chenqua de la sécurité qu'il lui offrait en la gardant dans sa maison. Bien qu'il fût un maître distant et exigeant, il ne s'était jamais montré méchant avec l'orpheline indigente qu'elle était. Il était le pilier de son existence, et il ne la traitait pas comme une domestique.

Passant beaucoup de temps avec les *Fan-qui*, elle avait pu continuer à parler anglais et garder son identité, pourtant elle menait une existence étriquée dont la seule récompense était finalement la sécurité. Désirait-elle rester l'espion androgyne de Chenqua jusqu'à la fin de ses jours ? Enfant, elle pensait en anglais, et se considérait comme plus britannique que chinoise. Et même si elle avait passé plus de la moitié de sa vie à Canton et pensait à présent en chinois, elle se sentait toujours écossaise. Peut-être n'était-il pas trop tard pour aller habiter dans le pays de son père.

Certes, vivre dans un pays inconnu, sans amis, sans argent, ne serait pas facile. Elle ne voyait même pas comment payer le voyage, à moins de se séparer de tout ce qu'elle possédait. Mais se résoudrait-elle à vendre les bijoux de sa mère, la magnifique robe que Maxwell venait de lui offrir ? Cette perspective la déchirait.

Même si elle parvenait à trouver une cabine sur un navire *Fan-qui*, elle aurait du mal à quitter Canton.

Chenqua ne la laisserait pas partir tant qu'elle lui serait utile.

L'un des *Fan-qui* pourrait-il l'aider, l'engager comme interprète ? Elle se rembrunit. Un membre de la Compagnie des Indes lui trouverait peut-être du travail, mais ils seraient tous furieux qu'elle les eût trompés durant toutes ces années. Pourtant elle ne supportait plus de vivre dans la peau de Jin Kang. Elle désirait tant reprendre son identité de femme !

Elle soupira en songeant à tous les problèmes qu'il lui faudrait surmonter si elle se rendait dans la patrie de son père. Il était possible que la liberté de vivre comme elle le souhaitait fût à portée de main. Mais aurait-elle le courage et la sagesse de la saisir ?

Elle craignait que non.

10

Angleterre
Décembre 1832

Après une nuit de larmes et d'insomnie, Verity somnolait quand on frappa à la porte ; une servante entra avec le plateau du petit déjeuner. D'après la lumière grise, la journée s'annonçait maussade.

— Dame vouloir thé ?

Où cette fille avait-elle appris à parodier ainsi le pidgin ?

— Je prendrai volontiers du thé, merci beaucoup, répondit Verity avec une pointe d'ironie.

La servante s'empourpra.

— Je suis désolée, madame, on m'avait dit que vous étiez étrangère.

— C'est exact, mais certains étrangers parlent anglais, répondit Verity qui, ne voulant pas embarrasser davantage la jeune fille, lui demanda : Comment vous appelez-vous ?

— Sally, madame.

Elle posa le plateau sur les genoux de Verity en essayant de dissimuler sa fascination. Verity avait été la cible de bien des regards de ce genre, depuis son arrivée en Grande-Bretagne. N'avait-on jamais vu de Chinois, dans le Shropshire ? Même à Londres, on la regardait comme une bête curieuse.

— Désirez-vous autre chose, Lady Maxwell ?

— Non, je vous remercie, c'est parfait.

La femme de chambre sortit, laissant Verity aux prises avec un petit déjeuner composé d'œufs au bacon, de saucisses, de pain chaud, de beurre et de confiture. Elle s'était habituée aux breakfasts anglais, bien qu'un repas lui parût toujours incomplet quand il ne comprenait pas de riz. Néanmoins, elle mangea tout et vida la théière, après quoi elle se sentit prête à affronter la journée.

La robe qu'elle portait la veille avait été brossée et posée sur le dossier d'une chaise, tandis que le reste de ses affaires était soigneusement rangé. Les invités étaient bien traités à Warfield Park.

Une fois habillée, elle sortit de sa chambre, pour trouver Lady Grahame en train de lire dans un fauteuil face à la porte. Elle portait une simple robe verte, et sa chevelure blond cendré était rassemblée en une tresse souple. Elle était cependant aussi belle que la veille en robe de soirée. Bien qu'elle eût à peu près le même âge que Verity, elle possédait cette assurance qui, en Chine, était l'apanage des femmes mûres.

Lady Grahame leva les yeux en entendant Verity.

— Bonjour. Avez-vous bien dormi ?

— À peu près. Merci de votre hospitalité, Lady Grahame.

— Appelez-moi Meriel, dit la jeune femme en se levant. Aimeriez-vous m'accompagner à l'orangerie ? C'est un endroit paisible où nous serons bien pour bavarder.

— Avec plaisir.

Elles descendirent dans le grand hall où Verity était arrivée la veille. Kyle avait dit que sa belle-sœur était aussi petite qu'une Cantonaise, et c'était la vérité.

— Votre mari… Comment va-t-il ?

Meriel soupira :

— Une part de lui est morte. Kyle avait promis qu'il reviendrait un jour, et Dominic voulait y croire malgré les dangers du voyage.

— J'aurais aimé pouvoir faire quelque chose, murmura Verity, bouleversée.

— Mon époux m'a raconté votre histoire, et de toute évidence vous avez eu de la chance d'en réchapper. Du moins, en venant ici, vous avez pu tout nous raconter. Cela vaut mieux que… d'attendre et d'espérer en vain.

— Vous connaissiez bien Kyle ?

— Nous ne nous étions rencontrés que quelques fois, mais à travers les lettres qu'il écrivait à Dominic, il m'était devenu aussi proche qu'un frère.

Meriel ouvrait la porte d'un jardin d'hiver, et Verity eut l'impression d'être de retour en Chine, avec l'atmosphère chaude, humide, et le parfum des citronniers en fleur. Il y avait des buissons, des allées de briques et, pure magie, la neige tombait au-dehors !

— C'est mon refuge favori, en hiver, avoua Lady Grahame. Un endroit parfait pour rêver en attendant le printemps.

— C'est magnifique ! s'écria Verity en se dirigeant vers les baies vitrées.

— Vous n'avez jamais vu de neige ?

Verity secoua la tête.

— Non, et je n'aurais pas imaginé que c'était aussi joli ! Lorsque j'ai dit à Kyle que le jardin de mon maître, Chenqua, était le plus beau du monde, il m'a rétorqué que le vôtre était aussi beau. Je comprends à présent pourquoi.

Meriel sourit en s'asseyant sur un banc face au jardin à la française.

— Je suis ravie qu'il ait eu cette opinion, dit-elle. En hiver, le parc s'endort, mais vous verrez, au printemps, il est magnifique...

Verity vint s'asseoir près de sa nouvelle amie.

— Pardonnez-moi si ma question est indiscrète, mais je ne comprends pas comment votre époux et Kyle peuvent être tous deux lords alors qu'ils sont frères.

— Le titre des Grahame vient de ma famille, et il devait s'éteindre à la mort de mon oncle, expliqua Meriel. Mon beau-père a pensé que c'était dommage, aussi a-t-il demandé au roi que nous ayons la permission de le faire perdurer.

Quelle mère n'aurait souhaité cela pour ses enfants ? Kyle avait parlé à Verity des enfants de Dominic et de Meriel, un garçon et une fille nés après son départ. Il avait tellement hâte de les connaître !

Verity ravalait le sanglot qui lui nouait la gorge quand un gros matou apparut, la fixa de son regard doré et sauta sur ses genoux où il tourna un instant en rond avant de trouver la position idéale. Verity le caressa doucement, et Meriel déclara :

— Vous faites officiellement partie de la famille, puisque Gingembre vous a adoptée.

— Vous êtes trop bonne, murmura Verity. Kyle et moi nous connaissions seulement depuis quelques semaines, et je ne suis pas sûre que notre mariage puisse être considéré comme légal. Je suis venue uniquement pour annoncer la mauvaise nouvelle à votre époux. Je ne mérite pas de faire partie de votre famille.

Meriel, affectueuse, lui prit la main.

— Racontez-moi tout.

Verity respira profondément avant de se lancer dans le récit des circonstances qui l'avaient conduite au mariage. Meriel l'écoutait attentivement, sans paraître choquée, ni porter de jugement.

— Fort peu conventionnel, sans doute, mais bien réel, dit-elle lorsque Verity se tut. Quant à la légalité de la cérémonie... cela n'a plus d'importance, puisque Kyle est mort. Il n'y a pas de contrat, naturellement, cependant ses biens vous assureront une confortable indépendance, ce qu'il souhaitait, de toute évidence.

— Mais je ne peux accepter sa fortune ! Il ne m'aimait pas, il se sentait juste responsable de moi.

— Et vous, vous l'aimiez ?

Verity aurait dû nier, mais elle en était incapable. Meriel lut la réponse dans son expression.

— Je suis heureuse que quelqu'un l'ait aimé avant qu'il meure, reprit-elle. Personne ne discutera vos droits à l'héritage.

Verity était au bord des larmes. Elle aurait été folle de refuser la sécurité financière qu'on lui proposait, mais l'attitude de la famille de Kyle signifiait bien davantage pour elle. Jamais, depuis la mort de son père, elle ne s'était sentie à ce point acceptée.

— Vous êtes... si bonne. Comment pouvez-vous m'accueillir ainsi, moi qui vous suis tellement étrangère ?

— Pendant des années, répondit doucement Meriel, j'ai été une étrangère dans ma propre demeure. C'est l'amour qui nous attache au monde, or vous aimiez Kyle. Notre maison sera la vôtre aussi longtemps que vous souhaiterez y rester.

Les larmes jaillirent des yeux de Verity, et avec elles un début d'apaisement.

11

Canton, Chine
Printemps 1832

— Encore un peu de vin, Lord Maxwell ?

Chenqua, attentionné, se penchait vers son invité.

— Volontiers. Vos vins sont remarquables.

Kyle but une gorgée du verre qu'une servante venait de lui resservir. Gavin, qui était également convié, l'avait averti qu'il n'y aurait pas moins de trente plats répartis sur cinq ou six heures, alors mieux valait se montrer raisonnable.

Kyle avait accueilli avec joie cette invitation au palais de Chenqua, car il n'aurait sans doute pas l'occasion de visiter une autre authentique demeure chinoise. Il s'agissait d'une magnifique bâtisse, aérée, avec des toits incurvés, des cours, des sols de marbre. Le repas fut à la hauteur du décor. Des musiciens jouaient sur une galerie tandis que l'on offrait des mets français, anglais et chinois, tous servis sur une exquise porcelaine que l'on changeait à chaque plat. Pourtant, selon les critères du Cohong, Chenqua était un homme plutôt austère.

Toujours curieux, Kyle préféra la cuisine chinoise, qui le déconcertait quelque peu mais dont les saveurs exotiques étaient souvent délicieuses.

Remarquant que son invité avait prié qu'on lui apportât des baguettes, Chenqua lui demanda :

— Nos coutumes vous intéressent, monsieur ?

— Énormément. Votre culture est la plus ancienne de la Terre. Je sais qu'un Barbare ne peut comprendre réellement les finesses de la société chinoise, mais j'ai tout de même envie d'essayer.

Chenqua hocha la tête.

— Une meilleure compréhension de nos nations respectives sera bénéfique à tous.

L'occasion était rêvée pour poser la question qui le taraudait et Kyle en profita aussitôt.

— Me serait-il possible de visiter davantage votre pays ? Accompagné peut-être par des gardes qui s'assureront que je ne commets pas d'impairs, ou avec les jésuites qui respectent vos coutumes.

Les yeux du chinois s'assombrirent.

— Ce serait... difficile. Très difficile.

Kyle avait appris que les Chinois détestaient refuser carrément, aussi le « difficile » de Chenqua équivalait-il à un « hors de question » anglais. Afin de ne pas embarrasser son hôte, il reprit :

— Plus tard, quand nos pays auront développé des relations plus étroites...

— Oui, fit Chenqua, soulagé. Plus tard.

Il reporta son attention vers William Boynton, le *taipan* de la Compagnie des Indes, qui était assis à sa gauche.

Kyle avait espéré apercevoir Verity, mais elle ne parut pas. Était-elle derrière le paravent qui fermait la pièce, d'où sortaient parfois des petits rires de femmes ? Les dames de la maison étaient sûrement en train d'observer les invités de leur seigneur. Mais naturellement, Verity ne faisait pas partie des dames.

Il y eut une pause après le quinzième plat, et l'on installa une estrade pour donner un spectacle. Pendant que l'on débarrassait la table, Kyle demanda à son hôte la permission de faire quelques pas dans le jardin.

— Je vous en prie, répondit Chenqua. Un jardin rafraîchit l'âme comme un banquet revigore le corps.

Heureux de pouvoir se dégourdir les jambes, Kyle sortit, bien que la différence entre intérieur et extérieur fût de pure forme, car l'endroit où se tenait le repas était ouvert à tous vents. Quand il était arrivé, ainsi que les autres *Fan-qui*, Chenqua les avait emmenés visiter une petite partie du parc, qui était stupéfiant. Il y avait des buttes, des grottes, des ruisseaux et des mares couvertes de nénuphars. Pas une allée n'était rectiligne.

Après avoir exploré tout le jardin, Kyle retournait vers la maison lorsqu'il vit, de l'autre côté d'un étang, deux silhouettes entrer dans un pavillon octogonal construit au-dessus de l'eau. Certain que la plus grande était Verity, il se dirigea vers le pavillon.

Il l'avait presque atteint lorsqu'une jeune femme en sortit, ondulant avec grâce sur ses pieds incroyablement petits. Elle allait passer derrière un rocher lorsqu'elle se retourna en dissimulant le bas de son visage derrière un mouchoir. Elle pouffa de rire, les yeux malicieux, puis elle disparut.

Troublé par la vue d'une dame chinoise de haute lignée, il restait immobile quand il entendit Verity déclarer :

— Ling-Ling est ravissante, n'est-ce pas ? C'est la quatrième épouse de Chenqua.

Elle le regardait sévèrement depuis la porte du pavillon.

— J'espère que je n'ai pas violé quelque tabou, dit-il.

— Non, rassurez-vous. Je suis même certaine que Ling-Ling est ravie d'avoir pratiquement rencontré un Barbare.

— Tant mieux.

Il étudiait le visage de la jeune femme que ses cheveux tirés en arrière mettaient en valeur. Sa beauté froide l'intriguait bien plus que celle de la Chinoise extrêmement lisse qui venait de partir. Il se rappela toutefois qu'il n'avait pas le droit de nourrir d'amoureuses pensées au sujet de Verity. Ce n'était pas une fille de joie dont il aurait pu profiter avant de l'oublier, et ils vivaient dans des mondes diamétralement opposés.

— Vous n'êtes pas allée chez Elliott depuis notre journée de courses. Vous aurais-je épuisée ?

Verity baissa les yeux.

— On a eu besoin de moi à l'Usine anglaise, monseigneur. Merci pour vos cadeaux, ils étaient très bien choisis.

— Je suis content qu'ils vous plaisent.

Tout en se demandant à quoi elle ressemblait vêtue en femme, il la suivit à l'intérieur du pavillon.

Il s'agissait d'une maison de thé aux murs découpés comme une fine dentelle. Il y avait une table basse octogonale et des bancs le long des murs.

— C'est ravissant ! s'écria-t-il. Est-ce votre endroit favori ?

Elle s'assit sur un banc.

— J'y viens parfois pour méditer. Ce jardin est le plus beau du monde !

Il s'installa délibérément de l'autre côté de la pièce.

— Celui de ma belle-sœur est d'égale beauté. Il est bien différent, mais je ne saurais dire lequel surpasse l'autre.

— Je n'ai jamais vu de jardin occidental.

Il admirait la ligne élégante de son cou.

— Les jardins de Warfield Park, où vivent mon frère et sa femme, ont été commencés il y a six ou sept siècles, et chaque génération y a apporté des améliorations.

— Vraiment ? Je croyais que l'Angleterre était un pays neuf, comparé à la Chine.

— Il n'y a rien d'aussi ancien que le temple de Hoshan, risqua-t-il.

— On dit que c'est Bouddha lui-même qui l'a construit. C'est une légende, naturellement, car il vivait en Inde, pas en Chine, mais ce temple est vraiment très ancien.

— Vous y êtes allée ?

— Mon maître, Chenqua, l'a vu. Dans son bureau, il y a des images du temple.

Comme Kyle avait échoué dans ses tentatives officielles pour visiter l'intérieur de la Chine, c'était peut-être l'occasion d'organiser un voyage clandestin.

— Je rêve depuis toujours de visiter Hoshan. Connaissez-vous une personne susceptible de m'y emmener ?

— C'est absurde ! On vous arrêterait déjà si vous tentiez d'entrer dans Canton, alors plus avant dans les terres...

— Et les *Fan-qui* sont aussi voyants que des girafes, on me l'a dit cent fois ! s'impatienta-t-il. Mais il doit bien exister un moyen ! Pourquoi pas un voyage en palanquin, afin que personne ne voie mon horrible visage ?

— Vous êtes sérieux ?

— Absolument ! répondit-il en se penchant en avant. Si vous travaillez pour le Cohong, vous avez rencontré des gens de toutes sortes. Il y a sûrement des hommes prêts à m'aider à condition d'y mettre le prix.

Elle se leva et se mit à arpenter le pavillon, nerveuse comme un tigre en cage.

— Ce serait terriblement dangereux. Dans la colonie vous êtes protégé, mais dans les terres, tout peut arriver. On vous remarquerait tout de suite, quel que soit votre déguisement, parce que votre odeur est celle des diables étrangers.

— Je sens mauvais ?

Kyle était complètement désorienté.

— Les *Fan-qui* mangent trop de viande. Et puis, vous êtes trop grand, votre visage est curieux.

— Et si je me bandais la tête, comme si j'étais blessé ?

— Le temple de Hoshan est réputé pour guérir les maladies, dit-elle, pensive.

Kyle s'efforçait de mettre un frein à son excitation.

— En ne mangeant que de la nourriture chinoise pendant quelques semaines, j'aurai sans doute la bonne odeur, Que dois-je faire d'autre ?

— Pourquoi est-ce tellement important à vos yeux ? Vous voulez aller là où aucun autre Occidental n'est allé afin de vous en vanter auprès de vos amis ? Ou bien pour vous moquer des superstitions païennes ?

— Pas du tout, répondit-il lentement. Le temple de Hoshan faisait partie d'un recueil de gravures chinoises que j'ai acheté peu après la mort de ma mère. C'était une vision de paradis, un lieu saint d'une incomparable beauté, au milieu des montagnes, à l'autre bout de la planète. Je... j'ai imaginé que l'esprit de ma mère y reposait. Je savais que c'était faux, pourtant je trouvais dans cette idée une certaine consolation.

Son frère et lui s'éloignaient l'un de l'autre, à cette époque, aussi avait-il eu encore plus besoin de réconfort.

— Il y a des moyens moins dangereux de rencontrer la paix et la beauté.

Kyle ne savait comment exprimer la force de son désir, qu'il ne comprenait d'ailleurs pas entièrement lui-même.

— Vous n'avez jamais eu un rêve qui hantait votre cœur et votre âme ?

— Autrefois, j'en avais, murmura-t-elle.

Elle semblait si seule qu'il eut envie de lui prendre la main, mais il s'en abstint.

— Alors vous comprenez que ce soit aussi important pour moi. C'est... une sorte de quête. Trouverez-vous quelqu'un pour m'accompagner à Hoshan ? J'irais seul si je pouvais, mais comme on me l'a souvent dit, c'est impossible.

À travers le claustra, elle fixait l'eau immobile de la mare. Y avait-il vraiment un jardin aussi beau que celui-ci de l'autre côté de la Terre ?

— Si vous étiez pris, cela causerait de graves ennuis à Chenqua.

— Sa vie serait-elle menacée ? Ou sa famille ?

Elle fronça les sourcils.

— C'est envisageable, pourtant je ne pense pas que le gouvernement aurait intérêt à éliminer le chef du Cohong qui procure de grandes richesses à la cité et à l'empereur. Mais il aurait certainement une très lourde amende.

— Les marchands du Cohong ont sans cesse des punitions de ce genre, ce ne serait donc pas trop grave. D'autant que je le rembourserais si cela se produisait.

Il se fit plus persuasif.

— Je ne pense pas que ce que je demande soit tellement dangereux. Le temple se trouve à environ cent cinquante kilomètres d'ici, on pourrait effectuer le voyage en une quinzaine de jours. Je suis prêt à tout accepter pour passer inaperçu. Il me faut seulement un guide fiable.

Verity avait le désir de changer de vie, et soudain, l'occasion lui en était offerte. Il lui suffisait d'abandonner tout ce qu'elle avait connu jusqu'ici.

Les poings serrés, elle se tourna vers Kyle.

— Je vous emmènerai à Hoshan.

— Impossible ! s'écria-t-il, stupéfait. Je ne veux pas que vous preniez le moindre risque.

— Parce que je suis une femme ? demanda-t-elle sèchement. Quelle galanterie ! Mais c'est vous qui aurez besoin de protection, pas moi. À moins, évidemment, que vous n'ayez pas confiance en moi.

Il jura entre ses dents.

— Vous m'avez donné suffisamment de preuves de vos capacités, mademoiselle Montgomery. Cependant, j'ai besoin d'un guide qui vive en marge de la loi, quelqu'un qui connaisse les risques et les assume. Si l'on découvrait que vous aidez un *Fan-qui* à pénétrer dans des lieux interdits, vous pourriez perdre votre travail, votre maison, peut-être votre vie.

— Je suis prête à affronter cette éventualité, répliqua-t-elle en soutenant son regard. Vous avez dit que vous paieriez bien. Mon prix est votre aide pour me rendre en Grande-Bretagne.

Il y eut un long silence.

— Je vois, dit-il enfin. Et de quel genre d'aide s'agirait-il ?

— La traversée sur un navire anglais, et assez d'argent pour que je vive en attendant de trouver du travail. Peut-être... cinquante livres ?

Il était sombre.

— Êtes-vous sûre de le souhaiter vraiment ? Vous parlez un anglais parfait, mais la Grande-Bretagne vous semblera bien étrange.

— J'ai été élevée en entendant raconter des histoires sur l'Écosse. Oui, ce sera très différent, mais il est possible que ce soit davantage ma patrie que la Chine. Jamais je n'appartiendrai pleinement à cette contrée. Mon rêve à moi, c'était d'aller dans le pays de mon père. J'y avais renoncé, et voilà que finalement une possibilité se présente. Voulez-vous que je vous emmène à Hoshan ? Ou bien est-ce que vous ne le désirez pas suffisamment pour me faire confiance ?

— Ce n'est pas une question de confiance. Si vous voulez vous rendre en Angleterre, je vous y aiderai sans que vous ayez besoin pour ça de m'accompagner à Hoshan.

Il ferait cela pour elle ? Oui, sans doute, parce qu'il avait l'impression qu'il lui devait la vie. Or elle ne voulait rien de lui qui fût une obligation. Depuis quinze ans elle était soumise, avec cet homme elle voulait être à égalité.

— Je préfère gagner mon passage, Lord Maxwell. Si vous abandonnez vos manières aristocratiques et si vous suivez mes instructions, nous devrions nous en sortir sans incident.

Un sourire monta aux lèvres de Kyle.

— Quand pourrons-nous partir ?

— Le meilleur moment serait lorsque les bateaux *Fan-qui* s'en vont à la fin de la saison commerciale. Alors personne ne remarquera votre absence.

— Et vous-même, vous pourrez disparaître sans que cela pose de problème ?

— Je trouverai un moyen.

Elle hésita légèrement.

— Pourrai-je emporter quelques affaires ? Petites, naturellement, car je devrai les sortir de ma chambre une par une.

— Bien sûr ! Je vais vous procurer une malle et je m'arrangerai pour qu'elle soit expédiée en Angleterre avec les miennes.

Elle était soulagée. Elle ne serait pas obligée d'entamer sa nouvelle vie avec seulement ce qu'elle aurait sur le dos.

— Merci.

Il lui tendit la main.

— Marché conclu.

Elle ne fut pas surprise par l'éclair qui la traversa lorsque leurs peaux se touchèrent, mais elle se rendit compte brusquement qu'ils allaient être ensemble jour et nuit durant quinze jours. Peut-être plus s'ils voyageaient ensuite sur le même bateau.

Une fois en mer, il serait un aristocrate et elle rien du tout, mais pendant l'expédition à Hoshan, ils seraient un homme et une femme. Peut-être alors pourrait-elle, brièvement, réaliser un autre rêve...

12

Kyle servit deux tasses de thé.

— J'ai essayé différents mélanges. Que penses-tu de celui-ci ?

Gavin le goûta.

— Étonnant ! Quel parfum as-tu ajouté ?

— De la bergamote. J'en ai trouvé dans Thirteen Factories Street, et j'ai pensé que ce serait encore mieux que le citron ou l'orange.

— Note bien les proportions, afin que nous puissions le mélanger en grandes quantités. Et ne révèle à personne l'identité de l'ingrédient secret ! Nous l'appellerons le thé Lord Maxwell.

Kyle fit la grimace.

— Mon père aurait une crise d'apoplexie en voyant son nom sur un vulgaire produit commercial !

— Tu es sûr ? Je préférerais encore le thé du Comte Wrexham.

— Pas question !

— Hum... D'accord. Alors, le thé du Comte ? Là, tu ne peux pas protester.

— Sans doute pas. Mais tu es affreusement snob, finalement !

— Non, seulement bon homme d'affaires. Le thé du Comte fera la fortune de la maison Elliott. Tu viens de justifier enfin la vie paresseuse que tu mènes ici, à Canton.

Gavin les resservit.

— La saison commerciale touche à sa fin, reprit-il. Que penses-tu de ton séjour ?

Kyle décida qu'il était temps de parler de ses projets.

— La Chine est fascinante... Et je ne repars pas pour Macao avec toi. J'ai trouvé quelqu'un pour m'emmener au temple d'Hoshan.

Gavin lâcha un juron.

— J'espérais que tu avais abandonné cette idée. Tu as déniché un criminel local qui accepte de partir avec toi ? C'est risqué.

— Pas un criminel. Jin Kang.

Gavin posa bruyamment sa tasse.

— Bon Dieu ! J'aurais cru ce garçon plus sensé !

Kyle avait discuté avec Verity de ce qu'il convenait de dire à son ami.

— Il est tout à fait sensé. Quand je lui ai demandé s'il connaissait quelqu'un capable de me servir de guide, il s'est proposé. Il est à demi écossais, et il a besoin de mon aide pour se rendre en Angleterre.

— Seigneur ! Il se cache tellement le visage que je n'avais jamais remarqué qu'il était métis. Son père était négociant ?

— Oui. Un certain Hugh Montgomery.

Gavin fronça les sourcils.

— Je ne l'ai jamais rencontré. Il est mort dans un naufrage deux ans avant mon arrivée en Orient. J'ai vaguement entendu parler d'un scandale, mais j'en ignore les détails. J'ignorais aussi qu'il avait un fils.

Un scandale ? Pourvu que Verity n'en ait jamais vent ! Elle était tellement fière de son père !

— Jin a quitté Macao après la mort de Montgomery. Chenqua l'a recueilli et lui a donné du travail. Jin a un joli accent écossais, quand il ne joue pas les interprètes un peu simplets.

— S'il a été élevé par un Écossais, il doit comprendre tout ce que nous disons !

Gavin sourit.

— Ce vieux diable de Chenqua a un meilleur espion que je ne le pensais, poursuivit-il. Une chance que je n'aie rien à cacher !

— Jin est un garçon remarquable, assura Kyle. Tout cela doit rester entre nous, mais je tenais à ce que tu sois au courant, au cas où il m'arriverait quelque chose et où il aurait besoin de ton aide.

— Bien entendu ! J'aurais été heureux de l'aider, de toute façon, si j'avais su qu'il avait du sang écossais. Si je l'envoie en Angleterre, renoncera-t-il à ce stupide projet de t'emmener à Hoshan ?

— Non. Je lui ai fait la même proposition, mais il a refusé. Il a sa fierté.

— Avec du sang écossais et du sang chinois, son orgueil doit être l'égal de celui de Lucifer ! dit Gavin en riant. Il m'a bien berné, en tout cas ! Puisque j'ai l'intention d'ouvrir un bureau à Londres, je lui offrirai un poste. Avec ses deux langues et son expérience de secrétaire, il sera sûrement utile.

Cette proposition tiendrait-elle si Gavin apprenait que Jin était en réalité une ravissante jeune femme ? Sans doute. Il avait vécu suffisamment longtemps en Amérique pour y acquérir une certaine ouverture d'esprit. Kyle espérait bien se trouver là pour voir la tête de son ami lorsque Verity lui révélerait la vérité.

Les semaines passées, ils avaient mis leur plan au point lors de brèves rencontres à l'entrepôt. Les détails avaient été facilement réglés. Kyle ne mangeait que de la nourriture chinoise, et le soir, dans sa chambre, il portait des vêtements locaux fournis par Verity. Il s'y sentait dorénavant parfaitement à l'aise.

Verity, de son côté, avait étudié la route à suivre pour Hoshan, elle avait acheté le matériel dont ils auraient besoin, puis elle s'était assuré les services d'un marin qui les amènerait de Canton à Macao, lorsqu'ils rentreraient de leur expédition. De là, il serait plus facile de trouver un navire pour l'Angleterre.

— Quand partez-vous ? demanda Gavin.

— La semaine prochaine, le même jour que toi et les autres membres de ta société. Je serai déguisé en infirme à la tête bandée.

— Astucieux ! J'avoue que je t'envie, finalement. J'ai toujours été tenté par une expédition de ce genre, mais si j'étais découvert, on me chasserait de Canton, or je ne peux pas me le permettre.

— La Chine s'ouvrira sans doute davantage aux étrangers, alors tu auras l'occasion de faire ce voyage. Ce qui ne sera pas mon cas.

Le pincement au cœur qu'éprouvait Kyle à l'idée de rentrer définitivement en Angleterre était un peu adouci par la pensée que Verity serait avec lui sur le bateau durant les longs mois de traversée. Elle aurait tout le temps de lui parler encore de la Chine, de lui apprendre un peu sa langue et son écriture. Grâce à elle, le voyage passerait plus vite.

En revanche, il était ennuyé de la trouver tellement séduisante. D'habitude, sa réaction devant une jolie femme était fugitive et il s'en débarrassait aisément. Mais il commençait à connaître vraiment Verity, et elle n'était pas le genre de personne que l'on oublie. Son esprit était aussi vif que son corps si bien entraîné, elle était très cultivée, elle faisait preuve d'un humour surprenant. Elle lui permettait de voir les deux aspects de sa nature, pourtant elle restait une énigme qu'il avait envie d'élucider.

Comment vivait-on lorsque l'on avait été arraché à une demeure de style européen pour se retrouver plongée au cœur de la vie chinoise ? Elle affirmait qu'elle respectait Chenqua et qu'elle lui était reconnaissante de ce qu'il avait fait pour elle, cependant, il était évident qu'il n'avait pu remplacer le père qu'elle adorait. Malgré tout, elle s'était adaptée à sa nouvelle existence, et si elle pensait que le sort avait été injuste envers elle, elle ne se plaignait pas.

Kyle espérait que l'Angleterre serait à la hauteur de ses espérances.

— *Heya!*

D'une puissante torsion du corps, Chenqua envoya Verity au sol.

Elle roula sur elle-même et se releva avec légèreté, prête à subir un nouvel assaut. Mais Chenqua effectua le salut traditionnel.

— C'est assez pour ce matin. Merci, Jin Kang. Ton *chi* est fort, aujourd'hui.

— Pas autant que le vôtre, mon oncle.

Elle glissa les mains dans ses manches et salua à son tour. Elle avait l'estomac noué, car elle savait qu'elle ne pouvait tergiverser davantage.

— J'ai une grande faveur à implorer de votre mansuétude, commença-t-elle.

Il rectifiait l'ordre de sa tenue.

— Je t'écoute.

— La saison commerciale est presque terminée. Déjà beaucoup de *Fan-qui* sont partis, et comme vous n'aurez plus besoin de mes services, j'aimerais aller à Macao afin d'honorer la tombe de mes parents.

Elle retint son souffle en attendant sa réponse. S'il refusait, il lui serait beaucoup plus difficile de s'échapper.

Il l'observait de ses petits yeux perçants, et elle baissa la tête, priant pour qu'il n'eût pas de soupçons.

— Tu partiras avec l'un des négociants ?

— Gavin Elliott a dit que je pouvais faire la traversée sur son navire. Il embarque dans deux jours.

— Très bien. Je te permets d'aller à Macao pour cette honorable mission. Informe la *tai-tai* de la date de ton retour. As-tu besoin d'argent ?

— Non, mon oncle.

Elle baissait toujours les yeux, gênée par sa générosité alors qu'elle lui mentait.

Luttant contre le désir de tout avouer, elle se prosterna devant son maître, touchant le gazon du front en signe de gratitude et de respect.

— Je vous remercie infiniment de votre bonté.

— Tu la mérites.

L'esprit déjà ailleurs, il se hâta vers la maison.

Au lieu de le suivre, Verity s'enfonça davantage dans le parc, un peu mélancolique. C'était le tout début de la matinée, le moment rêvé pour dire adieu à cet endroit d'une si sereine beauté qui lui avait toujours mis du baume au cœur.

Elle s'arrêta près de la cascade, accordée comme un instrument de musique, dont chaque goutte contribuait à l'harmonie finale. Les canards aux couleurs vives s'affairaient à la recherche de nourriture. Verity gravait dans sa mémoire chaque rocher, chaque bassin, chaque arbre, toute cette splendeur qu'elle ne reverrait plus jamais.

Sa dernière étape fut la maison de thé où elle avait si souvent médité, où Maxwell lui avait fait la proposition qui allait changer sa vie. S'il ne l'avait pas aperçue par hasard, ce jour-là, elle ne serait pas en train d'envisager sa fuite.

Elle pénétra ensuite dans la maison principale par une porte ronde bien différente des ennuyeuses portes rectangulaires des *Fan-qui*. Elle n'avait jamais visité entièrement le long bâtiment, car c'était la demeure des fils adultes de Chenqua et de leurs familles, ainsi que celle des épouses et des servantes des négociants, aussi nombre de pièces étaient-elles privées.

Les vastes espaces, les cours et les bâtiments, si étroitement imbriqués que l'on ne savait où se terminait l'un et où commençait l'autre, allaient beaucoup manquer à Verity. En Angleterre, il faisait certainement trop froid pour que l'on construisît des maisons autour d'espaces ouverts.

Elle trouva Ling-Ling perchée sur le bord d'un bassin, qui suivait des yeux une carpe dorée. Comme toujours, elle était vêtue et maquillée avec raffinement, au point d'en paraître presque irréelle.

— Tu es debout de bonne heure, dit Verity en s'asseyant près d'elle.

La jeune femme leva vers elle un regard rêveur.

— C'est sûr maintenant, Jin Kang, je porte l'enfant de mon seigneur.

— C'est merveilleux ! s'écria Verity en faisant taire sa jalousie. Pourvu que ce soit le premier de nombreux fils robustes. Sa Seigneurie et la Première Dame doivent être enchantés.

— Ils le sont. La *tai-tai* dit qu'il n'y a pas eu de bébé dans la maison depuis trop longtemps.

La *tai-tai*, la première et plus importante épouse de Chenqua, dirigeait la maisonnée avec fermeté et sagesse. En choisissant elle-même les épouses de son seigneur et de ses fils, elle faisait régner l'harmonie dans la demeure. Elle s'était toujours montrée bonne, à sa manière un peu distante, avec l'orpheline que son époux avait ramenée de Macao.

— Je pars dans deux jours rendre visite à la tombe de mes parents, annonça Verity.

— Est-ce que tu brûleras la nourriture des morts, ou est-ce que les chrétiens ne le font pas ?

— Ce n'est pas une coutume chrétienne, en effet, mais j'honorerai tout de même mon père et ma mère à la manière chinoise, puisqu'ils reposent dans ce sol.

Ling-Ling jouait avec une fleur de lotus.

— Tu pars pour toujours, n'est-ce pas ?

Verity se pétrifia.

— Pourquoi dis-tu cela ?

— Il y a beaucoup de métis, à Macao. Tu y seras mieux qu'ici, et tu pourras trouver un époux qui t'honorera et te donnera des fils.

— Tu as deviné juste, avoua Verity. Je... il faut que je cherche une vie ailleurs.

— Mon seigneur sera désolé de te perdre.

— Ne lui dis rien, je t'en supplie !

— Je ne te trahirai pas. Tu as le droit de partir, puisque tu n'es pas une esclave, mais ce sera plus facile si personne n'est au courant de tes projets. J'ai toujours su que ton avenir ne se trouvait pas ici, à Canton.

— Vraiment ? s'étonna Verity. Je l'ignorais moi-même !

— Tu étais encore endormie. Mais tu as rencontré un homme qui a éveillé tes sens, n'est-ce pas ? Tu es différente, depuis quelques semaines. Fera-t-il de toi une de ses épouses ?

Verity contemplait son amie, fascinée. La jeunesse et l'espièglerie de Ling-Ling faisaient oublier son intelligence, son intuition.

— Il y a un homme qui m'a donné à réfléchir, dit-elle prudemment. Il m'aidera à m'installer dans ma nouvelle vie, mais il n'a pas le désir de me prendre pour épouse.

Ling-Ling haussa ses fins sourcils.

— Tu as beaucoup à apprendre sur les hommes, Mei-Lian.

— C'est la première fois que tu m'appelles par mon vrai nom, murmura Verity, émue.

— C'est normal, puisque tu t'en vas pour devenir une femme.

Verity lui prit la main.

— Tu me manqueras, Ling-Ling.

Des larmes brillaient dans les yeux de la jeune Chinoise.

— Tu me manqueras aussi. Je ne peux plaisanter qu'avec toi.

Elle baissa les yeux sur ses minuscules pieds dans leurs pantoufles brodées.

— Je ne voudrais pas de ta vie, reprit-elle. Pourtant, parfois, j'envie ta liberté.

On racontait volontiers que l'on empêchait les pieds des filles de grandir afin qu'elles ne puissent s'enfuir. Ling-Ling était fière d'être l'une des épouses de Chenqua, mais sa vie était étriquée, et elle le deviendrait encore davantage. Les veuves n'avaient pas le droit de se remarier, or Chenqua avait quarante ans de plus que Ling-Ling, et la jeune femme avait toutes les chances de dormir seule la majeure partie de son existence. Elle s'en contenterait sans doute... Mais cela n'aurait pas convenu à Verity.

Un peu réconfortée, Verity retourna dans sa chambre, fit sa toilette, puis elle ouvrit son coffre aux trésors afin de choisir ce qu'elle allait emporter de l'autre côté du fleuve ce jour-là.

Petit à petit, elle avait déposé ses affaires les plus précieuses dans la robuste malle cerclée de cuivre que Maxwell avait mise à sa disposition. D'abord la Bible de son père, ensuite les bijoux de sa mère et les vêtements de femme qui l'avaient aidée à supporter Jin Kang toutes ces années.

Ce jour-là, elle prit le dernier livre de son père ainsi qu'une ravissante peinture sur parchemin qu'elle fixa à sa taille à l'aide d'une bande de tissu avant d'enfiler sa tunique.

Enfin elle se rendit à l'appontement.

Les entrepôts fourmillaient encore d'activité, mais dans deux jours ils seraient déserts. Avec Maxwell, elle serait en route pour Hoshan.

Et elle ne savait ce qui l'emportait, de la peur ou de l'excitation.

13

La veille du départ de Kyle arriva une pile de courrier, le dernier qu'il recevrait avant son retour en Angleterre. Il attendit le soir pour le lire, après avoir terminé ses bagages.

L'écriture de son père était déformée par le tremblement de sa main, mais le message de sa sœur Lucia était vivant et plein de détails sur son existence. Son petit garçon de cinq ans avait ajouté quelques mots maladroits.

Comme toujours, il garda la lettre de son frère pour la fin. Unis comme les doigts de la main dans leur enfance, ils avaient été élevés dans des collèges différents, et à dix-huit ans une farouche querelle les avait séparés pour plusieurs années. Ils s'étaient réconciliés juste avant que Kyle s'embarque pour l'Orient, mais ils n'avaient pas véritablement eu le temps de renouer les fils de leur relation.

Heureusement, il y avait eu la correspondance échangée pendant six ans. Kyle avait écrit des choses qu'il aurait trouvées difficiles à dire de vive voix, et Dominic avait suivi son exemple. Bien qu'ils vivent aux antipodes, ils se sentaient aussi proches l'un de l'autre que lorsqu'ils étaient enfants.

Il savoura les pages qui étaient composées de paragraphes rédigés au long de plusieurs semaines. C'était un amusant pot-pourri d'informations et de réponses aux questions que Kyle avait posées lors de son dernier courrier. Dominic terminait par :

Je suppose que tu seras rentré avant que cette missive t'atteigne. Je me demande combien de lettres te pourchassent à travers l'Orient.

Je suis heureux que tu reviennes. Wrexham décline, et tu lui manques, mais il ne l'avouerait pour rien au monde. Je te préviens, dès que tu arriveras, il va essayer de te marier. Si quelque chose peut le maintenir en vie, c'est bien l'idée de te voir lui donner des héritiers.

Kyle fit la grimace. Son frère ne plaisantait pas. Le comte de Wrexham avait été furieux de le voir quitter l'Angleterre, bien qu'il eût un excellent remplaçant en la personne de Dominic. L'enfant prodigue trouverait en rentrant au bercail une longue liste de partis convenables.

Il rédigea une brève réponse, tout en sachant que la lettre arriverait très peu de temps avant lui, puis il se déshabilla et mit ses vêtements occidentaux dans une petite malle que Gavin Elliott emporterait à Macao le lendemain, ainsi il pourrait les récupérer pour son voyage de retour vers l'Angleterre.

Le reste de ses affaires était déjà en mer. Verity lui avait impérativement interdit d'emporter quoi que ce fût d'européen à Hoshan, hormis son pistolet et des munitions. Les routes qu'ils emprunteraient étaient sûres, en principe, mais on ne savait jamais.

Il baissa la lampe et s'étendit sur le lit, seulement couvert d'un drap. À cette époque de l'année, les nuits étaient désagréablement chaudes, et bien qu'il se fût habitué aux climats tropicaux, il se languissait de la fraîcheur revigorante de l'Angleterre.

Il se prit à songer au mariage. Parfois cette perspective lui paraissait éminemment raisonnable, même s'il savait qu'il ne pourrait jamais aimer une autre femme que Constancia. La plupart des unions n'avaient rien à voir avec l'amour, et il lui faudrait se contenter de gentillesse, de bonne volonté, de respect mutuel. Pourtant, quand il rêvait de Constancia, il se réveillait toujours persuadé que le mariage serait une erreur catastrophique à la fois pour lui et pour la malheureuse qui unirait sa vie à la sienne.

Il n'avait dit à personne qu'il avait épousé Constancia. Dominic lui-même savait seulement qu'il avait perdu la maîtresse qu'il aimait et avec elle le meilleur de lui-même. Jamais il n'avait rencontré une femme qui pût se comparer à elle. Elle était chaleureuse, généreuse, passionnée, et elle le comprenait comme personne. Elle était morte depuis six ans, cependant elle serait toujours son épouse.

La dernière volonté de Constancia était qu'il continue à vivre, mais vivre était une chose, aimer en était une autre.

Kyle dormit profondément et se réveilla avant l'aube. Il avait hâte d'entamer la grande aventure. Il commença par se brunir le visage et les membres avec une lotion qui, d'après Verity, devrait tenir plusieurs semaines.

Puis il se vêtit d'un pantalon bleu et d'une tunique achetés d'occasion. Verity n'avait pu trouver de chaussures éculées à sa pointure, aussi en avait-elle acquis des neuves qu'elle avait soigneusement usées.

Il fixa une ceinture à billets sous sa tunique et jeta un coup d'œil au miroir. Il avait déjà l'air plus vieux, fatigué, beaucoup moins anglais.

On frappa, et la porte s'ouvrit sur Gavin.

— Ainsi, tu persistes, fit-il, l'air sombre.

Kyle ferma sa malle et la remit à son ami.

— Tu en doutais ?

— Pas vraiment. Bon voyage, alors.

Ils se serrèrent la main.

— Je te verrai à Macao d'ici une quinzaine de jours, dit Kyle.

— N'y va pas, Kyle ! déclara brusquement Gavin. J'ai un mauvais pressentiment. J'ai essayé de l'ignorer, mais mes ancêtres écossais ne cessent de me murmurer que tu cours au-devant d'ennuis. De graves ennuis.

Kyle ouvrit de grands yeux.

— Tes ancêtres écossais t'ont-ils dit aussi de quoi je devais me méfier ?

Gavin haussa les épaules.

— Les prémonitions ne sont jamais assez précises pour être utiles... J'ai cependant l'impression que tu risques ta vie. Renonce à cette aventure.

Kyle alla à la fenêtre et contempla la Pearl River, blanchâtre dans la lumière de l'aube. Gavin ne parlait pas à la légère. Cette expédition à Hoshan était-elle simplement un caprice d'enfant gâté ?

Non. Il s'agissait d'un désir plus fort. Peut-être découvrirait-il à Hoshan la foi, la sagesse, ou autre chose qui donnerait un sens à son existence. En tout cas, le jeu en valait la chandelle.

— Je te remercie de ta mise en garde, Gavin, mais je dois y aller.

Elliott soupira.

— Alors sois prudent, et fais bien ce que te dira Jin Kang.

— Ne t'inquiète pas. Je serai chez toi à Macao avant que tu aies eu le temps de te faire du mauvais sang.

Il sortit de la chambre et descendit au rez-de-chaussée où il devait retrouver Verity.

L'entrepôt était pratiquement vide, car toutes les caisses de marchandises étaient à présent en route pour l'Angleterre ou l'Amérique. Seul flottait dans l'air le parfum âcre du thé. Un peu plus tard dans la journée, on le fermerait pour quelques mois et, avec l'activité qui régnerait, personne ne s'apercevrait de l'absence de Kyle.

Comme prévu, Verity l'attendait dans un petit bureau, l'air sévère. Elle avait troqué ses vêtements de secrétaire respectable contre une tenue de paysan.

— Vous êtes en retard, monsieur. Je me demandais si vous n'aviez pas changé d'avis.

— Sûrement pas! Mais Elliott est venu me dire au revoir.

Comme il traversait la pièce, elle lança, critique:

— Vous êtes habillé en paysan, mais vous vous déplacez comme un lord *Fan-qui*. Mettez ceci sous la plante de vos pieds.

Elle lui tendit deux morceaux de corde abîmée.

Docile, il ôta ses souliers et les plaça à l'intérieur avant de refaire le tour du bureau.

— C'est très inconfortable! À quoi cela sert-il?

— Maintenant, vous marchez comme un vieillard aux articulations rouillées et à l'équilibre incertain.

— Astucieux, reconnut-il avant de passer en revue les objets que Verity avait posés sur une table. Et ça? On dirait un blaireau qui sort de l'eau!

— Votre perruque, grand-père.

Bien que les Chinois se rasent la moitié de la tête, la perruque qu'elle lui tendit lui couvrait tout le crâne avant de se terminer en une longue natte. Les cheveux étaient plus gris que noirs, et Kyle se demanda d'où ils venaient, mais finalement, il préférait ne pas le savoir.

— Ça va ? demanda-t-il lorsqu'il l'eut coiffée.

— Une mèche dépasse, dit Verity en remettant en place une boucle folle.

Lorsque la main légère effleura son oreille, il faillit sursauter. Peut-être que l'avertissement de Gavin concernait ses rapports avec Verity. Il s'oublierait au point de lui faire des avances, et elle lui briserait le cou d'indignation. Il l'avait vue se battre, il savait qu'elle était dangereuse !

C'était absurde, évidemment ! Il la trouvait infiniment séduisante, certes, mais il n'était pas du genre à se laisser dominer par ses instincts. Verity possédait une rare innocence, et il n'avait aucune intention de la violer. Cependant, il respira lorsqu'elle recula d'un pas.

— J'ai l'air chinois, maintenant ? demanda-t-il.

Elle eut un petit reniflement.

— À peine. Même si vos traits ne vous trahissaient pas, la couleur de vos yeux le ferait. Il est temps de les cacher.

Elle prit un rouleau de gaze et commença à lui bander la tête. Il n'aimait guère cela, mais il n'y avait aucun autre moyen de dissimuler ses différences. Afin de se distraire, il essaya d'imaginer Verity dans une robe de bal qui dévoilerait sa silhouette toujours dissimulée sous les vêtements informes. Il lui commanderait une garde-robe digne de ce nom dès qu'ils atteindraient Macao.

Enfin il eut la tête emmaillotée. Il ne lui restait de découvert que les yeux et la bouche. Verity passa une seule couche de gaze devant ses yeux, puis elle fixa le bandage.

— Vous voyez ?

Il tourna la tête à droite et à gauche pour tester sa vision.

— Mieux que je ne l'aurais cru. Le monde est un peu flou, mais je vois et j'entends, je respire et je parle sans problème.

— Parfait ! Cependant le bandage est trop propre.

Elle ramassa de la poussière sur le sol et en salit la gaze, puis elle posa un bonnet sur la tête de Kyle.

— Regardez-vous, maintenant, grand-père.

Elle lui tendit un miroir, et il vit un vieux Chinois mal en point.

— C'est une réussite !

— Il vaut mieux, rétorqua-t-elle, inquiète. J'espère que je n'ai rien oublié.

— Si vous voulez renoncer, il est encore temps, dit-il. Nous pouvons partir pour Macao avec Gavin cet après-midi.

Elle hésita et, l'espace d'un instant, il craignit qu'elle ne le prît au mot. Mais elle secoua la tête.

— Non. Nous avons conclu un marché, je m'y tiendrai. D'ailleurs, j'ai également envie de voir ce temple.

— Et de dire ainsi au revoir au pays de votre mère ?

Elle l'étudiait attentivement.

— Ôtez votre bague, reprit-elle. Aucun paysan n'en posséderait de semblable.

Celle-ci faisait tellement partie de lui qu'il n'y pensait plus. Comme il l'enlevait, il se rappela ce qu'il avait apporté à Verity. Il défit la ceinture qu'il avait cachée sous sa tunique.

— Tenez, c'est pour vous.

Elle écarquilla les yeux en découvrant dans l'une des poches de la ceinture un mélange soigneusement choisi de pièces et de lingots d'argent suffisamment usagés pour ne pas attirer l'attention.

— Pourquoi me donnez-vous autant d'argent ?

— C'est vous qui paierez, pendant le voyage.

— Mais nous n'aurons pas besoin de tout ça !

— S'il m'arrivait quelque chose, il vous faudrait de quoi vous rendre à Macao, puis en Angleterre. Gavin Elliott vous aidera, il a même parlé d'engager Jin Kang pour son nouveau bureau londonien. Néanmoins, vous serez plus à l'aise avec un petit pécule, pour débuter.

Il lui remit la bague.

— Rangez-la avec.

Elle glissa la bague dans une petite poche vide afin qu'elle ne soit pas abîmée, puis elle fixa la ceinture sous sa tunique.

Kyle se rappela alors que toute sa fortune n'avait pu guérir Constancia.

— L'argent ne peut accomplir de miracles, mais il offre liberté et pouvoir. Je remercie fréquemment Dieu qui a permis que je ne sois pas affligé par le problème crucial qui tourmente la moitié des êtres humains.

— Liberté et pouvoir... Je n'en ai guère joui, jusqu'à présent.

Elle était courageuse! Kyle lui-même aurait-il eu le cran d'abandonner à jamais la seule vie qu'il eût connue?

— Votre avenir sera différent de votre passé, dit-il. Pour le meilleur et pour le pire.

— Je l'espère.

Elle mit un havresac sur son épaule.

— En route, grand-père! Jusqu'à ce que nous arrivions à l'écurie où l'âne nous attend, gardez la main sur mon épaule, traînez les pieds, tenez-vous le dos voûté et ne prononcez pas un mot. Ainsi personne ne se doutera que vous êtes un diable étranger.

— Allons-y, Montgomery!

Elle lui offrit un sourire.

— Plus d'allusion à l'Écosse, grand-père, ça nous porterait malheur.

Elle était si charmante que Kyle lui leva le menton.

— Alors, un baiser pour nous porter chance?

Il voulait seulement effleurer ses lèvres, mais dès qu'ils se touchèrent, le désir flamba entre eux. Avec un faible gémissement, elle se colla contre lui. Sa vision obscurcie le rendait plus conscient encore de la douceur de sa bouche, de la sensualité de son corps.

Il était aussi conscient de son incertitude – avait-elle déjà été embrassée? Sans doute pas.

Bon sang! Vouloir l'embrasser à en perdre la tête n'était pas le meilleur moyen d'entamer le voyage! Il brisa leur étreinte, le souffle court.

— Un début de bon augure pour notre expédition, dit-il.

Elle porta lentement les doigts à ses lèvres, puis secoua la tête.

— Les chauves-souris seraient de meilleur augure, grand-père, rétorqua-t-elle. Ou les grues.

Lorsqu'elle se tourna vers la porte, il posa la main sur son épaule. Avec les cordes sous ses pieds, il ne lui était pas difficile de marcher comme un vieillard. Il eut un élan de sympathie pour son père qui était affligé de goutte et d'une vue défaillante.

Ils sortirent de l'entrepôt par la porte de derrière. Avançant à une vitesse raisonnable pour un infirme, Verity les conduisit dans l'une des rues qui menaient aux portes de la cité. Ce genre de voies est gardé et fermé chaque nuit par des guichets, afin qu'aucun *Fan-qui* ne puisse entrer dans Canton.

Ils arrivèrent au moment où le garde ouvrait la barrière pour les allées et venues de la journée. Il salua Verity et jeta un regard indifférent à Kyle.

La porte vers la Chine venait de s'ouvrir.

14

Angleterre
Décembre 1832

— Vous ne montez pas à cheval ? s'étonna Dominic en se détournant de la stalle d'un magnifique pur-sang.

Verity baissa les yeux comme si elle venait de commettre une gaffe.

— Non, je suis désolée. J'ai vécu en ville, voyez-vous.

— C'est dommage, mais il n'est pas difficile d'y remédier. À condition que vous ayez envie d'apprendre, naturellement...

De toute évidence, il avait du mal à imaginer que le contraire fût envisageable.

— J'aimerais bien essayer, dit Verity, qui cependant considérait l'énorme animal aux yeux brillants avec quelque méfiance.

— Rassurez-vous, je ne vous donnerai pas Pégase. Même pour moi, il est un peu difficile.

Dominic caressait le cou de l'animal et son regard se voila.

— C'était le cheval de mon frère, il me l'a confié la veille de son départ.

Verity eut une fugitive image de Kyle galopant à travers les collines, les cheveux au vent. Cela devait être un spectacle magnifique ! Elle avala sa salive. Ils avaient eu si peu de temps ensemble...

Dominic la guida le long des stalles jusqu'à celle d'une paisible alezane.

— Cannelle sera parfaite pour débuter. Tenez, donnez-lui ceci.

Il mit un trognon de carotte dans la main de Verity.

Nerveuse, elle l'offrit à la jument tout en se disant qu'elle pourrait tout aussi bien lui croquer les doigts si l'envie lui en prenait. Mais Cannelle saisit la carotte avec une délicatesse toute féminine. Verity lui caressa les naseaux et la jument lui donna un coup de tête amical.

— Je pense que nous nous entendrons bien, Cannelle et moi, dit Verity, séduite.

— J'en suis sûr.

Dominic souriait, mais ses yeux restaient tristes. Il traitait cependant Verity avec la plus grande gentillesse.

— La couturière ne doit-elle pas venir aujourd'hui? Faites-vous faire une tenue d'équitation, ainsi nous pourrons commencer les leçons.

Verity fit une petite grimace.

— Mme Champier doit être déjà là. Il vaudrait mieux que je rentre, sinon Meriel sera fâchée.

— Et il faudrait être fou pour la contrarier! plaisanta Dominic.

On sentait qu'un lien très fort l'unissait à son épouse, et après six ans de mariage, chacun d'eux s'illuminait encore lorsque l'autre entrait dans la pièce où il se trouvait.

Kyle et elle seraient-ils arrivés un jour à ce degré d'intimité? Elle en doutait, car son cœur était déjà pris. Toutefois, c'était un rêve doux-amer.

Il faisait froid, le vent poussait les nuages, si bien que soleil et ombre alternaient sans cesse. Meriel avait trouvé un chaud manteau pour sa belle-sœur, et Verity trouvait le climat moins rude qu'à son arrivée.

Depuis quinze jours qu'elle était là, la maisonnée l'avait acceptée de grand cœur. Les deux enfants se précipitèrent sur elle dès qu'elle franchit la porte.

— Des tartes! s'écria Gwen, tout excitée.

— Nous allons aider à la cuisine pour les gâteaux de Noël, expliqua Philip, son frère aîné. Vous voulez venir avec nous?

Leur nurse, Anna, les prit par la main.

— Je suis sûre que Lady Maxwell a autre chose à faire.

Verity caressa les cheveux blonds de Gwen.

— En effet, mais peut-être une autre fois? Cela va certainement durer quelques jours.

La petite fille lui lança un coup d'œil à faire fondre une pierre avant de quitter la pièce. Les deux enfants l'avaient adoptée sur-le-champ, malgré le bref moment de gêne quand Gwen avait demandé pourquoi tante Verity avait des yeux bizarres. Meriel avait calmement expliqué que Verity venait d'une partie du monde où ses yeux étaient normaux et où ceux de Gwen auraient paru bizarres. Les enfants n'en avaient plus jamais reparlé.

Verity se serait réjouie des préparatifs de Noël si ces vacances n'avaient signifié qu'elle devrait rencontrer les autres membres de la famille. Dominic et Meriel avaient accueilli sans sourciller cette veuve à demi chinoise au passé incertain, mais Verity craignait que les autres, et surtout l'impressionnant comte de Wrexham, ne soient moins ouverts.

Elle trouva Meriel dans son boudoir, assise par terre au milieu de coupons de tissu, en train de bavarder avec la couturière. Le spectacle était charmant.

— Désolée, je suis en retard, s'excusa-t-elle.

La couturière dévorait Verity du regard.

— Oh, Lady Grahame, vous aviez raison, s'écria-t-elle avec un fort accent français. Quel plaisir ce sera !

Verity cligna des yeux.

— Pardon ?

— J'ai dit à Mme Champier que vous étiez superbe, et elle se réjouissait déjà à l'idée de vous habiller.

Verity rougit.

— Vous vous moquez de moi.

Meriel se leva, légère.

— Vous ne vous trouvez pas belle, n'est-ce pas ? dit-elle en tournant Verity vers la psyché. Regardez-vous. Pas comme une femme qui n'est ni écossaise ni chinoise, mais telle que *vous* êtes. Votre silhouette gracieuse, vos yeux, votre forme de visage. Même en tenue banale, vous êtes ravissante. Quand vous porterez une robe de bal, les hommes se retourneront sur vous et les jeunes gens se jetteront sur leur plume pour vous écrire des vers.

Verity se contempla en essayant d'y croire. Certes, sa peau était lisse, sa chevelure épaisse, et ses reflets auburn ne choquaient pas, en Angleterre. Pourtant elle se trouvait étrange, ni orientale ni européenne. Kyle avait dit qu'il la trouvait belle, lui aussi. Après tout, peut-être que les Anglais aimaient les femmes bizarres.

— Si vous le dites, murmura-t-elle.

Meriel soupira, mais elle renonça à la convaincre et se mit à discuter avec la couturière des couleurs qui lui iraient le mieux.

Verity subit patiemment bavardages et prises de mesures. Sa belle sœur la « décorait » avec goût, comme elle réalisait de superbes bouquets avec les fleurs de sa serre. Et Verity la laissait volontiers s'amuser, car Meriel était la bonté personnifiée.

Aux antipodes de sa terre natale, elle était enfin Verity Montgomery, une femme, membre de la famille Renbourne. Elle serait triste lorsqu'il lui faudrait partir. Dominic et Meriel lui avaient affirmé qu'elle pouvait demeurer chez eux à vie, mais il n'était pas question d'accepter. Contrairement aux deux adorables vieilles tantes de Meriel qui vivaient dans le pavillon de chasse, Verity n'était pas leur parente, et elle ne voulait pas abuser de leur hospitalité.

En outre, elle devait se rendre en Écosse. Elle passerait l'hiver à Warfield, puis elle partirait vers le nord. Non pour retrouver des parents de son père – elle doutait qu'ils la reçoivent aussi chaleureusement que Dominic et Meriel – mais simplement pour voir sa terre natale. C'était une pulsion aussi forte que celle qui avait poussé Kyle à visiter Hoshan. Peut-être même dénicherait-elle un cottage qui deviendrait son foyer.

Elle était tellement libre, désormais ! Mais jamais elle ne se serait doutée que liberté pouvait signifier aussi solitude.

15

Canton, Chine
Printemps 1832

Verity sentait sa nuque la picoter tandis que son « grand-père » et elle franchissaient la Porte du Dragon. Bien qu'elle ne l'eût pas dit à Maxwell, elle considérait la traversée de la ville comme un test. Elle annulerait le voyage au cas où il attirerait dangereusement l'attention.

Si on le trouvait à Canton, ce serait un scandale d'importance mineure. Le vice-roi exprimerait son mécontentement, Chenqua devrait présenter des excuses, se prosterner et payer une amende, mais il ne se passerait rien de plus dramatique. Il arrivait souvent que les *Fanqui* dérogent aux Huit Règles, et la transgression de Maxwell passerait pour un caprice. En revanche, si on le découvrait dans la campagne, les conséquences seraient infiniment plus graves.

Toutefois, ils avaient bien démarré. Elle avait craint que Maxwell ne prenne pas son déguisement au sérieux, et elle était agréablement surprise de le voir jouer à merveille le rôle du vieillard infirme. Avec ses épaules voûtées, il paraissait moins grand, il gardait la tête baissée, pourtant elle était sûre que son regard perçant ne manquait rien du spectacle qu'offraient les rues animées. Mieux valait qu'on vît le moins possible son visage, car un observateur attentif n'aurait pas manqué de remarquer que son nez était un peu fort, sous le bandage, et que sa bouche n'était pas celle d'un Chinois Han.

Sa bouche...

Une bouffée de chaleur l'envahit. Comment pouvait-il éveiller ainsi ses sens d'un simple baiser ? Sa seule consolation était qu'il n'avait pas semblé insensible, lui non plus.

Elle lui jeta un coup d'œil par-dessus son épaule. Les passants étaient respectueux de sa chevelure grise et faisaient de grands écarts afin de ne pas le bousculer. D'ailleurs le respect des anciens était l'un des fondements de la société chinoise, et elle s'en réjouissait plus que jamais.

Sachant que Maxwell souhaitait voir le plus de choses possible à Canton, elle emprunta une route qui passait par certains points clés de la ville. La plupart étaient trop peuplés pour qu'ils pussent y entrer en toute sécurité, mais quand ils passèrent devant le Centre des examens, elle donna quelques piécettes au portier afin qu'il leur permette d'y pénétrer.

Elle mena Kyle le long d'un couloir flanqué de myriades de petites cellules de brique. Certaine d'être hors de portée de voix, elle expliqua :

— C'est là que les universitaires passent leurs examens de littérature, de philosophie, afin de postuler pour un poste de fonctionnaire.

Maxwell entra dans l'une des cellules.

— Elles sont réservées à ceux qui échouent ? On dirait des cachots !

— Non, les candidats y passent deux jours et deux nuits, le temps de rédiger leurs essais. On les surveille du haut de cette tour.

— Combien y a-t-il de cellules ?

— Environ douze mille, je crois.

Il eut un sifflement fort peu chinois.

— Douze mille malheureux étudiants qui souffrent afin de prouver qu'ils en savent suffisamment pour devenir des serviteurs de l'État ? Je ne m'étonne plus que l'atmosphère soit si étouffante ! Les briques doivent être saturées de la misère de ces pauvres jeunes gens qui savent que leur avenir dépend de ces deux jours.

— Il est relativement fréquent que des étudiants se suicident avant l'examen, ou après leur échec.

Malgré son déguisement de garçon qui lui donnait le droit de se promener dans la cité en toute liberté, Verity n'avait visité cet endroit qu'une seule fois, des années auparavant, et elle n'en avait pas compris alors toutes les implications.

— C'est effrayant, n'est-ce pas ? Et grandiose, en même temps.

— Grandiose ?

— D'une certaine manière, ce bâtiment représente le vrai cœur de la Chine. Depuis deux mille ans, cette nation est civilisée, elle crée de la poésie, de la philosophie, elle plante des jardins. Régulièrement, des conquérants sont venus du nord-ouest et se sont déclarés gouvernants, mais ils ont toujours adopté les coutumes de la Chine.

Notre système de gouvernement remonte à Confucius, qui pensait que la sagesse et la modération des intellectuels mèneraient à un État juste et vertueux. Tous les membres de notre gouvernement ont dû faire la preuve qu'ils connaissaient notre littérature classique et notre philosophie. Pensez-vous qu'il existe une autre nation au monde qui puisse en dire autant ?

— Pas que je sache. Il y a deux mille ans, les habitants de Grande-Bretagne n'étaient guère évolués, et Jésus-Christ n'était pas né. Mais la stabilité du système confucéen a aussi apporté la stagnation, la rigidité, ainsi que des règles mesquines et des fonctionnaires plus mesquins encore.

— Certes, cependant on autorise les fils de paysans à passer des examens. Ceux qui réussissent peuvent finir gouverneurs ou censeurs de l'empire. Parfois un bourg entier choisit un candidat qu'il aide en lui payant des professeurs dans l'espoir qu'il apportera l'honneur à leur village.

— Un système basé sur le mérite est en effet remarquable. Nous n'avons rien de semblable en Angleterre.

Le visage bandé, un peu irréel, se tourna vers Verity.

— C'est la première fois que je vous entends dire « nous », ou « notre » quand vous parlez de la Chine.

Elle se rendit compte qu'il avait raison.

— Peut-être que je me sens davantage chinoise maintenant que je suis prête à quitter ce pays.

— Vous n'êtes pas obligée de prendre votre décision tout de suite, dit calmement Kyle. Vous pourrez retourner chez Chenqua, ou bien rester à Macao.

Elle fut tentée de se reposer sur cette confortable éventualité, mais c'était impossible. Certes, elle aurait toujours son rassurant bol de riz chez son maître, mais elle avait trop changé au cours des dernières semaines pour s'en contenter.

Et c'était Maxwell le responsable.

Comme ils quittaient le Centre des examens, Kyle se demanda s'il aurait réussi au sein d'un tel système. Il avait été excellent dans ses études, mais uniquement parce qu'elles l'intéressaient. Et son avenir n'en dépendait pas. Il était né avec une cuiller en argent dans la bouche, il n'avait jamais été réellement mis à l'épreuve, comme Dominic quand il avait fait son temps dans l'armée.

Les sons et les couleurs, dans les rues, offraient un contraste bienvenu après l'austérité du Centre des examens. Après avoir passé des semaines confiné à la colonie, Kyle était enthousiasmé par Canton. Heureusement, les cordes dans ses souliers l'obligeaient à tenir son rôle de vieillard impotent.

Ils passèrent devant de nombreux temples, souvent familiaux, mais il en remarqua un plus grand, richement décoré de statues et de bas-reliefs. Il fallait absolument que Verity lui explique leurs croyances avant d'arriver à Hoshan, afin que son ignorance ne risque pas d'attirer l'attention sur eux.

Ils longèrent un groupe de bâtiments à l'apparence officielle. Sous couvert de l'aider à contourner des pavés déchaussés, Verity lui prit le bras et murmura :

— C'est le domaine du magistrat. Son bureau, son tribunal, et aussi la prison.

Kyle serra les dents lorsqu'il vit les prisonniers enchaînés à des barres de fer, à l'extérieur, pour la plupart accroupis, les épaules voûtées, la tête baissée. Une femme cracha au visage de l'un des malfrats. Pour un pays où il fallait à tout prix garder la face, cette humiliation publique était une terrible punition.

Un homme sortait en chancelant de la prison, un énorme carré de bois autour du cou et des poignets. Kyle avait entendu parler de la cangue, qui ressemblait un peu à une version portable du pilori où l'on attachait les petits délinquants en Angleterre.

Le prisonnier avait l'allure d'un vendeur des rues. Il trébuchait sous le poids du carcan et secouait la tête afin de se débarrasser des mouches. Kyle ralentit l'allure, mais Verity le rappela à l'ordre d'une secousse de l'épaule. Il ne faisait pas bon s'attarder devant la prison.

Quand ils atteignirent enfin l'écurie où se trouvaient les ânes, il avait la tête si pleine d'images et de bruits qu'il lui tardait de retrouver le calme de la campagne. Verity le laissa devant le bâtiment et se rendit à l'arrière. Kyle aurait aimé explorer l'endroit, mais jamais un vieillard aveugle ne l'aurait fait. Deux chiens étiques vinrent renifler ses chevilles et se mirent à grogner. Avaient-ils senti qu'il était étranger, ou étaient-ils simplement de mauvaise humeur? Il demeura parfaitement immobile jusqu'à ce qu'ils passent leur chemin.

Quelques minutes plus tard, Verity ressortit avec un âne qui portait un bât et une selle rudimentaire. Il était mal entretenu, mais il semblait robuste et bien-portant. Verity posa la main de Kyle sur le cou de l'animal.

— Montez maladroitement, souffla-t-elle.

Il obéit, feignant d'avoir du mal à lever la jambe suffisamment pour grimper à califourchon sur l'âne. Il retint un sourire à l'idée de ce que penseraient ses amis anglais s'ils le voyaient! Il était réputé pour la qualité de ses pur-sang.

Verity prit les rênes et conduisit la bête dans la rue.

— Où est votre monture? demanda-t-il à mi-voix.

— Seulement celle-ci.

Comme il protestait, elle répliqua sèchement:

— Plus tard!

Se rappelant que c'était elle le chef, il cessa de discuter et s'intéressa au paysage. Ils n'étaient pas loin des portes de la cité, et ils ne tardèrent pas à quitter Canton. La route qui montait vers le nord était large, la circulation dense.

Quand ils eurent laissé les faubourgs derrière eux, Verity s'engagea sur une route plus étroite, presque déserte, qui serpentait entre les collines en terrasses d'un vert vif. Les paysans et les buffles travaillaient aux rizières avec de l'eau jusqu'aux genoux. C'était aussi ravissant que sur les chères gravures de Kyle.

Enfin assuré qu'ils étaient seuls, Kyle demanda :

— Pourquoi un seul âne ?

— Il est normal d'avoir un âne pour porter un vieillard, mais en posséder deux serait un signe de richesse, et nous risquerions de nous faire attaquer.

— Je comprends, néanmoins, je n'ai pas l'intention de me prélasser sur cet animal pendant qu'une dame va à pied à côté de moi.

— Je ne suis pas une dame, rappelez-vous. Les gens seraient choqués de me voir sur l'âne alors que mon honorable grand-père est obligé de marcher.

— Mais moi, rappelez-vous, je ne suis pas votre honorable grand-père.

Il passa la jambe au-dessus du cou de l'âne et se mit à marcher, la main sur la selle comme s'il avait besoin de guide.

— J'ai cruellement manqué d'exercice, à Canton. Je ne suis pas fâché d'avoir l'occasion de me dérouiller les jambes.

— D'accord, mais dès que nous arriverons en vue d'un village, vous monterez à nouveau sur son dos.

— Promis.

Il se détendait et examinait les collines.

— Le paysage est tellement exploité qu'il ressemble à un parc. La campagne est beaucoup plus sauvage, en Angleterre.

— Racontez-moi...

— Dans le sud, de nombreuses routes sont bordées de haies qui regorgent d'oiseaux, de fleurs et de baies à la belle saison. Il y a aussi des bois, et des rivières qui suivent leur propre chemin au lieu d'être détournées à des fins d'irrigation.

— Et l'Écosse ?

Kyle lui décrivit la lande. Les collines, les daims, les troupeaux, les torrents qui dégringolaient des montagnes pour se terminer en cascades irisées.

— C'est très sauvage, comparé à ce paysage. J'ai une maison dans les Highlands. Je pense que vous vous y plairiez.

— J'en suis sûre ! s'écria-t-elle avec enthousiasme. Mon père a été élevé près de la frontière, mais il partait en excursion dans les Highlands, lorsqu'il était jeune. Il envisageait de prendre sa retraite et de m'emmener en Écosse.

— Alors, vous rêviez de l'Écosse pendant que je rêvais de Hoshan... Peut-être notre destin était-il de nous rencontrer.

— La notion de destin n'est-elle pas plus orientale que chrétienne ?

— Croire au destin fait partie intégrante de la nature humaine, à mon avis. Parlez-moi des croyances religieuses de la Chine. J'ai beaucoup lu sans toutefois arriver à bien les distinguer. Bouddhisme, taoïsme, confucianisme... Qui croit en quoi ?

— La plupart des Chinois suivent les trois enseignements. Le Dieu de la Bible est exclusif, mais ici nous pensons que toute religion qui tend à améliorer l'homme est bonne.

« Le taoïsme nous enseigne de suivre les lois de la nature, et il voit des esprits partout. Les plus grandes figures en sont Lao-tseu, le Vieux Philosophe et les Huit Immortels. Le monde du *tao* est *yin* et *yang*, contraire et semblable, ainsi que *feng shui*, l'harmonie créatrice des maisons et des jardins qui nourrissent l'âme.

— Vous allez trop vite ! protesta-t-il. J'en veux davantage sur le taoïsme.

Elle eut un rire délicieusement frais.

— Plus tard. Confucius, le maître, a appris aux hommes à se respecter mutuellement, à cultiver la discipline et à apprendre la sagesse, à honorer nos aînés. La société chinoise et le gouvernement ont pris leurs racines dans cet enseignement.

— Et le bouddhisme ?

— Bouddha nous a enseigné qu'afin d'échapper au cycle de la mort et de la réincarnation, il ne fallait pas s'attacher aux biens matériels. En renonçant aux désirs terrestres, on accède à la paix et à la sagesse.

Tout en l'écoutant attentivement, Kyle admirait la ligne de sa gorge, son profil élégant.

— Je ne suis absolument pas déterminé à renoncer aux plaisirs terrestres, mais j'ai envie d'en apprendre davantage. Je vais vous faire parler chaque jour au cours de ce voyage jusqu'à ce que vous ayez une extinction de voix.

— Après tellement d'années passées dans la peau du silencieux et invisible Jin Kang, je serai heureuse d'avoir un auditoire, répliqua-t-elle tranquillement.

Il sourit. Ce voyage était d'ores et déjà merveilleux. Peut-être le destin les avait-il réunis dans un but précis. Verity offrait la Chine à Kyle, il lui offrirait l'Écosse.

Si cela n'avait été tout à fait déplacé pour un vieillard, Kyle se serait mis à siffloter de satisfaction.

16

— Il est temps de grimper sur votre fringant destrier, murmura Verity. Le village devant nous semble assez grand pour posséder une auberge, et le soleil ne va pas tarder à se coucher.

— Toutes les villes de Chine sont-elles closes de murs ?

— La plupart. Autrefois, des bandits s'abattaient sur les campagnes telles des pluies de sauterelles et dévastaient les villages non protégés.

Résigné à être transporté comme un colis, Kyle remonta sur l'âne. Le village avait été construit sur une excroissance rocheuse aride, les champs étant réservés aux cultures. Kyle n'avait jamais vu une terre exploitée aussi intensivement.

Il y avait en effet une auberge juste à l'entrée du village. Verity les fit passer sous une arche, dans une cour où trois murs avaient des portes menant aux chambres, tandis que le quatrième était un hangar. L'atmosphère empestait l'odeur animale et la friture.

Verity avait à peine mis l'âne à l'attache qu'une femme d'âge moyen sortit des quartiers du propriétaire avec un plateau de thé. Tandis que Verity et elle conversaient, on mit une tasse de thé dans la main de Kyle. Il la but maladroitement, puis Verity la lui reprit avant de suivre l'aubergiste à l'intérieur. Kyle se détendit, prenant son mal en patience. En Angleterre, il avait été habitué à ce que des serviteurs se chargent pour lui des tâches matérielles, mais cela avait changé au cours de ses voyages. Son valet de chambre avait refusé de le suivre dans ces pays lointains, et celui qui l'avait remplacé avait quitté son service en Inde.

Incapable d'en trouver un autre, il avait décidé de se débrouiller seul pendant qu'il serait à Canton et, finalement, il était plutôt content de ne pas avoir sans cesse quelqu'un dans les jambes. À présent, c'était Verity qui réglait tout leur voyage, et l'oisiveté lui paraissait soudain curieuse.

Mais une distraction lui fut offerte. Un tout petit enfant s'approchait. Il fixa Kyle de son regard grave puis s'accroupit ; son pantalon s'ouvrait au fond, et il se soulagea sur le sol de la cour. Kyle n'en revenait pas ! C'était pratique, mais jamais cela n'aurait été accepté en Angleterre !

Deux jolies jeunes femmes abondamment maquillées trottinaient sur leurs pieds bandés. Des prostituées, sans aucun doute, car l'auberge devait être une bonne source de travail. L'un d'elles prit l'enfant par la main et s'éloigna, mais l'autre observait Kyle.

Son opinion dut être favorable, car elle vint lui caresser le genou – non, nettement plus haut. La main remontait le long de sa cuisse. Elle posa une question et il se figea, se rendant compte qu'il réagissait à la caresse hardie. Était-ce une coutume locale dont son guide avait négligé de lui parler ?

Verity sortit en trombe de la maison en aboyant des imprécations à la prostituée. La fille, sans se démonter, répondit sur le même ton, et il y eut un échange d'insultes. Finalement, la Chinoise eut un sourire aguicheur, passa la main sur le bras de Verity, puis s'éloigna en ondulant des hanches.

Marmonnant des jurons, Verity conduisit l'âne de l'autre côté de la cour et fit descendre Kyle en le serrant très fort au coude. La chambre ouvrait directement sur la cour, et elle était dominée par un lit surélevé. Kyle observa son environnement tandis que Verity retournait chercher leurs bagages. L'ameublement était rudimentaire et les étroites fenêtres étaient couvertes de papier qui ne laissait passer qu'une faible lumière. Mais il avait dormi dans des endroits pires !

Quand Verity, chargée, eut refermé la porte du pied, il demanda :

— Que s'est-il passé, dans la cour ?

Elle laissa tomber leurs bagages à terre.

— N'était-ce pas évident ? Cette chienne cherchait des clients.

— Cela, j'avais compris, mais la discussion semblait durer.

— Je lui ai dit que vous étiez trop vieux pour frayer avec des catins et qu'elle portait atteinte à votre dignité, rétorqua Verity, acide. Alors elle m'a affirmé que vous n'étiez certainement pas trop vieux, et qu'elle vous honorerait volontiers gratuitement par respect pour votre âge.

— Quel pays hospitalier ! plaisanta Kyle, amusé.

Verity lui lança un coup d'œil meurtrier.

— Voulez-vous que je rappelle cette garce, afin que vous profitiez de son offre généreuse ?

— Bien sûr que non ! Mais, je suis impressionné...

Il ne put retenir un éclat de rire.

— ... de constater jusqu'où peut mener le principe de Confucius « respecte tes aînés ».

Verity bondit et lui posa la main sur la bouche.

— Pour l'amour du Ciel, grinça-t-elle. Vous voulez vraiment attirer l'attention sur vous ? En vous entendant rire ainsi, on se douterait que vous n'êtes pas un vieillard impotent !

Le rire s'éteignit dans sa gorge quand il la sentit contre lui. Il discernait à peine son visage, à travers la gaze, mais il était envahi par la chaleur de son corps. L'excitation provoquée par la prostituée se transforma en désir ardent, pas pour n'importe quelle femme, mais pour celle-ci. Il posa la main sur sa joue douce comme de la soie. Il y avait longtemps qu'il n'avait eu de compagne, et bien plus longtemps encore qu'il n'en avait désiré une autant qu'il désirait Verity.

Son instinct l'emporta sur la raison, et il l'embrassa. Leurs chapeaux de paille se heurtèrent, celui de Verity tomba par terre. C'était de la folie, mais la bouche de la jeune femme était tellement accueillante, tellement sensuelle ! Il glissa les mains le long de son dos souple, jusqu'au creux de ses reins, et l'attira davantage contre lui.

Un bref instant, elle se colla à lui, puis elle se dégagea, les yeux agrandis.

— Je... il faut que je m'occupe de l'âne. Et de la nourriture. Je vais chercher à manger...

Elle ramassa son chapeau et sortit en hâte de la pièce.

Le sang battant à ses tempes, Kyle s'assit au bord du lit. Comment avait-il pu se conduire si stupidement? Le voyage était à peine commencé que déjà il succombait à la tentation.

La séduire aurait été un jeu d'enfant, mais il était un homme, pas un enfant, et il était honteux de séduire une innocente. Il faudrait être une canaille pour tirer avantage de son inexpérience. En Grande-Bretagne, elle aurait enfin l'occasion d'être une femme, comme elle en avait tellement envie. Or, si elle avait des relations intimes avec lui maintenant, son avenir serait irrévocablement gâché.

Il était passé maître dans l'art de se dominer, et c'était ce qu'il devait faire avec Verity. Mais pourquoi diable était-ce si difficile?

Les mains de Verity tremblaient tandis qu'elle étrillait l'âne. Elle avait eu tant de mal à s'arracher à Maxwell! Elle avait eu envie de l'entraîner vers le lit afin qu'il lui apprenne les mystères de l'amour. Mais leur étreinte s'était produite si brusquement! Son instinct lui disait qu'il devait y avoir entre eux davantage que de la passion, qu'un simple moment passé au lit les laisserait embarrassés et coupables. Elle serait embarrassée, il se sentirait coupable. De toute façon, ce n'était pas le bon moment.

Quand elle en eut fini avec l'âne, il était plus propre qu'il ne l'avait été de toute sa vie d'animal de basse extraction. Elle quitta l'écurie, qui était un abri à claire-voie à gauche de l'entrée principale. Avec la tombée de la nuit, on avait fermé la grille, et une seule torche vacillante éclairait la cour.

Heureusement, peu de chambres étaient occupées, à l'auberge, aussi Maxwell et elle jouiraient-ils de quelque intimité. Ils commençaient à maîtriser parfaitement l'expression à voix basse, afin que personne ne puisse les entendre, mais le moindre faux pas risquait d'avoir des conséquences dramatiques.

Elle s'arrêta à la cuisine et prit le plateau qu'elle avait demandé à l'aubergiste de lui préparer. Quand elle revint dans leur chambre, elle vit, avec un pincement au cœur, que Maxwell lui avait préparé une paillasse par terre. De toute évidence, il s'était remis de son accès de sensualité.

Quand elle fut entrée, il glissa une lourde barre de bois dans les taquets prévus à cet effet sur la porte, puis dénoua son bandage.

— Voilà des heures que je rêve de cet instant ! dit-il.

Elle essayait de ne pas regarder tandis que les traits familiers apparaissaient lentement. Le grand-père était peu à peu remplacé par un homme dans la force de l'âge. Quand il ôta enfin la perruque et se passa la main dans les cheveux, elle se détourna, craignant de se ridiculiser.

— Une chance que personne ne puisse voir à l'intérieur, grand-père. Rappelez-vous que, comme les deux chambres voisines des nôtres sont libres, les sons se propageront aisément dans la nuit.

Il alluma une petite lampe à huile qui se trouvait sur la table basse, tandis que Verity disposait la vaisselle et leur repas. Celui-ci, frugal, se composait de riz accompagné de légumes parfumés au gingembre, et de thé. C'était la Chine profonde que Kyle avait rêvé de connaître.

Verity s'assit en tailleur et chercha un sujet de conversation neutre.

— Dans le nord, où les hivers sont rudes, on construit les lits en brique, afin de pouvoir allumer de petits feux dessous.

Il s'installa en face d'elle.

— Ça pourrait être utile en Angleterre aussi. Nous avons bien des bouillottes d'eau chaude, mais elles refroidissent vite.

— Mon père parlait avec nostalgie des froides brumes de l'Écosse, mais jamais il n'a fait allusion à des bouillottes.

Heureuse qu'il ne restât aucune tension entre eux après ce qui s'était passé plus tôt, elle servit le thé et se contenta de jouir de la nourriture simple et de la présence de Maxwell.

Cependant la gêne revint au moment de dormir.

— Je vais me coucher, annonça Kyle en étouffant un bâillement.

Il s'assit sur la paillasse afin de retirer ses vieux souliers.

— Je dormirai par terre, dit Verity.

Il rangea soigneusement ses chaussures le long du mur.

— Non.

— Le lit est plus confortable, protesta-t-elle. Et vous y auriez droit de toute façon, grand-père ou aristocrate.

— Hors de cette chambre, nous sommes en Chine, et je vous obéis. Mais en privé, vous êtes une dame et moi un gentleman, décréta-t-il. Or un gentleman laisse toujours la meilleure place à une dame.

À Macao, en effet, elle avait vu les Européens protéger leurs compagnes et les traiter comme de fragiles porcelaines, mais ce comportement était si éloigné des coutumes chinoises que cette simple idée mettait Verity mal à l'aise.

— Je ne pourrai pas dormir si vous n'êtes pas confortablement installé.

Il se leva et salua gracieusement.

— Hélas, madame, ma conscience me tourmenterait douloureusement si je dormais dans le lit. Il serait fort cruel de votre part de ne pas céder.

Il lui offrit son bras.

— Je vais vous accompagner à votre lieu de repos.

Sa courtoisie excessive fit sourire Verity qui, entrant dans son jeu, posa délicatement la main sur son poignet.

— Je cède à vos belles paroles, monseigneur, mais je crains de ne pas fermer l'œil de la nuit.

Il y avait une étincelle d'humour dans les yeux bleus.

— Je suis si las que je dormirais sur des cailloux, alors vous feriez mieux de reprendre des forces, vous aussi.

Il l'aida à monter les six marches qui menaient au lit, puis il s'inclina de nouveau.

— Voulez-vous que j'éteigne la lampe ?

— Volontiers.

Il s'exécuta, et elle l'entendit se dévêtir avant de s'allonger sur la paillasse. Elle-même ne garda que ses sous-vêtements et se coucha sur le matelas bosselé.

Bien qu'elle fût épuisée, elle ne parvenait pas à se détendre, et ce n'était pas seulement parce qu'elle avait la meilleure place. Elle demeurait les yeux ouverts, terriblement consciente de la présence de Maxwell non loin d'elle. Elle ne parvenait pas à oublier leur baiser passionné.

Pourquoi s'était-elle si bêtement arrachée à lui ? En partie parce qu'elle considérait intuitivement que c'était trop tôt, mais aussi parce qu'elle avait eu peur. De l'acte lui-même, de l'inconnu, de Maxwell, qui la fascinait mais qui était par bien des côtés un puissant et énigmatique étranger.

Avec le recul, elle s'en voulait, car il avait eu envie d'elle autant qu'elle avait eu envie de lui. Si elle avait été un peu plus courageuse, elle serait maintenant entre ses bras... Elle en ressentait un vide extrême. Une telle occasion ne se présenterait sans doute plus jamais, car elle n'était pas le genre de traînée qui fraye avec n'importe qui, et elle n'était certes pas assez féminine pour détourner un homme du droit chemin.

Le temps passait, et elle ne cessait de se demander si elle devait tenter une approche cette nuit, pendant que le souvenir de leur baiser était encore brûlant dans leurs mémoires. Elle risquait l'humiliation d'une fin de non-recevoir, mais cela valait mieux que de regretter de ne pas avoir essayé.

Elle était fatiguée ! Fatiguée d'attendre et de brûler de désir.

Elle décida de s'en remettre au hasard. S'il dormait, elle tenterait de dormir aussi. Mais s'il était éveillé...

— Monseigneur ? murmura-t-elle.

— Oui ?

La voix profonde attisa sa détermination. Elle descendit de l'estrade et vint s'étendre près de lui sur la paillasse. Elle posa une main hésitante sur son torse en balbutiant :

— Tout à l'heure, vous me désiriez. Je... je suis là.

Il marmonna un juron.

— On devrait me fouetter au sang pour m'être comporté ainsi avec vous !

Il la prit dans ses bras avec douceur.

— Votre... offre généreuse me tente, mais je ne puis l'accepter. Les Chinoises sont destinées à servir les hommes, mais en Angleterre, un gentleman n'est pas censé abuser des jeunes femmes. Vous aurez une nouvelle vie, en Grande-Bretagne, de nouvelles occasions. Passer la nuit avec moi maintenant risquerait de gâcher votre avenir.

Elle enfouit le visage au creux de son épaule, tout étourdie d'être soudain si proche de lui. Elle aimait son parfum d'homme, son grand corps musclé.

— J'ignore ce que je vais trouver dans le pays de mon père. Je ne suis pas une jeune fille désirable, monseigneur, et jamais un homme n'a manifesté le moindre intérêt pour moi. À part vous, au moins un peu.

Elle fit une petite grimace.

— Ou bien était-ce seulement parce que vous étiez encore ému par la caresse de cette catin ?

Il la tenait toujours contre lui, mais c'était une étreinte amicale, pas celle d'un amant, elle s'en rendait compte malgré son inexpérience.

— Je vous trouve infiniment désirable, et je vous assure que bien des hommes en Europe seront de mon avis. Vous n'avez pas besoin de vous donner à moi sous prétexte qu'il n'y aura jamais personne d'autre dans votre vie. Croyez-moi, vous aurez le plus grand mal à choisir parmi tous vos prétendants.

Comme un gentleman savait bien mentir ! Ravalant ses larmes, Verity murmura :

— Les Britanniques n'ont pas de concubines ? Je deviendrais volontiers la vôtre, si vous le souhaitiez.

Il caressait son bras nu, et elle en ressentait des picotements dans tout le corps.

— Certains hommes ont des maîtresses, Verity, mais l'infidélité reste un péché. Si j'avais une épouse, pour rien au monde je n'accepterais de la déshonorer ainsi.

Il ne l'avait encore jamais appelée par son véritable prénom, et elle reprit quelque peu espoir.

— Vous m'éconduisez gentiment, monseigneur ! Mais si je ne puis être votre femme ni votre concubine, ne me laisserez-vous pas être votre maîtresse, au moins pendant les deux prochaines semaines ? Je ne vous demanderai rien d'autre.

— Mais vous devriez en demander davantage ! répliqua-t-il avec brusquerie. Vous devriez exiger d'être une épouse, pas une maîtresse. D'être aimée et non utilisée.

— Même impudique, je ne parviens pas à vous séduire.

Les larmes aux yeux, elle fit un geste pour se lever, mais il resserra les bras autour d'elle.

— Vous me séduisez énormément, néanmoins passer à l'acte serait une erreur, quand je ne peux vous offrir ce que vous méritez.

— Je préférerais que vous me respectiez moins. Vous dites que je ne dois accepter que le mariage, pourtant nous savons bien, vous et moi, qu'un aristocrate anglais ne peut épouser une métisse sans le sou. Or vous ne voulez entendre parler de rien d'autre.

Kyle soupira.

— Cela n'a aucun rapport avec l'argent ou la couleur de la peau. C'est moi qui ai toutes les tares, pas vous.

Il était tendu, elle le sentait, et ce n'était pas dû au désir.

— Que voulez-vous dire ?

Il y eut un long silence, puis il reprit avec peine :

— Je ne l'ai jamais dit à personne, mais j'ai été marié, très brièvement. Quand Constancia est morte... mon cœur s'en est allé avec elle. Je ne peux être l'époux d'une femme qui risquerait de m'aimer.

Du coup, son comportement s'éclairait.

— Je suis désolée, monseigneur.

Il lui caressait le front, repoussait des mèches folles.

— Appelez-moi Kyle, c'est mon prénom.

Kyle. Elle appréciait le privilège d'utiliser son nom de baptême.

— Vous êtes-vous marié en secret parce que votre famille désapprouvait cette union ?

— Mon père aurait été horrifié, s'il l'avait appris. Quant à mon frère et ma sœur... ils auraient peut-être compris, parce qu'ils savent ce qu'est l'amour. Mais ce que j'éprouvais pour Constancia était trop... trop personnel pour que je le partage.

Elle effleura son menton, qui piquait déjà un peu. Il faudrait qu'il se rase, le lendemain, sinon il aurait une barbe fort peu chinoise !

— Si vous en parliez, cela pourrait vous faire du bien...

— Peut-être...

Il y eut un nouveau silence.

— Constancia était ma maîtresse depuis de nombreuses années, poursuivit-il enfin. Elle venait d'Espagne, où les gens ressemblent aux Portugais que vous avez fréquentés à Macao. Ils sont bruns, avec des yeux noirs, et très beaux. C'était une courtisane, elle était plus âgée que moi. À m'entendre, on pourrait penser qu'il s'agit de la passion d'un très jeune homme pour sa première maîtresse, mais c'était la personne la plus chaleureuse, la plus aimante que j'aie jamais connue. Quand j'étais avec elle, je ressentais une paix que je n'ai jamais trouvée ailleurs. Paix et passion, conclut-il d'une voix presque inaudible.

Après avoir connu l'amour d'une telle femme, il ne pouvait évidemment plus s'intéresser aux créatures banales.

— Au moins, vous avez eu le courage de l'épouser, tout en sachant que ce serait un scandale dans votre famille.

— C'est ce que j'ai fait de plus sensé dans ma vie. Je regrette seulement de ne pas l'avoir fait plus tôt. Et il n'est guère à mon honneur de n'y avoir pensé que lorsqu'elle était mourante.

— C'était tard, mais pas trop tard, murmura Verity afin d'effacer la tristesse de sa voix. Vous avez eu la chance tous les deux de vous rencontrer, monseigneur.

Il lui baisa le front.

— Kyle, rectifia-t-il.

— Kyle, répéta-t-elle, docile.

Elle s'attendait qu'il la renvoie dans son lit, mais il se tourna légèrement, posa la joue sur ses cheveux. Follement heureuse qu'il lui permît de rester, elle se lova entre ses bras, et ne tarda pas à s'endormir.

17

Angleterre
Noël 1832

La famille Renbourne se réunissait pour Noël. Verity avait redouté de rencontrer la sœur de Kyle, mais Lady Lucia se montra aussi accueillante que Dominic. Elle possédait la stature, les yeux bleus et la chevelure châtain de ses frères. Quant à son mari, Robert Justice, c'était un homme calme dont le regard chaleureux contemplait Verity avec une curiosité mêlée de bonté. Leurs deux enfants avaient à peu près l'âge de ceux de Dominic et de Meriel.

— Dom et moi nous sommes mariés à quelques semaines d'intervalle, expliqua Lucia à Verity tandis que les enfants se précipitaient dans les bras les uns des autres. C'était bien planifié, n'est-ce pas ?

— Tout à fait ! approuva Verity, qui regarda les enfants s'éloigner en caracolant.

À présent, il y en avait quatre qui l'appelaient « tante » !

Le repas de midi se déroula dans la bonne humeur, ensuite Verity se retira dans la bibliothèque. Elle avait envie de calme, mais elle voulait également laisser les Renbourne et les Justice discuter tranquillement de l'étrange épouse qu'avait choisie leur frère.

Elle adorait cette pièce qui abritait une collection de livres à faire pâlir Chenqua de jalousie. Elle prit au hasard un volume de poésie et s'installa dans l'un des fauteuils à oreillettes qui flanquaient la cheminée.

C'était un après-midi maussade, des rafales de vent fouettaient les carreaux, mais là elle était bien au chaud, en sécurité.

Le livre était une anthologie de poètes britanniques du XVIIe siècle. *Si nous avions eu le temps, madame… Cette fausse pudeur n'était pas un crime.*

Elle eut un sourire amer. C'était elle qui avait joué le rôle de l'amante importune, et Kyle s'était montré un homme d'honneur.

La tombe est un bel endroit, intime, mais on ne s'y embrasse pas, je crois.

Les larmes lui montaient aux yeux. Jamais elle ne regretterait sa conduite hardie. Et Dominic lui avait offert un grand réconfort lorsqu'il lui avait dit que Kyle était mort en réalisant ce qu'il désirait le plus au monde. Peu d'hommes avaient cette chance. Verity avait eu envie de le croire, pourtant, elle ne pouvait s'empêcher de penser que *vivre* comme on l'avait toujours désiré était infiniment préférable.

La porte de la bibliothèque s'ouvrit à la volée, et un homme âgé y pénétra, appuyé sur une canne. Si elle n'avait pas su que le comte de Wrexham devait venir passer Noël en famille, Verity n'aurait jamais pensé qu'il était le père de Kyle, car ils ne se ressemblaient guère. Cependant il avait l'indiscutable arrogance d'un aristocrate, et une volonté de fer se laissait deviner sous la fragilité de l'enveloppe.

Elle se leva, le cœur battant, et fit la révérence.

— Lord Wrexham.

Il s'arrêta à quelques mètres d'elle et cligna des yeux en l'observant attentivement. Il s'attarda sur sa taille, très fine. Était-il soulagé ou déçu qu'elle ne fût pas enceinte ? Un enfant quarteron…

— Ainsi, vous êtes ce que l'on appelle ma belle-fille. De quelle région d'Écosse était votre père ?

— Melrose, au sud d'Édimbourg.

— Mon épouse était des Highlands, et mes enfants sont bien les siens !

Il eut un rire qui ressemblait à un aboiement.

— Tant mieux, car elle était beaucoup plus belle que moi, ajouta-t-il.

Il se laissa tomber dans un fauteuil face à Verity.

— Satanée goutte ! pesta-t-il. Maintenant, parlez-moi du séjour de mon fils en Chine.

Elle s'exécuta, insistant sur le plaisir que Kyle avait eu à explorer un monde si différent du sien et sur la façon courageuse dont il était mort. Le comte fixait les flammes qui crépitaient dans la cheminée, impassible.

— Je n'aurais jamais autorisé ce mariage, dit-il d'un ton dur quand elle eut terminé son récit. Mais... cela n'a plus d'importance. Si vous lui avez donné quelque bonheur, je suppose que je dois vous en être reconnaissant.

Il se leva avec difficulté.

— Vous ne manquerez de rien, à l'avenir.

Il hésita avant d'ajouter, bourru :

— Je... je vous remercie d'avoir fait tout ce voyage pour venir nous parler des derniers jours de mon garçon.

Il quitta la pièce en claudiquant, et Verity appuya sa tête contre le dossier du fauteuil, les yeux clos. Le pire était passé. Elle n'avait pas été surprise d'entendre le comte affirmer qu'il se serait opposé à leur mariage... Mais, évidemment, si leur expédition n'avait pas été un désastre, il n'y aurait pas eu de mariage auquel s'opposer.

Et comme l'avait dit Wrexham, cela n'avait plus d'importance. Elle ne portait pas d'enfant, alors Dominic et son fils hériteraient du titre. Le vieil homme pouvait donc tolérer l'existence de sa belle-fille.

C'était moins qu'elle n'en avait espéré, mais peut-être plus qu'elle ne méritait.

18

Sur les routes de Chine

Kyle aurait cru qu'il avait rêvé s'il ne s'était réveillé auprès de Verity. Quels fous ils avaient été de préférer le matelas par terre au véritable lit ! Pourtant il n'avait pas aussi bien dormi depuis très, très longtemps.

Bien qu'il n'eût pas oublié comment elle était capable de mettre en déroute une demi-douzaine de brigands, au repos, elle semblait fragile, plus jeune que son âge. Il se sentait protecteur, et stupéfait par sa force de volonté de la veille. Même vêtue en garçon et avec aussi peu d'artifices féminins qu'une enfant, elle était tellement sensuelle qu'il avait failli jeter son honneur par-dessus les moulins. La partie mâle de son cerveau lui répétait qu'elle avait l'âge, et qu'elle était plus que consentante, pourtant il avait trouvé la force de résister à la tentation.

En prenant soin de ne pas la réveiller, il contempla la fascinante structure de son visage. On avait du mal à imaginer qu'elle pût se trouver laide, alors que sa beauté était frappante.

Durant le voyage vers l'Angleterre, il lui apprendrait à se méfier des hommes. Elle était tellement avide d'affection, de reconnaissance, qu'elle serait une proie facile pour des êtres sans scrupules.

Ses paupières battirent, et lorsqu'elle ouvrit les yeux, il y avait de l'espoir ainsi que du doute au fond des prunelles sombres.

— Monseigneur... Kyle, je... je suis heureuse que vous ne m'ayez pas renvoyée hier soir.

— Cela aurait été plus raisonnable, mais j'aimais trop vous avoir contre moi. Je n'ai pas eu de compagne de lit depuis des années. Le besoin d'être touché par autrui est violent, comme le désir, reprit-il après une brève hésitation. Il peut être facile de confondre cet instinct avec l'amour, mais l'amour va bien au-delà des sensations physiques.

Une autre expression passa dans le regard de Verity. Une pointe d'amusement ? Il devait en effet lui paraître comiquement solennel.

— Je ne l'oublierai pas, Kyle, dit-elle.

Elle se montrait tellement soumise qu'il la soupçonna d'avoir utilisé sa première ruse féminine. Elle apprenait vite ! Quand ils atteindraient l'Angleterre, elle serait dégourdie, mais il veillerait sur elle afin qu'elle ne fasse pas de faux pas. Souhaiterait-elle être présentée à la bonne société londonienne ? Ce serait possible à arranger, néanmoins, dès qu'elle aurait affronté les commentaires acides de l'aristocratie, elle ne voudrait sans doute plus s'y frotter.

Comme il était bien, étendu près d'elle, leurs corps séparés par seulement deux épaisseurs de coton ! Il lui serait facile de baiser cette gorge fragile...

Il se leva d'un bond.

— D'après les bruits de cette *Auberge du Suprême Repos*, tout le monde est déjà actif, et nous devrions bien en faire autant.

— *L'Auberge de la Paix Céleste*, rectifia-t-elle.

Ils s'habillèrent, puis elle banda de nouveau le visage de Kyle. Après un petit déjeuner composé de thé, de gâteau de riz et de fruits, ils se remirent en chemin.

Leur route en rejoignait une autre, plus large, avec une circulation intense dans les deux sens, et c'était beaucoup moins agréable que le trajet de la veille.

Kyle allait demander s'il n'y avait pas un itinéraire différent quand ils entendirent un bruit sourd. Comme ils arrivaient en haut d'une crête, ils aperçurent sur la route en contrebas une troupe de soldats qui montait vers eux. Charrettes, piétons et cavaliers se réfugiaient sous les arbres afin de leur laisser le passage.

— Les troupes d'élite impériales, souffla Verity. En route vers Canton, probablement.

— Il y a un petit sentier sur la droite. Si nous le prenions ? suggéra Kyle.

Verity, les yeux plissés à cause du soleil, lut les idéogrammes inscrits sur les pancartes.

— Cela mène vers une cascade célèbre et un monastère que j'avais l'intention de vous montrer. Ce doit être un présage.

Elle fit avancer l'âne aussi vite que possible, et quand ils bifurquèrent dans le chemin, les soldats étaient si près qu'on voyait leurs armures et leurs casques à pointe. Quand ils eurent suffisamment avancé dans le sous-bois, Kyle mit pied à terre et se tourna vers la troupe dont les pas faisaient vibrer le sol.

— Votre peuple redoute-t-il l'armée impériale ?

— Pas vraiment, mais un homme sage se garde d'attirer l'attention.

— C'est le cas avec toutes les armées, je suppose.

Kyle regardait passer la troupe. Les épées et les lances étaient primitives, comparées aux fusils britanniques, toutefois les hommes semblaient durs, déterminés. Bien entraînés, ils tiendraient tête à n'importe qui, mais, pour l'instant, ils n'étaient pas encore prêts à lutter contre les Européens.

Priant pour que l'occasion ne se produise pas, Kyle continua à clopiner à côté de l'âne. Le paysage se fit plus rude, trop aride pour les cultures, et ils ne croisaient maintenant presque plus personne.

Le soleil était haut dans le ciel quand, au détour d'un virage, ils tombèrent sur une spectaculaire cascade qui giclait d'une falaise avant d'exploser dans un bassin bleu ciel. Kyle en resta muet d'admiration.

— Cela s'appelle l'Eau qui vole. Un monastère est construit juste au-dessus. Les monastères sont souvent bâtis sur les montagnes, à proximité d'une source vive. Si nous continuons à grimper, on dit que de là-haut la vue est splendide. Mais la montée sera longue, et j'ignore où se trouve le prochain village.

— Nous nous débrouillerons ! affirma Kyle qui ne voulait à aucun prix manquer une pareille occasion.

Ils escaladèrent la falaise jusqu'au-dessus de la cascade, et passèrent devant le monastère que Kyle aurait bien voulu visiter. Mais cela n'aurait pas été raisonnable, mieux valait éviter les contacts humains.

Si la montée était difficile, la récompense fut à la mesure de leur effort. La vue était extraordinaire ! On apercevait Canton, au loin, et les affluents de la Pearl River formaient un treillage brillant dans la verdure. De petits groupes d'habitations émaillaient les vallées fertiles et le flanc des collines. Des volutes de fumée, au pied de leur montagne, indiquaient la présence d'un village, là aussi.

Kyle aurait pu rester des heures en contemplation, mais des moines apparaissaient sur le chemin, et Verity murmura :

— Les bons moines pourraient se demander comment un vieillard aveugle est monté jusque-là, grand-père.

Ils s'engagèrent dans un plus petit sentier qui redescendait dans une gorge étroite. Au milieu coulait un ruisseau qui devait se transformer en torrent en cas de fortes pluies.

Ici et là, des jardins de théiers s'accrochaient à la paroi de la montagne.

— Les théiers aiment l'altitude et l'humidité, expliqua Verity.

Un homme qui travaillait dans son champ les héla.

— Qu'a-t-il dit ? demanda Kyle.

— Il nous a conseillé de ne pas passer la nuit dans la montagne. À cause des fantômes, sans doute.

Il cligna des yeux.

— Des fantômes. Ah, bien sûr !

Elle rit.

— Ils sont partout, et nous devons les honorer.

Elle examinait le paysage sauvage.

— Il y a de nombreuses grottes, dans ces collines. Nous pourrons en explorer une plus tard, Kyle.

Elle aimait son prénom qui avait la simplicité des syllabes chinoises.

Comme elle apercevait une ombre prometteuse dans la paroi de pierre, elle fit signe à Kyle de rester près de l'âne pendant qu'elle partait en reconnaissance. Elle avait franchi une centaine de mètres lorsque le sol se mit à trembler tandis qu'une forme noire et jaune jaillissait de l'ombre à peine à six mètres devant elle. Un tigre !

Elle se pétrifia, puis elle commença à reculer lentement, sous le regard de l'énorme bête.

Celle-ci avançait tranquillement, nonchalamment, dans sa direction. Si le tigre chargeait, aucun *wing chun* ne la sauverait.

Aurait-elle le temps de se réfugier dans un arbre? Non. Il n'y en avait pas d'assez proche, et de toute façon, les fauves grimpaient mieux que les hommes.

Elle continua à reculer jusqu'à ce que son talon heurte une racine. Elle tomba en arrière, et le tigre bondit. Elle se mit à hurler tandis que le fauve franchissait la distance qui les séparait. Elle fixait la bouche écumante, terrorisée, quand une grosse pierre passa au-dessus d'elle pour aller frapper le museau du tigre. Celui-ci s'arrêta net.

Une autre pierre l'atteignit à la poitrine, puis une autre encore à l'épaule. Le tigre se détourna en grognant férocement.

Il y eut un instant de silence absolu, enfin une pierre frappa encore la bête à l'oreille. Le tigre cracha son indignation, et disparut en quelques bonds dans les fourrés.

Kyle vint relever Verity.

— Ça va?

Elle se contenta de hocher la tête, trop secouée pour parler.

— Alors, dépêchons-nous. Heureusement, votre camarade le tigre n'avait pas faim, mais mieux vaut nous en aller avant qu'il ait retrouvé l'appétit.

Il garda un bras autour de sa taille pour l'amener à l'endroit où il avait attaché l'âne.

Celui-ci se mit à braire quand il les vit, et Kyle le caressa afin de le calmer.

— Qui serait assez fou pour attaquer un tigre à coups de pierres? demanda enfin Verity.

— Un fou qui joue le tout pour le tout.

L'âne s'était apaisé, et Kyle prit Verity dans ses bras pour la déposer sur son dos.

— J'ai eu une petite expérience des tigres, en Inde, et j'étais pratiquement sûr que quelques coups feraient renoncer celui-là sans exaspérer sa mauvaise humeur. Sauf lorsqu'ils sont vraiment affamés, les tigres attaquent rarement les hommes, mais lorsque vous êtes tombée, vous êtes devenue beaucoup plus comestible.

— C'est vous qui devriez vous trouver sur l'âne, protesta Verity tandis que Kyle menait l'animal sur le sentier caillouteux.

— Plus tard, quand vous aurez cessé de trembler comme un plat d'anguille en gelée.

Il lui adressa un petit sourire qui contrastait curieusement avec les bandages poussiéreux.

Il avait raison, elle tremblait de tous ses membres, et elle était heureuse qu'il prît les choses en main. Dommage qu'elle ait été trop bouleversée pour profiter pleinement de son bras autour d'elle alors qu'ils revenaient vers l'âne !

Elle devait commencer à se remettre, si elle avait de nouveau des idées de cette sorte.

— Vous visez juste ! dit-elle.

— J'étais assez bon lanceur quand je jouais au cricket à Eton, répondit-il avant d'ajouter, avec un petit rire : J'ignorais alors que ce talent me servirait pour en découdre avec des tigres ! Encore un des avantages qu'offre une bonne éducation.

Elle sourit, un peu détendue. Cette légèreté face au drame était l'une des qualités qu'elle préférait chez les Britanniques en général, et chez son père en particulier. Kyle et lui se seraient entendus à merveille.

Au bout d'un kilomètre, elle se laissa glisser à terre et prit les rênes. Kyle fit un pas en arrière et plaça la main sur la selle, comme d'habitude. Verity nota qu'à part le moment où il était venu à son secours, il gardait l'attitude d'un vieillard, même lorsqu'il n'y avait personne alentour. En Chine, on ne savait jamais qui guettait.

— Le soleil va bientôt se coucher, et je ne pense pas que nous pourrons atteindre le village avant la nuit.

Elle frissonna.

— Je crains que non, en effet.

— Il n'est pas question de dormir à la belle étoile, car c'est surtout la nuit que les tigres chassent. Nous pourrions grimper en haut d'un arbre, mais notre petit ami l'âne se trouverait en position d'appât.

Il retira la bande de gaze qui lui voilait la vue afin de mieux observer les environs.

— Il n'est pas impossible qu'il y ait une grotte, là-bas. Si nous allions jeter un coup d'œil ?

Verity espérait qu'il avait raison.

Ils entreprirent d'escalader la pente, et l'âne protesta furieusement, jusqu'à ce que Kyle lui ordonne sévèrement de se taire.

— C'est pour t'empêcher d'être dévoré que nous faisons ça !

— Peut-être se plaint-il parce qu'il n'a pas de nom.

— Nous l'appellerons Têtu.

Elle rit.

— C'est un âne chinois, il lui faut un nom chinois. Pourquoi pas Sheng, qui signifie victoire ?

— Espérons qu'il saura se montrer à la hauteur de ce nom. Viens, Sheng.

Comme ils approchaient de la grotte, Verity se sentit mal à l'aise.

— Avez-vous remarqué que ce chemin est bien délimité ? J'espère qu'il n'a pas été tracé par des créatures affamées qui vivent dans la caverne.

— Rien ne saurait nous résister, pas même un tigre.

Verity ouvrit de grands yeux lorsqu'un pistolet se matérialisa dans la main de Kyle. Où l'avait-il caché ? C'était vraiment un homme de ressources !

Il pénétra dans l'antre sombre tandis qu'elle attendait à l'extérieur, puis cria, la voix étrangement déformée :

— C'est assez grand, et cela sent le bois de santal ! L'endroit est sans doute utilisé régulièrement par des voyageurs, mais il est vide, pour l'instant.

Verity tira l'âne à l'intérieur de la grotte. En effet, l'espace était vaste, de forme irrégulière, et légèrement éclairé par une faille dans la falaise. Sur la gauche il y avait un petit foyer avec des cendres froides, et de l'eau ruisselait pour former une petite mare.

Kyle découvrit aussi une pile de torches toutes prêtes et il en alluma une afin d'explorer leur nouvelle demeure.

— Il y a un couloir, par ici, dit-il du fond de la grotte. Je vais m'assurer qu'il ne s'y cache rien de dangereux.

— Je vous accompagne.

Verity attacha l'âne à une excroissance de rocher et suivit Kyle dans le passage qui montait à l'intérieur de la montagne. Il s'agissait sans doute d'un tunnel naturel qui avait été élargi afin de permettre à l'homme d'y passer.

Et elle en comprit la raison lorsque Kyle s'immobilisa devant elle en émettant un long sifflement.

— Grand Dieu ! C'est un temple !

19

Stupéfait, Kyle contemplait la statue de femme qui lui faisait face. Deux fois plus grande que nature, elle était éclairée par des rais de lumière qui tombaient de trous dans le plafond de la grotte, et on aurait dit qu'elle avait été sculptée à même la montagne. Depuis combien de temps ? Mille ans ? Deux mille ?

Verity vint près de lui et murmura :

— Non, pas « grand Dieu », mais « grande Déesse ».

Elle joignit les mains et s'inclina.

— Il s'agit de Kuan Yin, la déesse bouddhiste de la miséricorde et de la protection des enfants.

Dans la lumière douce de cathédrale, Kuan Yin rayonnait de grâce et de sérénité.

Kyle regardait les pétales de fleurs séchées répandus aux pieds de la statue.

— Les gens de la région doivent venir ici régulièrement. Seraient-ils offensés si un diable étranger dormait dans la grotte ?

— Kuan Yin est bonne, je suis sûre qu'elle ne se formalisera pas si vous séjournez dans sa maison d'amis.

Envoûtée, Verity tournait lentement sur elle-même, étudiant chaque détail du mausolée.

— Mais c'est un endroit sacré, reprit-elle. Sentez-vous la force du *chi* ?

Il considéra sérieusement la question et s'aperçut qu'il éprouvait… quelque chose.

— C'est comme l'énergie d'un… d'un cœur qui bat ?

Elle acquiesça.

— C'est une façon de le décrire. Le *chi* est la force vitale qui imprègne toute existence.

Kyle avait déjà ressenti pareille puissance dans des lieux de culte, ou des endroits d'une grande beauté naturelle.

— Ce pouvoir provient-il de siècles d'adoration, ou était-il là avant le temple ?

— Les deux, j'imagine. Il devait y avoir ici une forte dose de *chi*, et c'est pour cette raison qu'on a choisi cet emplacement pour le temple.

Elle leva les yeux vers le plafond en forme de dôme, avec une expression presque fervente.

— J'avais entendu dire qu'il y avait de nombreux temples cachés dans les montagnes, mais c'est le premier que je vois. Nous avons de la chance.

Après avoir salué la déesse, ils retournèrent dans la grotte.

— Je vais chercher du petit bois et de l'herbe pour l'âne, dit Verity.

— Ne vous éloignez pas. Je ne tiens pas à ce que vous soyez surprise par la nuit.

— Croyez-moi, je n'y tiens pas non plus.

Kyle dessella Sheng et posa les bagages dans une alcôve naturelle près de l'entrée. Verity avait pensé à emporter deux couvertures, un peu de nourriture et même une petite casserole.

Il entreprit ensuite de brosser l'âne, tandis que Verity revenait une première fois avec du foin, une deuxième avec du bois. Kyle jeta un coup d'œil au ciel qui s'obscurcissait.

— C'était le dernier voyage. Si nous manquons de bois, tant pis.

— D'accord, répondit-elle en posant son chargement sur le sol.

Il souleva la grille rudimentaire qu'il avait dénichée en explorant la grotte.

— Nous ne sommes pas les seuls à craindre les tigres, annonça-t-il. Regardez, des taquets ont été posés pour qu'on y fixe la porte.

— La déesse prend soin des siens.

Une fois la barrière en place, Kyle se débarrassa de sa perruque et de ses bandages. Il lui était pénible de se déguiser en vieillard, mais quel merveilleux soulagement quand il redevenait lui-même ! Cela lui donnait une vague idée de ce que pouvait ressentir Verity, qui avait passé quinze années emprisonnée sous un déguisement imposé. Pas étonnant qu'elle mourût d'envie de connaître la vie d'une femme !

Ils s'installèrent sur leurs couvertures pour partager un frugal repas puis, heureux comme il ne l'avait pas été depuis longtemps, Kyle dit :

— Dans bien des années, lorsque je serai un vieil homme chenu et ennuyeux, je repenserai à cette nuit et à la chance que j'ai eue.

— La chance ?

Il eut un geste circulaire.

— Je dîne dans un lieu fascinant, mystérieux, aux antipodes de mon pays, en compagnie d'une jeune personne ravissante, remarquable. Petit garçon, je rêvais d'aventures de ce genre.

Elle baissa les yeux, mal à l'aise. À Macao, elle avait entendu des Européens adresser des compliments à leurs compagnes. C'était charmant, mais cela ne voulait rien dire.

— C'est pour cela que vous avez voulu voyager, pour l'aventure ?

Le regard de Kyle se fit lointain.

— En partie seulement. Déjà tout petit, j'étais fasciné par le globe terrestre, par tous ces endroits inexplorés. Sur les très vieilles cartes, il y avait parfois marqué « Ici, dragons ». Cependant, malgré mon envie de voir des dragons, je pense qu'il y avait une raison plus profonde à mon désir de parcourir le monde. Je voulais découvrir qui j'étais en réalité.

Verity sourit.

— N'êtes-vous pas Kyle Renbourne, vicomte Maxwell et héritier du comte de Wrexham ?

— Cela, c'est l'évidence, dit-il en leur resservant du thé. Mais on attendait tellement de moi que je ne savais jamais ce que je désirais réellement. Pendant des années, j'ai envié mon frère. Il était plus jeune, donc plus libre que moi... Pourtant, il aurait sans hésiter troqué sa liberté contre mes responsabilités.

— L'un et l'autre semblez être comme deux ânes en train de tirer sur la longe pour atteindre l'herbe qui est hors de portée.

— C'est exactement cela, acquiesça-t-il en riant. J'ai fini par me rendre compte, avec l'aide de Constancia, que j'avais forgé moi-même la plupart de mes chaînes. Après sa mort, je m'en suis débarrassé et je suis parti sur la route qui m'a mené ici.

— Avez-vous découvert en chemin ce que vous désirez réellement ?

— C'est là l'ironie du sort... Je me sentais autrefois piégé par les exigences d'un lourd domaine, par l'idée que je devrais un jour siéger à la Chambre des lords et prendre des décisions concernant l'avenir de la nation. Et à présent, j'ai plutôt envie de ces charges. Il y aura toujours de nouveaux défis à relever, et je crois que je saurai être utile à mes gens comme à mes compatriotes.

Il eut un petit rire d'autodérision.

— Vous devez me trouver bien pompeux, non ?

Verity contemplait son visage énergique en se disant que jamais il ne serait pompeux, et moins encore ennuyeux.

— Mon père disait que la devise de Mary, reine des Écossais, était : « Dans mon aboutissement, je trouve mon commencement. » C'est ce que vous avez accompli. Vous avez fait le tour du monde pour vous apercevoir que votre avenir se trouve au point de départ. Vous avez de la chance, en effet.

— D'une certaine manière.

Il s'était rembruni, et elle sut qu'il pensait à Constancia.

— Bien que vous ne puissiez avoir l'amour de votre vie, dit-elle doucement, vous aurez un foyer, une famille, un destin. Je vous envie.

L'expression de Kyle s'adoucit.

— Je vous aiderai à trouver une maison, en Angleterre.

Leurs regards se croisèrent par-dessus les flammes mourantes. Verity aurait aimé croire que ce qu'elle lisait dans celui de Kyle était de l'amour, mais elle n'était pas si naïve. Il l'aimait bien, il la désirait parce que l'homme était ainsi fait, mais son offre était celle d'un ami.

— Au moins, dit-elle, là-bas, je n'aurai pas besoin d'être un homme, ni un espion.

Elle se leva, s'étira, et ôta ses habits de dessus, ainsi que la ceinture que Kyle lui avait donnée. Elle dormirait avec la légère tunique et le pantalon qui lui servaient de sous-vêtements. Kyle était vêtu de la même façon et elle le regarda furtivement tandis qu'il se déshabillait.

Elle espérait qu'il lui proposerait d'étendre leurs couvertures ensemble, mais il n'en fit rien. Avec un soupir, elle alluma une des torches et monta au sanctuaire où elle s'agenouilla devant Kuan Yin.

Il y avait juste assez de lumière pour éclairer le sourire compatissant de la déesse tandis que Verity formulait une prière intérieure.

Je sais que cet homme n'est pas pour moi. Son cœur est pris, il est aussi loin de moi que le soleil des nuages, et son sens de l'honneur lui interdit de s'abandonner quand le désir n'est pas attisé par l'amour. Mais vous êtes la déesse de la vérité, du pouvoir féminin. S'il existe un moyen pour que nous soyons ensemble, ne serait-ce qu'une heure, faites que cela arrive. Je jure qu'ensuite je ne demanderai plus rien, ni à vous ni à lui.

Elle ferma les yeux, immobile, et une bouffée d'énergie monta en elle, un éclair de chaleur qui se transforma bien vite en joie pétillante alors qu'elle comprenait ce qu'elle devait faire.

En homme d'honneur, il ne voulait pas blesser une jeune femme innocente, donc, il fallait le convaincre qu'il n'y aurait pas de blessure. Or, à en croire Ling-Ling, un homme se laissait aisément convaincre lorsque son désir était éveillé.

Mais comment l'éveiller, justement ?

Verity retourna dans la grotte et, agenouillée sur sa couverture, tournant le dos à Kyle, elle défit sous sa tunique la bande qui lui comprimait la poitrine. Ensuite, elle se massa les seins afin de rétablir la circulation. Et il regardait, elle le sentait, il rêvait de ce qu'il ne voyait pas...

Elle lui fit face, la tunique soulignant sa silhouette soudain féminine et, comme il gardait les yeux rivés sur elle, elle dénoua sa tresse et secoua la tête en passant la main dans la lourde masse soyeuse.

— Parfois, je suis lasse d'avoir les cheveux tirés, soupira-t-elle.

L'expression de Kyle n'était plus du tout celle d'un bon camarade. Il déglutit avec peine et déploya sa couverture.

— Je vous comprends. La perruque est aussi très inconfortable.

L'énergie palpitait en elle comme un battement de cœur – l'énergie *yin*, femelle, forte, sûre d'attirer le mâle *yang*. Elle avança vers lui.

— J'ai été heureuse de dormir avec vous, la nuit dernière.

Il serra les poings.

— Moi aussi, mais il serait plus raisonnable de nous en abstenir ce soir.

— Plus raisonnable pour qui ?

Elle se mit à genoux près de lui et, quand il leva les yeux, elle l'embrassa sur la bouche avant qu'il pût protester.

Il la saisit à la taille et l'attira fermement à lui. Leur baiser s'approfondit, pourtant elle sentait qu'il n'était pas emporté par le désir au point d'oublier son satané code de l'honneur.

Sa crainte était fondée, car il finit par la lâcher et s'assit sur ses talons.

— Vous êtes une dangereuse tentatrice, dit-il dans un sourire, mais rien n'a changé depuis hier soir, ma chère enfant.

Elle pencha la tête, laissant sa somptueuse chevelure glisser sur une épaule.

— Moi, j'ai changé, parce que je comprends mieux. Vous êtes trop sérieux, Kyle. Sous prétexte que vous avez profondément aimé et que vous avez été bouleversé par la perte de cet amour, vous avez peur de me faire mal. Je rends hommage à votre sens de l'honneur, mais seriez-vous terriblement vexé si je vous disais que je ne tomberai pas amoureuse de vous ?

Il paraissait plus intrigué que vexé.

— Comment pouvez-vous en être sûre ? Y aurait-il là une sorte de sagesse chinoise qui m'échappe ?

Elle lui caressa la joue d'un doigt léger.

— Je me connais, mentit-elle. Si je devais vous aimer, ce serait déjà fait. Mais j'ai de l'affection pour vous, j'ai confiance en vous, et je vous trouve très attirant. Le voyage en Angleterre m'effraie, or je pense que je serais plus sûre de moi si j'avais un peu d'expérience. Vous me rendriez un grand service en acceptant de faire l'amour avec moi.

— Vous essayez de m'embobiner, dit-il en lui attrapant la main afin qu'elle cesse ses caresses. Mais beaucoup d'hommes accordent de l'importance à la virginité. C'est un cadeau que vous devrez faire à votre bien-aimé, pas à un simple ami.

Elle sourit. Elle sentait la force de son désir, cette fois. Son corps la voulait, même si son esprit résistait encore.

— Un « simple » ami ? En renonçant à moi, vous donnez la preuve de votre honnêteté. Des prétendants risqueraient de me séduire par des mensonges, et, à cause de mon inexpérience, je serais capable de succomber. Il serait beaucoup plus sage pour moi de goûter pour la première fois à la passion avec quelqu'un qui ne souhaite que mon bien.

Il prit son visage entre ses mains. Les yeux bleus étaient voilés.

— Je n'aimerais rien tant que vous faire l'amour, mais je ne veux pas que vous le regrettiez ensuite.

— Je ne le regretterai pas ! affirma-t-elle en toute sincérité. En revanche, si vous continuez à respecter votre code de l'honneur, je vous assure que je le déplorerai jusqu'à mon dernier souffle.

Il se crispa légèrement.

— Vous avez gagné, ma chère petite. Vous m'avez complètement embrouillé le cerveau.

Il la fit lever et la serra contre lui, bouche contre bouche, corps contre corps. Et cette fois, il était aussi envoûté qu'elle.

Elle retint son souffle quand il glissa les mains sous sa tunique pour caresser ses seins. Dieu, jamais elle n'aurait imaginé qu'un simple contact pût être aussi bouleversant !

Comme elle gémissait doucement, il la débarrassa de sa tunique, de son pantalon, et se mit lui-même torse nu.

— Je me demandais quelle silhouette se cachait derrière les vêtements de Jin Kang. Vous êtes encore plus belle que je ne l'avais imaginé !

Cette fois, elle le crut, car il y avait de la passion dans les lèvres qui se refermèrent sur la pointe de son sein.

Puis il se détacha d'elle, et elle le vit étendre leurs couvertures sur le sol de pierre. Ils s'y allongèrent.

— Verity, lui murmura-t-il à l'oreille. Mei-Lian. Bien que vous ayez vécu comme un homme, vous êtes une vraie femme, souple, forte, plus belle que les mots ne sauraient l'exprimer.

— Que... que dois-je faire? balbutia-t-elle en lui caressant timidement le torse.

— Détendez-vous et dites-moi ce qui vous fait plaisir. Une autre fois...

Il eut un rire tendre.

— Ma foi, il y a d'autres leçons à apprendre.

Ses lèvres trouvèrent les points sensibles, au creux de sa gorge, le long de son cou, puis il reprit sa bouche. Étourdie de passion, elle n'était plus qu'un corps en éveil, et ses gémissements de plaisir montraient que chaque caresse était plus merveilleuse encore que la précédente.

La main chaude se posa sur son ventre, se glissa entre ses jambes, et le désir lui arracha un petit cri étranglé.

Il s'immobilisa aussitôt.

— Je vous choque?

— Non! Non, je vous en prie, n'arrêtez pas!

Il reprit très doucement la caresse intime, sûr de lui, sûr d'elle aussi. Elle brûlait, elle se consumait...

Elle gémit, s'accrocha à lui tandis qu'explosait en elle un plaisir dont elle n'aurait jamais pu rêver.

L'extase reflua lentement, la laissant pantelante contre l'épaule de Kyle.

— C'était... un bon début, dit-elle d'une voix mal assurée.

Il portait encore son caleçon, et elle y risqua la main, mais il la retint.

— Dormons, maintenant. La journée a été longue.

Elle le fixa, stupéfaite. Il transpirait légèrement, pourtant son expression était calme. Il avait décidé depuis le début de ne pas dépasser certaines limites.

— Et vous? demanda-t-elle.

D'un mouvement du poignet elle libéra sa main et la posa sur la fascinante source d'énergie mâle.

— Vous voudriez me priver de la joie de vous donner du plaisir à mon tour ?

Il était parfaitement immobile, hormis son sexe qui palpitait sous ses doigts.

— Vous avez appris un peu de ce que vous vouliez savoir, cependant, rien d'irréparable n'a été commis.

Elle était partagée entre l'envie de rire et celle de pleurer.

— Pour l'amour du Ciel, Kyle ! s'écria-t-elle, sévère. Cessez de vous montrer toujours aussi radicalement noble !

20

Le visage de Kyle s'éclaira soudain et il éclata d'un grand rire joyeux.

— Vous avez raison, je me prends beaucoup trop au sérieux. Je ne suis pas irrésistible au point que toutes les femmes tombent amoureuses de moi !

— Alors, soyons ensemble comme deux amis, sans trop de gravité entre nous.

Grisée de soulagement, elle continua à le caresser, et cette fois, il ne la repoussa pas. Au contraire, il arracha son caleçon et vint se glisser entre ses jambes.

— Ma très belle Verity, dit-il avant de l'embrasser passionnément. C'est vous qui êtes irrésistible.

À sa grande surprise, elle sentit le désir monter à nouveau en elle.

— Dans ce cas, ne résistez pas, le supplia-t-elle.

Il la pénétra d'une robuste poussée. On avait dit à Verity que c'était douloureux, mais ce ne fut qu'un bref coup de couteau, bien vite noyé sous le plaisir de le sentir se mouvoir en elle au rythme des battements de son cœur.

C'était ça, la signification du *yin* et du *yang*, du mâle et de la femelle, séparés et pourtant entiers seulement quand ils étaient unis. Partenaires, égaux, se consumant l'un dans l'autre...

Elle le mordit à l'épaule tandis que l'extase l'emportait de nouveau inexorablement. Pourtant, elle sentit qu'il n'avait pas joui en même temps qu'elle.

Comme ses spasmes s'apaisaient, il se retira d'elle, la serra très fort et se laissa aller contre son ventre.

— Mei-Lian, seigneur, Mei-Lian...

Avec tristesse, elle se rendit compte qu'il n'avait pas voulu risquer de faire un enfant à une femme qui ne lui était pas destinée. Une nouvelle preuve de son honnêteté, mais elle se sentait frustrée de ne pas avoir connu cette ultime intimité.

Toutefois, elle n'avait pas à se plaindre, car elle en avait déjà obtenu plus qu'elle n'osait espérer. La déesse avait été clémente, et Verity baisa l'épaule de Kyle à l'endroit où ses dents avaient laissé une marque.

— Merci, monseigneur.

Il sourit.

— C'est à moi de vous remercier pour l'incroyable cadeau que vous venez de m'offrir.

— Pourquoi m'avez-vous appelée Mei-Lian ?

— Sans doute... parce que c'est votre nom le plus secret. Un nom qui convient à la plus grande intimité qu'un homme et une femme puissent partager.

— Comme Kyle pour vous ?

— Exactement. Mon frère et ma sœur sont les seuls au monde à m'appeler ainsi. Avec vous, bien sûr.

— Pas votre père ?

— Ma mère m'appelait Kyle, car c'est un prénom écossais courant dans sa famille. Mais je suis le vicomte Maxwell depuis le jour de ma naissance, aussi mon père a-t-il toujours utilisé mon titre.

Il la caressait avec une telle tendresse qu'elle avait envie de pleurer. Bien que son cœur fût pris ailleurs, c'était le plus attentionné, le plus doux des amants. Constancia avait été bénie de connaître toute l'intensité de son amour.

La respiration de Kyle se fit plus régulière, et Verity se demanda combien de nuits ils passeraient dans les bras l'un de l'autre. Une quinzaine, peut-être, le temps du voyage jusqu'à Hoshan, puis du retour à Macao ? Pas assez, en tout cas. Jamais assez. Ou bien continueraient-ils pendant la traversée vers l'Angleterre ? Cela prendrait au moins quatre ou cinq mois, davantage si les vents n'étaient pas favorables.

Non. Elle ne devait pas se bercer d'illusions. Leur relation cesserait dès qu'il serait de nouveau parmi ses concitoyens. Verity ne disposait que de cette nuit et d'une poignée d'autres, il fallait qu'elle en profite au mieux.

Il s'endormit tranquillement, savourant le plaisir de tenir Verity dans ses bras. Il n'avait pas éprouvé une telle plénitude depuis l'époque où Constancia n'était pas encore malade. L'amitié n'était pas l'amour, mais c'était de toute évidence une meilleure base pour l'intimité que le simple désir ou l'entente financière, même élégamment déguisée.

Au réveil, il la chercha paresseusement à ses côtés et s'aperçut qu'elle n'était plus là. C'était l'aube, on voyait mal, mais la porte était toujours en place, donc Verity n'était pas partie.

Il bâilla, enfila ses sous-vêtements et grimpa vers le sanctuaire où il la trouva en train de danser devant la déesse. Nu-pieds, vêtue aussi légèrement que lui, elle glissait sur le sol de pierre avec une grâce bouleversante, légère et souple comme un saule dans le vent. Sa chevelure suivait chacun de ses mouvements, et la vision qu'elle offrait était d'une beauté magique, presque surnaturelle.

Une pirouette la mena face à lui, radieuse, et il eut un pincement au cœur en songeant que cette exaltation pourrait être pour un autre, un homme qui l'aimerait comme elle le méritait.

Cependant, c'était une femme adulte, par bien des aspects plus sage que lui, et la veille, elle lui avait clairement fait comprendre qu'elle savait ce qu'elle faisait. Après l'étrange vie qu'elle avait menée à Canton, elle avait besoin de se sentir totalement femme pour affronter son nouvel univers. Kyle avait eu la chance d'être l'élu qui lui enseignerait l'une des grandes leçons de la vie.

Elle s'inclina en un profond salut.

— Bonjour, monseigneur.

— Je ne suis pas votre seigneur, mais votre ami, dit-il en la relevant. Quelle danse était-ce ? Je n'ai jamais rien vu de semblable.

— Ce n'était pas de la danse, mais du *tai chi*. Depuis l'enfance, je m'entraîne presque tous les matins au *tai chi* et au *wing chun*. Parfois Chenqua se joignait à moi pour un exercice ou deux.

— Grand Dieu ! Quelle énergie, avant le petit déjeuner !

Pas étonnant qu'elle soit dans une superbe condition physique.

— On se sent vraiment mieux, après ? reprit-il.

— Oui. Quand je ne me suis pas exercée pendant plusieurs jours, je suis de mauvaise humeur.

— Je pense que j'en aurais bien besoin ! Pourriez-vous m'apprendre ?

— Vous le voudriez vraiment ?

— Tout de suite, si vous êtes d'accord.

— Alors nous allons commencer par les mouvements les plus simples. Voici celui que l'on appelle le « recul du singe ».

Elle glissa en arrière, un bras tendu devant elle, paume vers l'extérieur.

— Un singe confronté à un tigre, expliqua-t-elle, se sauve en appuyant une patte sur le museau du tigre tandis qu'il recule. Il alterne les pattes, tenant ainsi son ennemi à distance.

Kyle essaya maladroitement de l'imiter, mais c'était bien plus difficile que cela n'en avait l'air.

— Cela aurait-il pu marcher hier, avec notre tigre ?

— Sans doute pas, même si j'avais eu la présence d'esprit d'essayer. Il m'aurait vraisemblablement dévoré la main ! déclara-t-elle joyeusement. Mais ne vous donnez pas tant de mal, monseigneur. Vous devez être détendu, laisser le *chi* vous envahir comme un fleuve de lumière.

Un fleuve de lumière. Cette image l'aida à se relaxer, et les mouvements vinrent plus aisément, même s'il était bien loin de rivaliser avec la grâce de Verity.

Quand elle lui eut enseigné une douzaine de mouvements, elle se lança dans un enchaînement, et il la suivit sur le sol du sanctuaire sous le regard bienveillant de la déesse.

— Bravo ! applaudit Verity en riant. Recommençons. Vous ne devez plus penser à ce que vous faites, mais laisser le *chi* couler librement.

— Le but est de ne plus être le danseur mais la danse elle-même ?

— Exactement !

Elle accélérait le rythme, et il l'imitait. Peu à peu, il cessa de penser pour se contenter de suivre les gestes de Verity. Elle était si charmante, si unique, à la fois belle, intelligente, forte...

Combien de fois dans une vie était-on heureux et conscient de l'être ? C'était le cas de Kyle, à cet instant.

Le mouvement arriva à la « pie qui se pose sur une branche », et Kyle s'embrouilla, partit à gauche quand il aurait dû aller à droite, heurta Verity.

— Désolé !

Elle pouffa de rire en se dégageant, libre et insouciante comme la jeune fille qu'elle n'avait jamais eu le droit d'être.

— Tout le monde peut se tromper. Vous êtes plutôt bon, pour un Britannique rigide.

— Il y a des mouvements semblables dans notre boxe européenne. À quoi ressemblent les exercices à deux ?

— Le plus simple est celui des « mains collées ». Nous posons nos mains les unes contre les autres, et nous nous observons. Lorsque l'un frappe, l'autre pare le coup.

— Je n'ai pas l'intention de frapper, pourtant l'expérience m'intéresse.

Les doigts de Verity étaient fins mais longs, énergiques. Elle rayonnait tout entière de force et d'harmonie.

— Seigneur, je sens un peu de votre *chi* se communiquer à moi. Est-ce possible ?

— Oui. Il faut sentir l'énergie de l'adversaire pour deviner avant lui ce qu'il va faire. Essayez de vous détacher de mes mains, et j'essaierai de vous en empêcher.

Il l'avait vue combattre, et il savait qu'elle ne se vantait pas. Quoi qu'il fasse, elle restait collée à lui.

— On dirait une sorte de valse, remarqua-t-il.

Il se mit à bouger et tous deux évoluèrent dans la vaste grotte, tel un couple de danseurs. Qu'il pousse en avant, glisse sur le côté ou recule, elle restait avec lui, le sourire taquin, les pieds aussi vifs que ceux d'un danseur écossais. Kyle bougeait de plus en plus vite, jusqu'à ce que tous deux soient hors d'haleine, pourtant ils restaient aussi unis qu'un homme et son ombre.

Le cœur battant, il se remémorait la danse intime qu'ils avaient exécutée la nuit précédente, et le désir monta en lui, irrépressible. Mais comment se libérer des mains de Verity ?

Il ne devait pas lui laisser deviner ses prochains gestes. Aussi se concentra-t-il sur sa bouche, son corps souple, la générosité avec laquelle elle s'était donnée à lui.

Renonçant à toute pensée consciente en faveur de l'instinct, il laissa brutalement tomber les bras et la saisit à la taille avant de la soulever dans ses bras.

— J'ai gagné ! Maintenant, occupons-nous d'un autre genre d'exercice à deux.

Elle avait noué les bras autour de son cou, les jambes à sa taille.

— On dit qu'il est dangereux de passer rapidement de la pratique du *chi* à celle de l'amour, monseigneur. Le feu risque de prendre le dessus et de causer des dommages aux organes internes.

— Vraiment ? s'étonna-t-il, distrait par la sensualité de la jeune femme.

— Je n'en sais rien, avoua-t-elle, mais je ne suis pas sûre de souhaiter prendre le risque.

Il embrassa son cou, là où battait une petite veine.

— Le danger sera sûrement écarté le temps que nous regagnions notre grotte.

Elle eut un petit rire ravi.

— Vous avez sans doute raison, monseigneur.

Tandis qu'il la portait jusqu'à leurs couvertures, elle lui mordillait l'oreille et ils tombèrent à terre en pouffant comme des enfants avant de se déshabiller.

La peau de Verity était de satin, et Kyle ne se lassait pas de la goûter tout en se rappelant dans ses caresses ce qu'elle préférait.

Elle n'était que symphonie de membres minces, de gestes fluides.

— Vous êtes un festin digne d'un roi, murmura-t-il.

— Je ne voudrais pas d'un roi, sauf s'il faisait l'amour comme vous.

— Mei-Lian...

Il entra doucement en elle afin de ne pas réveiller une douleur éventuelle, mais ce n'était pas ce qu'elle souhaitait. Merveilleusement échauffée par l'exercice, elle était comme une tigresse qui exige la même vigueur de son mâle. Ils roulaient sur le sol de pierre sans se soucier du froid.

Il se mit sur le dos, la prit sur lui et la laissa mener la danse. Elle s'illumina, visiblement ravie de cette nouvelle expérience. Tout à sa joie d'être aux commandes, elle expérimenta mille sensations inédites, jusqu'à ce que le plaisir s'empare d'elle tout entière, corps et âme.

Quand elle fut un peu apaisée, il la fit rouler sous lui et s'accorda une douzaine de merveilleux mouvements avant de se retirer juste à temps, à demi tétanisé de plaisir et d'épuisement.

— Vous apprenez plus vite l'art de l'amour que moi celui du *tai chi*, grogna-t-il.

Elle eut un rire cristallin.

— Alors, c'est que vous êtes un meilleur professeur que moi.

— Ou vous une meilleure élève.

Elle glissa un genou entre ses jambes et soupira de bien-être.

— Quel plaisir d'être si bien assortis !

Bien assortis était peu dire ! Kyle n'avait pas expérimenté un tel assouvissement physique depuis des années. Peut-être depuis toujours... Mais il refusait d'évoquer le passé pour l'instant.

Ils restèrent enlacés jusqu'à ce que la pluie se mette à tomber. Quelques gouttes s'écrasaient sur la pierre. Rêveuse, Verity murmura :

— Les poètes appellent les rapports sexuels « nuages et pluie », car c'est le symbole de l'union entre le paradis et la terre. Les nuages montent de la terre pour rencontrer la pluie qui descend du ciel.

— Vous voulez dire que certaines des ravissantes gravures bucoliques que j'ai sont en fait des symboles d'union sexuelle ?

— C'est le sujet favori de nos artistes.

— Je les comprends !

Kyle s'étira.

— Mais maintenant, reprit-il, il est temps de nous mettre en route, bien que je ne sois pas certain d'avoir la force de me lever, et moins encore de marcher toute la journée !

— Il y a une pratique chinoise qui pourrait vous intéresser, dit-elle en s'asseyant en tailleur pour brosser ses cheveux. Quand les Chinois s'unissent à leurs femmes ou à leurs concubines, en général, ils ne lâchent pas leur *ching* – leur semence. Cela conserve leur *yang*, l'essence mâle, ainsi ils peuvent s'accoupler encore et encore sans s'épuiser, tirant leur force de l'essence *yin* de la femme.

— Vraiment ?

Il lui prit la brosse des mains afin de lisser sa longue chevelure, et elle se laissa faire, confiante, la tête en arrière. Kyle prit tout son temps, car ce genre d'intimité lui avait manqué presque autant que l'acte d'amour.

— Je ne sais pas comment cela fonctionne, avoua Verity, mais il paraît que lorsque l'homme maîtrise cette technique, il en tire beaucoup de plaisir et une endurance remarquable.

Kyle essayait d'imaginer comment c'était possible.

— Vous avez appris ça de votre amie Ling-Ling ?

— C'était une excellente source d'information, mais il y avait aussi beaucoup de livres dans la bibliothèque de Chenqua.

— J'ai vu un ouvrage de ce genre à Canton.

On se l'était passé demain en main avec des ricanements ou des reniflements désapprobateurs, un soir, après dîner, en même temps que le porto.

— Je ne comprenais pas le texte, évidemment, reprit-il, mais en Europe, on aurait considéré les gravures comme de la pornographie.

Elle fronçait les sourcils.

— Les hommes *Fan-qui* sont comme des gamins émoustillés dès que l'on parle de relations sexuelles. Le taoïsme nous enseigne qu'une sexualité épanouie est indispensable à l'harmonie de la vie, aussi existe-t-il de nombreux manuels qui enseignent l'art érotique.

Sans doute était-ce la raison pour laquelle Verity possédait une ouverture d'esprit qui aurait été impensable pour une vierge européenne.

— Vous ne m'aviez pas parlé de cet aspect du taoïsme. Dites-m'en davantage.

— Les femmes ont une essence *yin* inépuisable, aussi les hommes doivent-ils prolonger leur union afin d'en absorber le plus possible, expliqua-t-elle. Il est important de choisir quelqu'un d'heureux tempérament, car les amants absorbent mutuellement leur énergie, et ils ne veulent pas qu'elle soit impure.

Verity eut un sourire espiègle.

— Il est capital pour un homme de satisfaire sa partenaire, car ainsi il tirera d'elle le meilleur *yin*.

Kyle avait entrepris de tresser la longue chevelure.

— Je comprends pourquoi les femmes chinoises approuvent cette philosophie. Mais que se passe-t-il dans les maisonnées où l'homme a plusieurs épouses et concubines ?

— Pour être vraiment le maître chez lui, l'homme doit toutes les honorer. C'est pourquoi il retient son *ching*, afin de pouvoir remplir ses obligations. Dix fois par nuit est considéré comme un chiffre souhaitable.

Kyle était stupéfait.

— Combien d'hommes arrivent à maintenir régulièrement ce rythme ?

— Pas beaucoup, je suppose, mais c'est l'idéal traditionnel. Les livres disent qu'en retenant sa semence, l'homme arrive à une jouissance extrême appelée le Plateau des Délices. On ne doit lâcher le *ching* que lorsque l'on veut un enfant. C'est alors le Pic du *ching*.

Enchanté par son érudition, il s'écria :

— Fascinant ! Il faudra que j'essaie.

Si Verity avait raison, il serait capable de trouver le plaisir sans se retirer. Les pratiques européennes commençaient à lui paraître bien rudimentaires, par comparaison.

Elle regarda par-dessus son épaule et le gratifia d'un délicieux sourire.

— À mon avis, pour y parvenir, il faut beaucoup s'exercer.

Il lui sourit en retour. Quelle merveilleuse perspective !

21

Angleterre
Décembre 1832

La malle de Verity arriva à Warfield Park juste avant le bal de Noël donné rituellement par ses hôtes. Elle avait craint que ses affaires ne fussent égarées, mais apparemment elles avaient seulement voyagé sur un navire plus lent que le sien.

Quand on la lui eut apportée dans sa chambre, elle s'agenouilla pour la déverrouiller. Elle contenait tous les souvenirs de Chine qu'elle avait apportés un à un dans le logement d'Elliott. Mélancolique, elle en sortit la robe rouge que Kyle lui avait offerte et se rappela le plaisir que ce présent lui avait procuré. Elle n'avait jamais eu l'occasion de la porter pour lui !

Elle retrouva la douzaine de livres de son père qu'elle avait pu sauvegarder après sa mort, et elle fut heureuse de les ranger sur l'étagère où elle alignait d'habitude les volumes empruntés à la bibliothèque de Warfield Park.

On frappa, et la porte s'ouvrit sur Meriel et sa camériste.

— Il est temps de vous préparer pour le bal ! annonça la comtesse. La couturière a travaillé toute la nuit afin de terminer votre robe.

Verity se résigna à être pomponnée, maquillée, coiffée. Elle aurait largement préféré rester à lire dans sa chambre, mais il semblait que ce bal fût l'occasion pour les Renbourne de déclarer officiellement qu'ils l'acceptaient comme membre de leur famille.

Meriel se lova dans une bergère tandis que la femme de chambre réalisait sur Verity une coiffure dite, justement, « à la chinoise ». La chevelure était ramenée en chignon natté, avec de petites boucles au front et aux tempes. Ce n'était en réalité pas très oriental, mais avec les fleurs de la serre de Meriel, l'effet était ravissant.

Vinrent ensuite les sous-vêtements, et Verity supporta sans broncher le supplice du corset. Les Européens reprochaient aux Chinois de bander les pieds des petites filles, mais une société qui avait inventé le corset n'avait rien à leur envier.

Enfin, on lui enfila la robe de bal qui avait suscité tant de discussions.

Mme Marks, l'une des tantes de Meriel – qui était en réalité une sorte de cousine éloignée –, avait expliqué à Verity les règles du deuil. La mort d'un époux impliquait une année de vêtements sombres et modestes. Contrairement à la Chine, où la couleur du deuil était le blanc, ici, le noir devait être porté durant six mois, et la veuve évitait toute activité sociale. Ensuite venait le « demi-deuil » qui autorisait le gris foncé, le bleu lavande et quelques touches de blanc.

Meriel avait refusé de choisir du noir pour Verity, puisque les coutumes chinoises étaient différentes, mais elle était de l'avis de Mme Marks : pour sa première apparition en public, Verity devait adopter le demi-deuil. La couturière avait donc proposé une soie lavande qui mettait remarquablement en valeur le teint de la jeune femme.

Verity ne s'était pas occupée de la forme de la robe, mais quand elle se vit, elle fut horrifiée.

— Je ne peux pas porter cela en public ! C'est... indécent.

Meriel fronça les sourcils.

— Indécent ?

Verity s'était plus ou moins accoutumée aux formes près du corps de la mode européenne, même si elle préférait les vêtements larges des Asiatiques. Elle avait été néanmoins heureuse de s'apercevoir que ses seins, qui paraissaient énormes en Chine, étaient ici parfaitement proportionnés.

Mais elle ne s'était pas préparée à porter une robe du soir, et elle regardait, affolée, le vaste décolleté qui découvrait la naissance de sa gorge mise en valeur par le corset.

— C'est affreusement moulant, et il n'y a rien en haut.

— Comme vous êtes encore en deuil, le décolleté est plus que raisonnable, pour une robe de bal. La mode chinoise est-elle tellement différente ?

— La peau d'une femme ne doit être vue que par son époux. Même le cou est couvert, c'est pourquoi les cols sont montants.

— Pourrez-vous tout de même porter cette robe ? demanda doucement Meriel. Elle vous va si bien !

Verity prit une profonde inspiration – qui rendit le décolleté encore plus scandaleux – et tenta de se regarder objectivement. La tenue était en effet merveilleusement coupée et lui donnait l'air d'une Anglaise, les yeux mis à part.

Or elle avait tellement envie de paraître européenne !

— Je... je la porterai, si vous le souhaitez.

— Ce qui compte, c'est ce que *vous* souhaitez.

Verity se mordit la lèvre. Bien que tous les Renbourne l'encouragent à s'exprimer, elle restait instinctivement déférente. Mais elle était une dame, désormais, une vicomtesse, elle pouvait avoir ses propres opinions.

— Je veux bien porter cette robe, parce que Kyle aurait aimé me voir au mieux pour rencontrer ses amis et sa famille.

— Parfait !

Meriel ouvrit un écrin contenant un magnifique collier de cinq rangs de perles et d'améthystes.

— Le collier masquera un peu le décolleté, dit-elle.

— C'est ravissant ! s'extasia Verity. Il est permis de porter de si somptueux bijoux en période de deuil ?

Meriel haussa les épaules.

— Nous savons contourner les règles, parfois.

— Merci de me prêter ce joyau.

Meriel attacha le collier à son cou.

— C'est un cadeau de la part de Lord Wrexham, ainsi que les boucles d'oreilles assorties.

— Un cadeau du comte ? Pourquoi se montre-t-il si généreux, alors qu'il me connaît à peine et qu'il n'aurait jamais donné son consentement à notre mariage ?

Meriel soupira.

— Je pense que c'est sa manière à lui de faire son deuil. Comme il ne peut plus rien pour Kyle, il vous offre ce cadeau.

Verity aurait pu y penser toute seule! Elle ôta les boules d'or qu'elle portait aux oreilles et les remplaça par les pendants de perles et d'améthystes.

Elle avait adoré se faire percer les oreilles. Les boucles étaient le bijou féminin qu'elle préférait, mais naturellement Jin Kang ne pouvait en porter. Et tant pis si celles-ci lui faisaient un peu mal parce qu'elles étaient lourdes. Ce soir, elle était délicieusement femme.

— Il y a aussi un autre cadeau, ajouta Meriel en lui tendant un lourd bracelet d'or, un large anneau fait de lignes sinueuses.

Verity jeta un coup d'œil à la bague de Kyle que l'on avait recoupée pour qu'elle puisse la porter.

— C'est le même motif que ma... mon alliance.

— Il s'agit d'un motif celtique traditionnel. La bague et le bracelet viennent de la famille maternelle de Dominic et de Kyle.

— Alors, ce bracelet vous appartient...

— Les bijoux de famille n'appartiennent à personne, nous les avons seulement en garde. Kyle aurait été heureux que vous portiez ce bracelet.

Des larmes montèrent aux yeux de Verity.

— Vous êtes si bonne!

— Vous avez enrichi nos existences, Verity, dit Meriel avant de faire signe à sa camériste. Je dois m'habiller, à présent. Je passerai vous chercher lorsque le moment sera venu de faire notre entrée.

La comtesse revint rapidement, spectaculaire dans une robe jade qui rehaussait le vert pâle de ses yeux. Dominic l'accompagnait.

— Vous êtes ravissante, Verity, commenta-t-il. Mon frère a toujours eu un goût excellent!

Il lui offrit son bras et ils descendirent tous trois le grand escalier. En tenue de soirée, il était magnifique, lui aussi, et douloureusement semblable à son jumeau.

Verity connaissait bien maintenant les différences entre les deux frères, pourtant elle ne pouvait s'empêcher d'imaginer ce qu'elle aurait éprouvé à entrer dans la salle de bal au bras de son époux. Il ne l'aurait pas contemplée avec tristesse, comme Dominic, mais avec un regard chargé de tendres promesses.

Elle se ressaisit et tenta de se concentrer sur les gens qu'on lui présentait. Un brouillard de noms et de visages. Un vicaire et son épouse, un général, un baronnet et sa femme, un homme hâlé pourtant une barbe noire et un turban. Les invités semblaient frappés par son aspect étranger, mais ils ne manifestaient aucune animosité.

Certains hommes la considéraient avec un intérêt non dissimulé, ce dont elle avait rêvé naguère mais qui aujourd'hui la mettait mal à l'aise, car elle ne pouvait s'imaginer avec un autre amant que Kyle.

Elle se détendit un peu lorsque l'orchestre attaqua le premier morceau. Les tantes de Meriel avaient décrété qu'il ne serait pas convenable qu'elle dansât, et elle avait accepté cette décision avec soulagement. Plus tard, elle aimerait certainement cela, mais pour l'instant, mieux valait se contenter de regarder et de faire connaissance avec les dames du voisinage.

Comme la soirée avançait, elle s'aperçut qu'il y avait toujours un membre de la famille Renbourne auprès d'elle afin de s'assurer discrètement qu'elle ne se retrouvait pas seule. Kyle avait dû être fort aimé de sa famille, pour que l'on témoignât tant de gentillesse à sa veuve.

Au bout d'une heure environ, Meriel vint la rejoindre, le teint animé par la danse.

— J'aimerais que vous rencontriez notre voisine, Jena Curry, dit-elle.

Après avoir fait les présentations, la comtesse s'envola vers de nouvelles danses. Verity fut stupéfaite de constater qu'elle s'était débarrassée de ses souliers de satin.

Jena Curry était une belle grande femme brune aux yeux sombres. Verity aimait beaucoup rencontrer des femmes plus grandes qu'elle, comme celle-ci ou la sœur de Kyle.

— Comment allez-vous, madame Curry?

— Appelez-moi Jena. Aimeriez-vous faire quelques pas à l'orangerie? Il y fera plus frais.

Verity accepta avec plaisir.

— J'aime cet endroit ! déclara Jena en caressant une fleur écarlate. Un de ces jours, nous construirons une orangerie à Holliwell Grange, bien que ce soit infiniment moins somptueux que Warfield. C'est à peine plus qu'une grande ferme.

— Il est assez étonnant d'avoir tant de beauté autour de soi tout au long de l'année. Moi aussi, j'apprécie beaucoup ce jardin d'hiver. Cela me rappelle un peu le sud de la Chine.

— Et moi, cela me rappelle l'Inde.

Dans un bruissement de soie, Jena s'assit sur un banc, et Verity s'installa près d'elle.

— Vous êtes allée en Inde ?

— J'y suis née. Mon père était officier dans l'armée des Indes.

Verity se rappela un homme grand au regard acéré qui ressemblait à Jena.

— Le général Ames est votre père ?

— Oui. J'ai vécu en Inde les vingt-cinq premières années de ma vie. Ma mère est une princesse hindoue.

— C'est pour cela que Meriel voulait que nous fassions connaissance... Mais votre métissage est moins voyant que le mien.

Jena sourit.

— Vêtue d'un sari, au côté de mon mari qui est un pur Indien, je n'ai plus rien d'une Anglaise. Mais vous avez raison, quand je suis habillée à l'européenne, mon héritage asiatique est moins évident que le vôtre.

— Comment cela se passe-t-il pour une Asiatique qui vit parmi les Britanniques ?

— La position de mon père me protège, et la seule fois où j'ai vraiment souffert, c'est quand je me suis mariée avec un homme qui a été horrifié en apprenant que j'étais une sang-mêlé. C'était... très déplaisant. J'avais demandé une séparation légale quand il est mort.

Les choses étaient sûrement plus compliquées, devina Verity, mais Jena n'avait sûrement pas envie d'en parler.

— Votre second époux est le gentleman au turban ?

— Oui. Curry est la version anglicisée de son nom.

Jena eut un petit rire.

— Comme il a choisi de passer le reste de sa vie en Angleterre, Kamal a adopté certaines coutumes locales, ainsi que le vêtement, mais sa barbe et son turban me rappellent que je ne suis pas complètement anglaise. Et que je n'ai pas envie de l'être.

— N'avez-vous jamais pensé qu'il serait plus facile d'appartenir à un seul univers ?

— Plus facile peut-être, mais alors je ne serais plus moi. La facilité n'est pas un but en soi. Je suppose que votre vie à Canton a été souvent difficile, mais ne renoncez pas à votre part chinoise. En devenant seulement anglaise, vous perdriez votre richesse.

C'était vite dit, avec les traits de Jena et un père puissant ! Si son premier mariage avait été un échec, son deuxième époux était de toute évidence un homme intelligent, doué d'une autorité naturelle, et ils étaient bien acceptés par la bonne société malgré leurs origines. Visiblement, Jena n'avait jamais vécu hors la loi, déguisée en homme !

La jeune femme n'approfondit pas le sujet, même si elle observait Verity attentivement.

— Bien que nos compatriotes anglais soient assez conservateurs, il existe une certaine tolérance de base. Vous êtes entrée dans une famille qui vous protégera, comme mon père me protège. Lorsque votre deuil prendra fin, vous connaîtrez une vie aisée et agréable, en Angleterre.

— Je l'espère, dit tristement Verity, car il ne me reste plus rien en Chine.

22

Hoshan, Chine
Printemps 1832

Le sentier bifurqua abruptement, et Hoshan fut là. Kyle s'immobilisa, pétrifié par la beauté du temple qui s'offrait à sa vue. Sa gravure montrait bien de l'eau, mais il n'avait pas compris que le temple était construit sur une île, au beau milieu d'un lac. Avec le ciel qui se reflétait dans l'eau, on avait l'impression que Hoshan flottait au paradis.

De l'autre côté de l'âne, Verity murmura dans ce langage à peine audible qu'ils utilisaient :

— C'est beau, n'est-ce pas ? Les tuiles bleues, sur les toits, sont réservées aux édifices religieux.

Des tuiles bleues pour le paradis... Kyle dévorait des yeux le temple et les bâtiments annexes. Il avait peine à croire que dans deux heures il serait à Hoshan. Animé d'un étrange sentiment d'exaltation mêlé d'inquiétude, il se remit en route le long de l'étroit sentier qui serpentait sur la pente abrupte, à travers la forêt.

Il y avait d'autres pèlerins ici et là, et il s'obligea à garder la tête baissée, à traîner les pieds, alors qu'il se sentait comme un adolescent qui vient de découvrir les plaisirs de la chair. Il avait envie de chanter, de gambader, de dévaler la montagne au triple galop !

C'était grâce à Verity, naturellement, puisqu'il lui faisait découvrir à elle les plaisirs de la chair. Passionnée, fougueuse, elle était irrésistible. Après avoir effacé toute trace de leur passage dans la grotte sanctuaire, ils avaient repris la route et s'étaient retrouvés dans des lieux plus civilisés. Au crépuscule, ils s'étaient arrêtés dans une auberge semblable à celle de leur première nuit.

Le sang de Kyle avait bouillonné toute la journée, et à peine furent-ils dans leur chambre qu'il souleva la jeune femme dans ses bras et lui fit l'amour debout contre le mur.

Après avoir repris quelques forces grâce au bol de riz du soir, il expérimenta avec une Verity plus que consentante les pratiques taoïstes, et s'aperçut qu'il était en effet possible de retenir sa semence, prolongeant ainsi son plaisir.

Les nuits suivantes – et une fois, imprudemment, au bord d'un ruisseau – Verity participa à ses expériences souvent maladroites avec enthousiasme et humour. Kyle ignorait jusque-là qu'il était possible d'avoir avec une femme cette relation qu'il qualifiait, faute de mieux, d'amitié-passion.

Avec Verity, pas de larmes, pas d'exigences, pas de manipulations. Elle ne considérait pas qu'il lui appartenait, sous prétexte qu'ils faisaient l'amour. Tout en elle était honnête, généreux, naturel. Vu l'ardeur avec laquelle ils se donnaient l'un à l'autre, il était étonnant qu'ils fussent arrivés jusqu'à Hoshan. Et pourtant...

Ils étaient allés plus lentement que prévu, parce qu'ils ne voyaient pas de raison de se presser, et ils arrivaient enfin à proximité du temple qui avait hanté Kyle durant la moitié de sa vie.

Tandis qu'ils descendaient le long du chemin, il était presque déçu qu'ils aient déjà atteint leur destination. Jusqu'à présent, le voyage n'avait été que joyeuse anticipation, alors que le retour serait morose, chaque pas le rapprochant de la fin de ses pérégrinations – et de son intimité avec Verity.

Un petit éboulement de cailloux sur le chemin, un peu plus bas, leur indiqua qu'un pèlerin allait les croiser. En effet, une chaise à porteurs ne tarda pas à apparaître sur l'étroit sentier. Verity, Kyle et Sheng se collèrent contre la montagne tandis que la chaise aux rideaux tirés passait devant eux, portée par de maigres indigènes qui se hâtaient sans sembler se soucier de la pente.

Quand ils eurent disparu, Kyle murmura :

— Est-ce qu'ils vont aussi vite parce qu'ils n'ont pas peur, ou bien parce qu'ils espèrent dégringoler, se tuer, et renaître rapidement dans une situation plus agréable ?

Verity sourit.

— À mon avis, ce sont des porteurs professionnels, et ils ont dû parcourir ce chemin des centaines de fois.

— Eh bien, j'aime mieux que ce soit eux que moi ! dit Kyle avec un coup d'œil à l'à-pic sur sa gauche. Les gens qui ont construit Hoshan ne tenaient pas à ce que leur temple soit trop facilement accessible, on dirait.

— S'il l'était davantage, il serait moins exceptionnel.

D'autres pèlerins approchaient, et ils se turent. Le sentier s'arrêtait au lac, et là quelques marchands procuraient aux voyageurs ce dont ils avaient besoin. Après avoir laissé Sheng à l'écurie, Verity acheta des fleurs odorantes et un panier de fruits. Elle confia les fleurs à Kyle, puis elle lui prit le bras et le mena jusqu'au rivage où un bateau attendait de faire traverser les pèlerins.

Kyle était tendu à craquer tandis que la barque volait à la surface de l'eau, propulsée par les bras vigoureux d'un jeune homme vêtu de gris. Et s'il avait effectué toute cette route pour ne trouver rien d'autre que de la beauté ? Il avait visité bien des lieux saints, au cours de son voyage, en quête de quelque découverte qu'il n'aurait su identifier. Parfois il avait eu l'impression d'approcher cette vérité, mais jamais d'assez près.

Quand ils atteignirent l'île, Verity aida Kyle à quitter le bateau avec toute la déférence due à son grand âge et à sa mauvaise santé, puis elle le guida par le bras jusqu'aux marches qui montaient vers l'entrée du temple. Le cœur battant, il observait à travers la gaze les détails de l'édifice qui avait tant excité son imagination ; il était aussi enchanté par les bêtes mythiques qui ornaient ses faîtages que par ses proportions parfaitement harmonieuses.

Il était surtout bouleversé par la puissance qui se dégageait de cet endroit. C'était comme dans le sanctuaire de la déesse, multiplié par cent. Hoshan irradiait une énergie sacrée qui rendait à la fois humble et éclairé, Kyle le sentait dans chaque fibre de son être.

Des voix de moines s'élevaient, d'une étrange beauté, et Verity serra davantage son coude. Il était impossible de ne pas être profondément remué par Hoshan.

Ils passèrent enfin du soleil au mystère. L'immense sanctuaire avait un dôme bleu et or illuminé par des quantités de bougies, l'air était saturé du parfum du bois de santal.

Il y avait de petites chapelles tout autour du sanctuaire, mais ce fut l'immense bouddha doré, serein, qui fascina Kyle. Là se trouvaient l'âme du temple, la source de son énergie, la puissance naturelle de l'image accrue par vingt siècles de prières.

La plupart des moines étaient assis en position du lotus, tandis qu'ils psalmodiaient avec une intensité qui trouvait son écho dans l'esprit, mais quelques-uns étaient là pour aider les visiteurs. L'un d'eux s'approcha, et Verity le salua avant de lui dire quelques mots à voix basse et de lui offrir des pièces d'argent. Il les accepta avec un signe de tête et lui remit une douzaine de bâtonnets d'encens.

D'une main ferme, Verity guida Kyle vers l'autel où ils déposèrent leurs offrandes. Elle lui expliqua à voix basse que ce n'était pas la statue que l'on adorait, mais la connaissance spirituelle qu'elle représentait. Néanmoins, dans la lumière vacillante, le Bouddha semblait presque vivant, avec un regard si profond qu'il était facile de comprendre pourquoi certains fidèles pensaient que l'image elle-même était d'essence divine.

Ils reculèrent de quelques pas, et Verity tendit à Kyle trois bâtonnets. La veille, elle lui avait enseigné le rituel. D'abord, agenouillé, il devait prier, ou méditer. Ensuite il placerait les bâtonnets dans le pot prévu à cet effet, puis il se prosternerait avant de se relever.

Avec la lenteur convenant à un vieillard, il s'agenouilla sur le sol de marbre. Il avait enfin atteint le but ultime de sa quête, et il ferma les yeux afin de laisser l'esprit du lieu pénétrer en lui. Puissance. Bonté. Mystère.

Pourquoi un pécheur tel que lui avait-il tenu à effectuer ce pèlerinage ? Certes pas pour se moquer, mais dans une volonté de trouver la sagesse, la grâce.

Pourtant, il ne méritait ni l'une ni l'autre. Il se remémora son passé, parfois douloureux lorsqu'il se souvenait de son égoïsme, de ses mouvements de colère. Son frère et lui étaient restés fâchés une dizaine d'années et c'était presque entièrement à cause de lui et de son mauvais caractère. Il savait aussi ce qu'il représentait pour son père, cependant, il ne lui avait jamais donné l'affection dont le vieil homme avait secrètement besoin.

Et Constancia… Elle avait été son bouclier, sa planche de salut, néanmoins il n'avait été capable de lui dire ce qu'elle représentait pour lui qu'à l'heure de sa mort.

Le désespoir menaçait de le submerger. Il était né coiffé, et il s'était montré grandement indigne de cette bonne fortune. Il était creux, inutile, il avait échoué dans tout ce qui était vraiment important. Dieu, pourquoi était-il né ?

Les larmes trempaient le bandage de son visage quand des doigts timides se posèrent sur sa main gauche. Verity. Il s'accrocha à elle comme à une bouée dans la tempête. Verity.

Elle lui serra la main, et il sentit la force de son *chi* pénétrer en lui, pur, brillant. Cette première touche de lumière s'éleva comme le soleil à l'aube, devint une sphère de feu purifiant, consuma sa peine, ses doutes, sa mesquinerie, ses regrets. Il se sentit guéri, adouci, transformé.

Oui, il avait été imparfait, parfois stupide, parfois léger, mais jamais il n'avait été mauvais. Il ne s'était pas servi de son pouvoir pour se montrer cruel, et même au pire de la colère, il avait fait son devoir et s'était efforcé de se comporter honorablement. Maintenant, peut-être serait-il capable de faire cela dans la joie. Il éprouvait soudain une immense compassion pour tous les êtres vivants qui souffraient, reflet minuscule de la compassion que ressentait le Divin pour l'espèce humaine – une telle compassion qu'il en restait même un peu pour lui.

L'exaltation montait en lui, irrépressible.

Cette clarté de l'âme était-elle ce que les chrétiens appelaient la grâce ? Il était tellement étrange qu'il eût traversé la moitié du monde pour comprendre ce que les prêtres de sa propre religion avaient tenté de lui expliquer au fil de sermons, qu'il écoutait à peine !

« Dans mon aboutissement, je trouve mon commencement. »

Pour lui, le commencement était la découverte de la paix de l'esprit. La frénésie qui l'habitait depuis l'enfance s'évanouissait comme si elle n'avait jamais existé. La paix intérieure ne se trouvait pas seulement au bout du monde, on pouvait – on *devait* – la découvrir dans son propre cœur.

Verity s'agita près de lui, et il s'aperçut qu'il était ankylosé. Combien de temps avait-il erré dans son labyrinthe personnel ?

Aussi raide que s'il avait l'âge de son rôle, il déposa les bâtonnets d'encens dans le réceptacle et se prosterna avant de se relever. Verity fit de même avec infiniment plus de souplesse.

Ils firent le tour du sanctuaire afin de visiter les petites chapelles, et Kyle essaya de mémoriser les plus infimes détails, pour pouvoir revenir dans le temple par l'esprit, quand son corps serait ailleurs.

Ils se rendirent ensuite dans les ravissants jardins parsemés de grottes propices à la méditation. Dans une petite rocaille aux formes fantastiques, Verity murmura :

— Voudriez-vous m'attendre ici quelques minutes ? J'aimerais aller me recueillir dans le jardin de Kuan Yin avant que nous partions.

— Bien sûr !

Il s'assit sur un banc à l'ombre d'une montagne miniature d'où il entendait à peine les psalmodies. Il était tout près d'une petite cascade, et des oiseaux exotiques se baignaient en gazouillant dans le bassin. Comme il était seul, il ôta la gaze qui lui cachait les yeux afin d'avoir une vue claire de Hoshan. C'était encore plus beau ainsi !

Mais sa sérénité prit brutalement fin lorsqu'un vieux moine qui pénétrait dans le jardin de rocaille s'immobilisa en le voyant.

Enfer et damnation ! Kyle pesta intérieurement, se maudissant d'avoir oublié les règles élémentaires. À la lumière du jour, on ne pouvait manquer de remarquer ses yeux bleus ; ensuite, il était aisé de reconnaître des traits européens malgré les bandages.

Il s'efforça au calme afin de trouver une issue possible. Il se leva, joignit les mains sur sa poitrine, selon le salut indien traditionnel.

— Namaste, dit-il calmement comme il l'aurait fait en Inde.

Le moine, visiblement détendu, joignit les mains à son tour en répétant :

— Namaste.

Kyle salua de nouveau et se retira. Il retrouva Verity alors qu'elle sortait du jardin de Kuan Yin.

— J'ai été imprudent et un moine m'a vu, dit-il brièvement. Je ne pense pas qu'il donne l'alarme, mais il vaut sans doute mieux ne pas traîner ici.

Sans perdre une minute, ils se dirigèrent vers le quai. Un bateau était sur le départ, ils y trouvèrent de la place et, en quelques minutes, ils se retrouvèrent sur l'autre rive.

Ils avaient songé à passer la nuit à l'auberge du lac, mais à présent, c'était hors de question. Après avoir récupéré Sheng, ils se remirent en route le long du chemin escarpé. Il n'y avait presque personne, à cette heure tardive, et Kyle calcula qu'ils devraient quitter le sentier dangereux à la tombée de la nuit. Ils dormiraient à la petite auberge où ils s'étaient arrêtés la veille.

Ils atteignaient le détour qui allait leur masquer la vue du temple quand Kyle dit :

— Attendez.

Tous deux se tournèrent une dernière fois vers Hoshan, plus irréel encore dans la lumière déclinante.

— Il me semble qu'on ne nous poursuit pas, fit Kyle, qui entreprit de raconter sa mésaventure. J'ai eu l'impression que le moine acceptait ma présence sans se poser de questions, conclut-il.

— Sans doute était-il fier qu'un étranger vienne de si loin, et prenne un si grand risque, pour prier ici. Ou alors il vous a pris pour un Indien et non un Européen. En tout cas, la paix de Bouddha régnait sur le jardin.

Kyle hésita un instant avant de poser la question qui le taraudait depuis quelque temps.

— Quelle est en fait votre religion, Verity ?

— Mon père m'a élevée dans la foi presbytérienne, c'est donc ma première religion, répondit-elle lentement. Mais en Chine, on peut suivre plusieurs chemins. Dans mes lectures, j'ai découvert bien des points communs entre Bouddha et le Christ, aussi je ne ressens aucun conflit intérieur lorsque j'offre mes prières à Kuan Yin ou à Bouddha.

Elle leva les yeux vers lui.

— Hoshan vous aurait-il converti au bouddhisme ?

— Pas vraiment.

Il songeait à un tableau italien qu'il avait vu dans un musée. Une scène de crucifixion où le Christ possédait une spiritualité aussi puissante que celle du Bouddha de Hoshan. Il avait toujours été attiré par cette toile, et il savait à présent pourquoi.

— Mais je crois, reprit-il, que pour la première fois de ma vie, je me sens véritablement chrétien.

Après un adieu silencieux au lieu sacré, ils reprirent leur ascension. La force qui avait attiré Kyle à Hoshan avait sans doute été l'élan le plus sincère de toute sa vie.

23

Bien que l'erreur de Kyle à Hoshan n'eût pas déclenché de poursuites, Verity jugea plus prudent d'emprunter une route différente pour rentrer à Canton. En outre, elle en tirait un plaisir un peu coupable, car cela rallongerait leur voyage de plusieurs jours, or chaque heure passée avec Kyle était une véritable bénédiction. Jamais elle n'avait été aussi heureuse de toute sa vie.

Le troisième soir après leur départ de Hoshan, ils approchèrent d'une ville du nom de Feng-tang. Verity fronça les sourcils devant les hauts murs de boue séchée.

— Nous ferions peut-être mieux de la contourner. Il s'agit d'une préfecture de seconde classe, et il y aura beaucoup d'officiels et de soldats.

— Nous avons traversé Canton, qui est beaucoup plus vaste. En outre, pour l'éviter, il nous faudrait revenir sur nos pas pendant plusieurs kilomètres ou traverser des rizières, ce qui irriterait les paysans. À mon avis, mieux vaut poursuivre notre chemin comme d'humbles voyageurs.

Verity acquiesça, et ils pénétrèrent dans la cité. Son inquiétude resurgit à la vue des rues regorgeant de monde. Des enfants couraient avec des banderoles écarlates tandis que les adultes bavardaient entre eux ou regardaient les attractions. Comme Sheng se cabrait après l'explosion d'un pétard en bambou, Kyle souffla :

— Que se passe-t-il ?

Elle observa les cerfs-volants en forme de dragons qui planaient au-dessus d'eux.

— Une sorte de fête locale. Je demanderai des précisions à l'auberge.

Deux auberges étaient complètes, et ils eurent la dernière chambre dans la troisième. Le tenancier ne se fit pas prier pour répondre aux questions de Verity, et quand ils furent seuls, elle raconta à Kyle ce qu'elle avait appris.

— Le préfet s'appelle Wu Chong, et cette fête est donnée pour la naissance de son premier fils. Il n'est plus tout jeune, apparemment, et aucune de ses épouses ne lui avait donné d'enfant, alors il célèbre l'événement avec des offrandes à tous les temples, une fête dans la rue, et ce soir il y aura une parade avec la danse du lion.

— La danse du lion ? Nous irons plus tard.

Kyle dénoua son bandage avec habileté. C'était un moment que Verity adorait. Quand il cessait d'être son grand-père pour devenir son amant. *Son amant.*

Elle se mordilla la lèvre.

— Nous ferions mieux d'éviter les rassemblements. Il y aura forcément de la bagarre et des ivrognes.

— J'ai confiance, vous saurez me protéger, dit-il en ôtant sa perruque pour se passer la main dans les cheveux. J'aimerais vraiment assister à des festivités de ce genre. À Canton, pendant le Nouvel An chinois, je mourais d'envie de me joindre aux festivités.

Elle eut un sourire langoureux.

— Persuadez-moi.

— Et de quelle façon voulez-vous être persuadée ? demanda-t-il, les yeux brillants.

Il traversa la pièce en deux enjambées et vint la prendre dans ses bras.

— Par la séduction ?

— Oh, oui, s'il vous plaît !

Sa tunique et son pantalon volèrent dans la chambre avant même qu'ils eussent atteint le lit. Comme il savait lui plaire ! songea-t-elle tandis qu'il s'employait à la séduire. Était-il normal que deux personnes tirent un plaisir aussi intense l'une de l'autre ? Elle avait parfois envie de lui poser la question, mais au fond, elle ne s'en souciait pas vraiment. Elle voulait croire que ce qui se passait entre eux était tout à fait particulier, et que, lorsqu'ils s'unissaient, elle était la seule femme pour lui comme il était le seul homme pour elle.

Le seul homme au monde... En frissonnant, elle enfouit les mains dans ses cheveux et s'abandonna tout entière à la passion.

Ils furent tirés de leur somnolence par un chapelet de pétards qui éclata sous leur fenêtre. Verity s'étira dans les bras de Kyle.

— Nous pourrions grignoter ce que nous avons dans nos sacs, puis ce serait à mon tour de vous séduire.

— La proposition ne manque pas de charme, dit Kyle, tenté d'accepter, tandis qu'il lui embrassait le creux de l'épaule. Mais je suis affamé, et c'est sûrement la seule fête à laquelle j'aurai jamais l'occasion d'assister. Je serai tout aussi bien séduit plus tard.

Étouffant un bâillement, Verity se leva à contrecœur.

— Vous êtes un infatigable touriste, monseigneur ! observa-t-elle.

— Je plaide coupable !

Il la regarda s'habiller et ne banda ses yeux que lorsqu'elle fut tout à fait prête. Il était infiniment érotique de songer qu'il était le seul à connaître la splendeur du corps qui se cachait sous les vêtements informes.

Il se demanda pour la centième fois s'il lui proposerait de rester sa maîtresse, une fois en Angleterre, cependant, la réponse était toujours la même : c'était une amante chaleureuse, ardente, aussi généreuse que passionnée, mais si elle devenait officiellement sa maîtresse, elle se trouverait une fois de plus reléguée à un statut bancal, en marge de la société. Elle méritait mieux. Non seulement du respect, mais l'opportunité de rencontrer un homme qui saurait l'aimer comme elle en était digne.

Que se serait-il passé s'il l'avait rencontrée avant Constancia ? La question le dérangeait, et il la chassa résolument de son esprit. C'était Constancia qui avait fait de lui l'homme qu'il était à présent. Sans elle, il ne vaudrait pas grand-chose. Elle lui avait appris à aimer... puis elle avait emporté son cœur avec elle dans la tombe.

C'était le seul mauvais tour qu'elle lui eût jamais joué.

Verity avala la dernière bouchée de sa galette au miel, ravie finalement que Kyle l'eût entraînée dehors. Les rues pétillaient d'effervescence, des lanternes chassaient la nuit, les colporteurs vendaient des friandises, des vieillards jouaient dans les coins. Une diseuse de bonne aventure tira Verity par la manche.

— Vous voulez connaître votre avenir, jeune homme ? Un tas de jolies concubines vous attendent, j'en suis sûre.

Elle secoua la tête.

— Non merci. Je préfère ignorer ce que l'avenir me réserve.

Et c'était vrai, se dit-elle avec une petite grimace.

Elle conduisit Kyle jusqu'à un théâtre de marionnettes. Il n'était pas besoin de connaître la langue pour apprécier les aventures d'hommes honorables, de jolies femmes et de méchants sorciers. Verity admira la façon dont Kyle gardait la tête baissée sans toutefois perdre une miette du spectacle.

Quand ce fut terminé, elle déposa une pièce dans le panier de la petite qui faisait le tour de l'assistance, puis elle acheta deux minuscules coupelles d'alcool de riz que le vendeur prenait dans un récipient à l'aide d'une louche en bois laqué. Kyle était tellement fasciné par la beauté de la louche qu'il commanda une autre tasse, bien que la première lui eût coupé le souffle.

Le grondement des tambours se répercutait dans les rues étroites.

— Venez, grand-père, la parade va commencer. Cherchons un bon endroit pour y assister.

Se servant sans scrupule de l'âge canonique de son aïeul, elle parvint à leur trouver un point de vue stratégique.

Les tambours passèrent d'abord, suivis de danseurs en costumes flamboyants. Puis vinrent les soldats impériaux, en robes noires, et enfin le préfet en personne dans une chaise à porteurs.

Vêtu de couleurs vives et chatoyantes, entouré des siens, Wu Chong saluait gracieusement son peuple, mais il avait le regard inquiétant d'un serpent. Verity se surprit à plaindre celles de ses épouses qui ne lui avaient pas donné le fils qu'il désirait.

Flûtes, grosses caisses et cymbales annoncèrent l'arrivée des danseurs, et Verity retint sa respiration, excitée comme une enfant lorsque l'énorme lion arriva en vue dans un éclatement de feux de Bengale, sa tête colorée claquant des mâchoires en direction des danseurs masqués qui le taquinaient avec des éventails. Le costume du fauve cachait deux acrobates qui transformaient par leurs gambades le lion en dangereuse créature de légende, pour la plus grande joie des spectateurs. Verity glissa sa main dans celle de Kyle, heureuse qu'il y eût trop de monde pour qu'on les remarquât.

Une fois le lion passé, ils se mêlèrent à la foule qui le suivait jusqu'à la place principale. Sous les pétards, le préfet paya les danseurs en attachant un sac rouge plein de pièces en haut d'un mât. Le lion se cabra plusieurs fois avant que le danseur de tête attrape le sachet. La foule manifesta bruyamment son approbation, puis les gens se dispersèrent par petits groupes afin de continuer la fête.

Épuisée mais ravie, Verity prit le bras de Kyle et le ramena vers l'auberge. Dieu merci, il lui restait encore assez d'énergie pour le séduire, comme promis !

La catastrophe se déclencha à la vitesse de l'éclair. Ils étaient à quelques dizaines de mètres de l'auberge quand un groupe de fêtards arriva de la direction opposée. Verity sentit Kyle se raidir. Les ivrognes les avaient presque croisés, en chantant à tue-tête, lorsque l'un d'eux en bouscula un autre qui alla trébucher contre Kyle.

— Dé... désolé, grand-père.

L'homme s'était accroché à la natte de Kyle, et quand il voulut se dégager, la perruque céda, ainsi que le bonnet et quelques épaisseurs de bandage. Verity, horrifiée, vit le Chinois regarder stupidement la perruque, puis lever les yeux vers le visage partiellement dévoilé de Kyle.

— Un espion *Fan-qui* !

Tandis que ses amis faisaient demi-tour, il arracha le reste des bandages, et Kyle ne put l'en empêcher. Lorsque ses traits européens furent entièrement dévoilés, il y eut un silence outragé, puis l'un des noceurs grogna :

— Cochon puant d'étranger !

— *Fan-qui, Fan-qui* ! hurlèrent les autres en se lançant à l'attaque.

Kyle parvint à en assommer trois, Verity en fit autant.

— Allons-y ! lança Kyle quand leurs regards se croisèrent.

Ils filèrent dans la rue en courant. Verity cria lorsqu'une pierre l'atteignit entre les omoplates, et elle vit que Kyle avait été touché aussi par deux projectiles. Ils s'engagèrent dans une ruelle pleine d'ordures, poursuivis par la horde hurlante.

Les têtes sortaient aux fenêtres, alertées par le bruit. Kyle aurait sans doute pu s'en tirer sans les cris qui se répondaient au long des étroits passages.

On entendit des tambours, et Verity comprit que les soldats de la parade avaient été réquisitionnés pour cette chasse à l'homme.

Ils empruntèrent une autre allée sombre et s'aperçurent qu'il s'agissait d'une impasse, bouchée par une vieille demeure.

— Le toit est bas, nous pouvons passer par-dessus, dit Verity, hors d'haleine.

— Non. Avec la ville entière à mes trousses, je n'ai aucune chance d'en réchapper. Ils fermeront les portes de la ville jusqu'à ce qu'ils me trouvent. Si nous avons couru, c'était pour que vous vous en sortiez.

Elle cherchait frénétiquement le pistolet à la taille de Kyle.

— Vous êtes armé ! Nous pouvons encore nous sauver !

— Quelques balles ne serviront à rien contre la foule, alors, il est inutile de tuer. Maintenant, filez !

— Je ne partirai pas sans vous.

— Sacré bon sang, si !

Il y eut un cri au bout de l'allée et, avant qu'elle pût protester, il l'avait empoignée à la hauteur des genoux et l'avait soulevée afin qu'elle attrapât le rebord du toit.

— Dépêchez-vous de sortir de là ! Il faut que vous alliez à Canton obtenir ma liberté. Le vice-roi va adorer voir les Européens perdre ainsi la face, mais tout ira bien, j'en suis sûr.

— Soyez prudent !

Verity devait bien se rendre à la raison, et elle grimpa sur le toit avant de s'y aplatir afin d'assister à la suite des événements. Il y avait tout de même de gros risques qu'il fût lynché par la foule, et il le savait. Si on l'agressait, elle se battrait à ses côtés.

Le cœur battant, elle le vit attendre ses poursuivants avec un calme étonnant, les mains levées en signe de reddition. Le premier homme le frappa au visage, et Verity faillit intervenir. Mais un officier de l'armée mandchoue agrippa l'agresseur en hurlant que l'espion *Fan-qui* devait être emmené au palais du préfet afin d'être interrogé. Les noceurs battirent en retraite devant les autorités.

Kyle se redressa de toute sa hauteur et se laissa attacher les mains dans le dos sans broncher. Dieu merci, il n'était pas blessé ! Sa présence si loin à l'intérieur des terres causerait un incident diplomatique, mais ce serait mineur comparé à certains autres conflits qui opposaient l'Empire céleste aux Européens.

Comme on emmenait Kyle, un autre militaire gronda :

— L'homme qui était avec lui doit être quelque part par là.

— Un *Fan-qui* aussi ?

— Sans doute. Il était trop grand pour être des nôtres.

— Il a dû prendre une autre allée, ou passer par les toits, mais nous le retrouverons ! Vous deux, grimpez et cherchez-le !

Vivement, Verity se laissa glisser de l'autre coté du bâtiment et sauta légèrement à terre avant de s'élancer dans le dédale de ruelles. Comme les soldats cherchaient un autre *Fan-qui*, elle était en sécurité. Elle allait passer à l'auberge, rassembler l'essentiel, y compris des vêtements de rechange, et abandonner le reste.

Il lui faudrait aussi laisser Sheng à l'aubergiste, car elle ne pouvait se cacher avec un âne.

Elle s'attarderait quelques jours à Feng-tang, le temps d'apprendre quelle punition le préfet avait l'intention d'infliger à Kyle. Selon toute vraisemblance, dès le lendemain on annoncerait publiquement qu'un méchant espion *Fan-qui* avait pénétré dans la cité, mais que les soldats impériaux avaient vaillamment défendu la sécurité des honorables citoyens. Il y avait de fortes chances pour que Wu Chong envoie ensuite le prisonnier au vice-roi. Dans ce cas, Kyle serait sauvé. Il atteindrait sans doute Canton avant Verity, et dans de meilleures conditions de confort.

Mais tandis qu'elle se perdait au milieu de la foule, elle ne pouvait empêcher l'angoisse de lui nouer le ventre.

24

On amena directement Kyle au palais du préfet, somptueusement éclairé par les torches de la fête. Poussé avec brutalité, il trébuchait souvent tandis qu'on lui faisait traverser de nombreuses pièces au sol de marbre.

Avant d'entrer dans la salle d'audience, il fut soigneusement fouillé, et on lui supprima son pistolet, son poignard, sa bourse. L'arme européenne arriverait certainement jusqu'au préfet, mais il doutait, avec cynisme, que les pièces d'argent aillent plus loin que l'officier mandchou qui les lui avait confisquées.

Wu Chong était assis sur un trône de bois sculpté, ses petits yeux sombres brillant à la lumière des lampions. Il attendit dans un silence glacial que l'un des gardes pousse Kyle assez fort pour le faire tomber à genoux.

— Prosterne-toi ! ordonna le soldat.

C'était l'un des rares mots chinois que Kyle connaissait. Les relations diplomatiques entre Asiatiques et Européens s'étaient souvent envenimées, car les Occidentaux trouvaient humiliant de se frapper la tête sur le sol devant un Chinois.

Cependant Verity avait expliqué à Kyle que c'était simplement une marque de respect, comme de faire la révérence devant le roi d'Angleterre, aussi s'exécuta-t-il par trois fois, le plus naturellement du monde.

Il fut relevé par deux gardes qui menaçaient de lui déboîter les épaules. Il se tint stoïquement devant le préfet tandis qu'un Chinois débitait à toute allure un discours incompréhensible. Dieu merci, Verity avait pu s'enfuir ! Elle aurait traduit pour lui, mais il était certain qu'en tant que Chinoise, elle aurait connu un sort bien pire que celui qui l'attendait.

Puis il croisa le regard de Wu Chong, et la haine qu'il y lut le glaça. La plupart des Chinois méprisaient les étrangers, même s'ils n'en avaient jamais rencontré, mais la rage du préfet allait bien au-delà de ce sentiment. Wu Chong considérait certainement la présence d'un *Fan-qui* à la fête donnée pour la naissance de son fils comme un mauvais présage, et il réclamait vengeance.

Un marchand replet entra dans la salle entre deux soldats, rouge, transpirant, et Wu Chong lança quelques phrases sèches. Le commerçant pâlit. Il y eut une conversation à trois entre Wu, le marchand et un officiel qui semblait être l'assistant en chef du préfet. Kyle eut l'impression que ce dernier n'était pas d'accord avec son maître, mais qu'il n'osait le contredire.

Il s'était préparé à tout entendre lorsque le marchand se tourna vers lui en suant davantage encore. Il commença à saluer, s'interrompit.

— Moi Wang, dit-il. Vous espion *Fan-qui*.

— Je ne suis pas un espion, protesta Kyle. Je voulais seulement voir quelques-unes des gloires de l'Empire céleste.

— Espion, répéta le marchand sombrement. Préfet punir vous.

Sa pomme d'Adam jouait sur sa gorge, et Kyle eut pitié de lui.

— Quel genre de punition ?

Wang baissa les yeux.

— Mort.

À ce simple mot, Kyle faillit chanceler. Grand Dieu, il ne s'attendait pas à une sentence aussi sévère ! La Chine était une nation respectueuse des lois, et il n'y avait pas eu de procès. Certes, il était étranger, donc il ne tombait pas sous le coup de la loi chinoise ; ici, il n'avait pas plus de droit qu'un vulgaire cancrelat. Si le préfet voulait sa mort, il mourrait.

Mettant un frein à ses émotions, il demanda froidement :

— Comment ?

— Respect pour diable étranger, pas tête coupée. Mort par fusil, comme chez *Fan-qui*.

Seigneur! Un peloton d'exécution! Cependant, il ne pouvait dire qu'il était pris au dépourvu, il savait les dangers qu'il courait en s'enfonçant à l'intérieur des terres. La gorge sèche, il reprit:

— Quand?

— Aube, jour après demain. Préfet donne vous temps de faire paix avec vos dieux.

— Je... je vois. Merci, honorable Wang, pour vos explications.

Tandis que le marchand se retirait, l'esprit de Kyle fonctionnait à toute allure. Un jour et demi! Verity ne pourrait regagner Canton à temps pour obtenir de l'aide. Personne ne le pourrait. Heureusement qu'elle avait pu s'échapper, sinon elle serait à ses côtés le jour de l'exécution!

Il s'efforça de demeurer impassible. Avec la mort comme unique issue, il lui semblait soudain très important de mourir dignement. Il ne supplierait pas, il ne gémirait pas. Cette décision fut encore renforcée par l'air triomphant qu'arbora Wu Chong lorsqu'il quitta la salle d'audience encadré par des gardes.

On l'emmena dans un autre bâtiment gouvernemental, une prison sale qui suintait la peur et la mort. Combien d'hommes avaient été enfermés là? Combien y avaient péri?

Dans la pièce des gardes, on coupa les liens de ses poignets pour lui passer de lourdes menottes et des bracelets de chevilles, puis on le fit descendre vers les cachots.

Il longea un couloir bordé de cellules. Par les étroites fenêtres, il aperçut des visages exsangues, désespérés, tellement blasés qu'ils ne manifestaient souvent aucun étonnement à voir un *Fan-qui* parmi eux.

Le sergent déverrouilla la dernière porte massive, découvrant une étroite cellule aux murs ruisselants d'humidité, avec pour tout mobilier une mauvaise paillasse.

Kyle allait y pénétrer sans protester quand le sergent cria:

— *Fan-qui*!

Et il le frappa de la garde de son épée. Aussitôt les autres se jetèrent sur lui, avides de le blesser sans toutefois le tuer.

Kyle laissa libre cours à sa rage. Il allait mourir, Verity était hors de danger, donc il n'avait plus aucune raison de se retenir. Se servant de ses chaînes comme d'une arme, il assomma le sergent et jeta ses acolytes au sol. Avec un peu de chance, il mourrait sur-le-champ, en luttant, au lieu d'être fusillé comme un traître.

Mais les cris de ses victimes avaient attiré d'autres gardes, et il fut rapidement maîtrisé. Certains auraient volontiers continué à le frapper si le sergent n'avait aboyé un ordre. Kyle fut propulsé dans la petite pièce malodorante avec une telle force qu'il alla s'écraser contre le mur opposé.

Comme il sombrait enfin dans l'inconscience, sa dernière pensée fut pour remercier le Ciel que Verity fût sauvée.

Verity récupéra à l'auberge des vêtements encore plus neutres que ceux qu'elle portait, et s'enfuit à temps, car une patrouille de l'armée vint frapper à la porte quelques minutes après son départ.

Avec les rues pleines de joyeux fêtards, elle n'eut pas de mal à trouver un abri. Elle escalada le mur d'un temple et passa la nuit dans une petite grotte du jardin.

Cependant, taraudée par les regrets et l'angoisse, elle ne trouva pas le sommeil. Si seulement elle avait écouté son instinct et contourné Feng-tang ! Ou s'ils avaient passé la nuit tranquillement dans leur lit au lieu de participer aux réjouissances ! Ou encore, s'ils avaient choisi l'autre route pour retourner à Canton...

Sachant qu'il ne servait à rien de s'attarder sur ce qui aurait pu être, elle se mit à réfléchir à la meilleure façon de regagner Canton. Il fallait qu'elle aille trouver Chenqua, qui avait de l'influence sur le vice-roi, et aussitôt une troupe se mettrait en route pour Feng-tang afin de sortir Kyle de là. Elle frémit en imaginant la colère de Chenqua et la déception qu'elle allait lui causer, mais il n'y avait aucune autre solution.

Elle quitta le temple à l'aube. C'était jour de marché, et personne ne la remarqua lorsqu'elle acheta des fruits et des galettes. Les esprits étaient occupés par de plus intéressantes nouvelles !

On racontait que deux démons étaient arrivés pour maudire le bébé du préfet. L'un d'eux avait été capturé et avait assommé cinq hommes avant d'être pris, tandis que l'autre s'enfuyait dans la nuit. Non, ce n'étaient pas des démons, mais des *Fan-qui*, il y en avait un qui était à présent enfermé dans un cachot de la prison et les troupes passaient la cité au peigne fin pour retrouver son compagnon. On fouillait tous les gens qui sortaient de la ville, on transperçait les sacs de riz afin de s'assurer que le fuyard ne s'y cachait pas.

Heureusement, les soldats avaient décrété que Verity était une *Fan-qui*, et elle pourrait quitter la ville sans encombre, un peu plus tard, quand les chercheurs commenceraient à se lasser.

Elle buvait du thé à l'étal d'un marchand ambulant quand un soldat vint en titubant en commander une tasse. Elle se poussa pour lui faire de la place, mais resta à portée de voix.

— Racontez-moi tout! demandait le marchand. Il y a vraiment un *Fan-qui* en ville?

L'homme avala son thé d'un coup et tendit sa tasse pour qu'on la lui remplisse.

— Oui, et j'étais parmi ceux qui l'ont capturé. Une énorme brute, qui se battait comme trois démons!

— Qu'est-ce qu'on va lui faire?

Le soldat se lissa les moustaches d'un air important.

— Il partira rejoindre les fantômes de ses aïeux dès demain matin. Le préfet organise une exécution à l'occidentale. Une douzaine de mousquets l'abattront à l'aube.

— C'est barbare!

Le soldat haussa les épaules.

— Normal, pour un Barbare.

Verity vacilla, proche de l'évanouissement. Un peloton d'exécution! On ne pouvait tout de même pas le tuer comme ça, sans l'ombre d'un procès!

Mais elle revit l'air mauvais du préfet, et elle sut qu'il était parfaitement capable de le faire. Nombreux seraient ceux qui l'approuveraient secrètement.

S'il tuait vite et clamait qu'il avait sauvé l'empire d'un dangereux espion, Wu Chong s'en tirerait sans doute en se faisant simplement taper sur les doigts par ses supérieurs. Le gouvernement présenterait ses excuses aux Anglais, non sans préciser qu'il avait exécuté un contrevenant à la loi.

Finalement, il ne serait pas difficile d'étouffer l'affaire. Seul Gavin Elliott était au courant des projets de Kyle, et il pouvait y avoir mille raisons pour que son ami ne rentre pas de son voyage clandestin. Verity serait l'unique témoin de ce qui s'était passé. Or elle devait bien se rendre à l'évidence : les Anglais comme les Chinois avaient intérêt à taire cette mésaventure qui risquait de mettre en péril leurs relations commerciales. Lord Maxwell aurait disparu, et on ne tiendrait sans doute aucun compte du récit de Verity parce qu'il dérangerait l'ordre établi.

Il fallait à tout prix sauver Kyle. Mais comment ?

Elle trouverait un moyen !

25

Kyle suivait du regard le rai de lumière qui tombait de l'étroite fenêtre et se déplaçait lentement sur le mur telle l'aiguille d'un cadran solaire. La matinée n'avait rien apporté de nouveau. Il n'aurait pu faire appel de la sentence même s'il avait parlé chinois, puisque la plus haute autorité de la région voulait sa mort.

Il ne pouvait pas non plus s'échapper de son cachot. La fenêtre était trop étroite pour permettre le passage d'un rat bien nourri ! Et sa cellule ne contenait que la paillasse humide ainsi que quatre anneaux de fer scellés dans le mur auxquels pendaient de courtes chaînes.

Même s'il parvenait à assommer les gardes à mains nues la prochaine fois qu'on lui apporterait sa maigre portion de riz et de thé, il n'arriverait pas à sortir de la prison. Il fallait se résigner, son heure était arrivée, et c'était sa faute.

Il s'assit en tailleur sur la paillasse, comme un moine bouddhiste, et chercha au fond de lui la paix intérieure qu'il avait découverte à Hoshan. Les voies divines étaient impénétrables. Était-ce pour cela qu'il avait été attiré par la gravure du temple ? Parce qu'il avait rendez-vous en Chine avec sa propre mort ?

Non, il était trop occidental pour croire en la destinée. La chance avait simplement tourné. Il avait rencontré bien des dangers au cours de ses voyages, et il s'en était sorti indemne, mais cela ne pouvait durer éternellement.

Il fixait distraitement une mince cascade d'eau qui glissait le long du mur, résultat des fortes pluies de la nuit, et s'écoulait par une petite rigole, seule vague tentative d'assainissement de la cellule. L'endroit parlait de mort lente et de maladie. Au moins n'y resterait-il pas assez longtemps pour avoir à s'en inquiéter.

Aurait-il dû demeurer chez lui, en sage héritier? Dans ce cas, il aurait sans doute encore vécu une bonne quarantaine d'années!

Mais cette vie rangée, étriquée, l'aurait mené au désespoir. Il ne pouvait regretter d'avoir suivi ses rêves, même si c'était dommage pour les quarante prochaines années...

La porte grinça sur ses gonds, et le sergent entra, sabre au clair, suivi de deux soldats trapus. Il marmonna quelques mots qui ressemblaient à des insultes, tandis que les hommes lui ôtaient ses chaînes sans toutefois le libérer de ses menottes. L'emmenait-on à une nouvelle audience avec le préfet?

Mais les gardes le plaquèrent au mur et attachèrent les menottes aux courtes chaînes qui pendaient des anneaux. Comme il tentait de résister, il reçut un coup au plexus qui le laissa étourdi, et il se retrouva crucifié au mur.

Le sergent, avec un mauvais sourire, sortit un poignard de la gaine qu'il portait au côté et en fit miroiter la lame. Il pouvait faire ce qu'il voulait du prisonnier, à condition de le garder en vie pour l'exécution du lendemain.

Malgré ses efforts, Kyle frémit lorsque le sergent pointa son arme vers lui avec un air vicieux. Mais il n'avait pas l'intention de blesser. Il se contenta de fendre la tunique de Kyle de haut en bas sans effleurer la chair.

Le sergent pointa de nouveau sa lame, cette fois en direction du bas-ventre de Kyle. Et le tissu fut coupé d'un seul coup. Kyle se rappela l'histoire des croisades, quand l'épée de Saladin était assez aiguisée pour fendre un foulard de soie qui tombait sur le fil.

Il s'obligea à penser aux croisades. Saladin et Richard Cœur de Lion avaient-ils participé à la deuxième, ou à la troisième? Peu importait! Il s'agissait de toute façon de projets insensés qui avaient coûté d'innombrables vies.

De se concentrer sur l'histoire lui permit de demeurer imperturbable pendant que le sergent continuait à lacérer ses vêtements. D'ailleurs, il avait atteint les limites de la peur.

Vexé, le sergent rengaina son poignard, gifla le prisonnier, et sortit en compagnie de ses hommes, laissant derrière lui un Kyle tremblant de tous ses membres. Si son esprit avait accepté l'idée de la mort, son corps était beaucoup moins philosophe.

Il tira sur les chaînes mais, malgré la rouille, elles auraient retenu un éléphant. Il ne pouvait ni s'asseoir ni s'allonger par terre, et s'il s'endormait, le poids de son corps rendrait les menottes douloureuses. Du reste, il n'avait pas l'intention de dormir durant le peu d'heures qui lui restaient à vivre.

Les menottes en elles-mêmes ne lui faisaient pas mal, mais il lui était horriblement pénible de ne pas pouvoir bouger. L'eau ruisselait dans son dos, et bientôt ses vêtements seraient trempés. Un moustique qui lui tournait autour choisit de se gorger de sang dans son cou, et il fut incapable de le chasser. Il avait des fourmis dans tous les membres.

Mais au moins, il les sentait, ces démangeaisons, alors que le lendemain, à la même heure, il ne serait plus qu'un cadavre enterré sans la moindre cérémonie, ou bien donné en pâture aux chiens.

Il prenait quelques profondes inspirations afin de se calmer lorsque la porte s'ouvrit de nouveau. Il se raidit. Le sergent revenait-il jouer au chat et à la souris ?

Un mince paysan entra, la porte claqua derrière lui, la clé tourna dans la serrure. Dans la faible lumière, il était difficile de le voir avec précision... jusqu'à ce que le nouveau venu, sous le vaste chapeau de paille, lève vers Kyle de magnifiques yeux bruns.

— Seigneur, ils vous ont capturée aussi ?

Instinctivement, il fit un geste vers Verity, mais les menottes le ramenèrent à la réalité.

Elle secoua la tête, posa un doigt sur ses lèvres afin de lui imposer le silence, le temps que les gardes qui l'avaient accompagnée se soient éloignés. Quand elle en fut certaine, elle se tourna vers lui et fut horrifiée de voir comment il était traité.

— Dieu du Ciel !

— Ils m'ont ligoté comme une dinde de Noël, dit-il calmement. Mais comment êtes-vous entrée ici, si vous n'êtes pas prisonnière ?

Elle le prit dans ses bras, posa son visage au creux de son cou. Elle était si douce, si merveilleuse ! Un souvenir nostalgique des plaisirs terrestres...

— Je les ai soudoyés, répondit-elle à voix basse. En Chine, presque tout est possible si on a de quoi payer.

Il l'avait appris aussi, en effet. Et s'il était dangereux pour elle de se trouver là, son égoïsme l'empêchait de le regretter. Il frotta sa joue contre les cheveux de Verity. Comme il aurait aimé la serrer contre lui !

— Je suis étonné que vous ayez pu acheter votre présence auprès d'un dangereux espion comme moi.

Elle se crispa, et il reprit d'une voix sereine :

— Je sais que je suis condamné à mort, ainsi vous n'avez pas à m'apprendre la mauvaise nouvelle.

Elle eut un petit cri étranglé et recula, sans cesser de le tenir à la taille.

— J'ai dit aux gardes que j'avais vécu à Canton et que je connaissais les rites des *Fan-qui*, y compris la cérémonie qui devait avoir lieu avant la mort. J'ai dit que si je pouvais vous rendre visite et la mettre en pratique, cela apaiserait votre fantôme, votre famille serait contente, et les gardes n'auraient pas à craindre que vous reveniez les hanter. Cela ajouté à une somme d'argent rondelette les a convaincus de me laisser entrer.

— C'est très intelligent ! apprécia-t-il.

Il s'attardait sur le coquillage de son oreille. Comment avait-il pu ne pas en remarquer la grâce ?

— Dieu sait que je suis heureux de vous voir, poursuivit-il, mais plus vite vous partirez, mieux ce sera. Ces brutes pourraient se réveiller sans prévenir.

— Je suis venue vous aider à vous échapper !

Elle regarda les chaînes et se mordit la lèvre.

— Peut-être votre *wing chun* aurait-il été efficace si je n'avais été enchaîné au mur. Mais il faudrait une scie à métaux et plusieurs heures de travail pour me libérer. Or nous ne disposons ni de l'une ni des autres.

— Je volerai les clés !

Il avait follement envie de la croire, et en même temps il refusait de s'illusionner.

— Non, ma douce. S'il existait une chance sur dix, une chance sur cent, je vous dirais d'essayer, mais là vous réussiriez seulement à être condamnée avec moi, et je ne le veux pas.

La jeune femme releva le menton.

— Et comment m'en empêcheriez-vous ?

Cette fois, il se mit à rire.

— Quelle intrépidité ! Pensez donc aux gardes, aux archers, sans parler des murs qui entourent le palais, des cent cinquante kilomètres qui nous séparent de Canton... Croyez-vous sincèrement que nous ayons une seule chance de nous en sortir tous les deux ?

Les yeux de Verity brillaient de larmes.

— Je ne peux pas vous laisser ici ! Que... qu'adviendra-t-il de moi ?

Il pesta intérieurement. En s'étant laissé prendre, il brisait la promesse qu'il lui avait faite de la ramener saine et sauve en Angleterre.

Que faire ? Dominic et son épouse l'aideraient, évidemment, et aussi Gavin s'il montait un bureau à Londres, mais ils ne feraient pas pour elle tout ce que Kyle avait projeté. À moins que...

— Verity, dit-il d'un ton pressant, épousez-moi.

26

Elle en resta bouche bée.

— Vous avez perdu l'esprit ?

— Absolument pas. On ne peut rien pour sauver ma misérable vie de *Fan-qui*, mais je veux que vous parliez à ma famille, Mei-Lian. Il faut qu'ils soient au courant de ma mort. Il serait trop cruel pour eux de rester dans l'expectative pendant des années.

Surtout pour Dominic. Kyle avait failli devenir fou, lorsque son jumeau avait été blessé à Waterloo. Son frère sentirait-il qu'il était mort avant même que la nouvelle atteigne l'Angleterre ? Peut-être, mais il refuserait d'y croire. Pour son bien, il fallait qu'on la lui annonce.

— Bien sûr, j'avertirai votre famille, mais le mariage n'est ni possible ni nécessaire.

— Vous vous trompez. En tant que veuve, vous jouirez de mon héritage et de la protection de la famille Renbourne. C'est le moins que je puisse faire pour que vous me pardonniez de vous avoir entraînée dans ce guêpier. Je sais que les veuves chinoises ne se remarient pas, mais c'est une coutume courante, en Angleterre. On peut même dire que le fait d'être veuve sera un avantage pour vous.

Cela éviterait les questions gênantes sur la perte de sa virginité quand elle trouverait un véritable époux.

Elle fronçait les sourcils, perplexe.

— Mais comment pourrions-nous nous marier, sans aucun témoin ?

— Les témoins ne sont pas indispensables.

— Et ce serait quand même légal ?

— En Écosse, il suffit que deux personnes se déclarent mariées. Certes, nous sommes loin de l'Europe, mais nous sommes tous les deux à demi écossais, et je possède des terres dans les Highlands, aussi un bon avocat validera-t-il sûrement notre mariage. Et comme personne ne contestera le bien-fondé de cette union, elle deviendra légale.

Il baissa la voix.

— Je vous en prie, Verity. J'aurais voulu vous aider bien davantage, mais j'en suis dans l'incapacité. Mon nom est la seule protection que j'aie à vous offrir.

Elle ferma les yeux sans pouvoir retenir ses larmes.

— C'est un honneur dont jamais je n'aurais rêvé, monseigneur, et je serai votre épouse avec grand plaisir, ne fût-ce que quelques heures.

Il songeait à son mariage avec Constancia, célébré par un prêtre espagnol alors qu'elle agonisait. Cette fois, ce serait lui qui mettrait un terme à leur union par la mort. Il n'avait décidément aucun talent d'époux !

— Tout l'honneur est pour moi, ma douce.

— Comment se marie-t-on ?

— Prenez mes mains.

Sur la pointe des pieds, elle tendit les bras et prit ses mains. La position la collait agréablement contre lui.

— L'une des formes traditionnelles du mariage écossais demande que les mains soient unies au-dessus d'une eau vive, dit-il avec un humour amer tandis que l'eau ruisselait dans son dos. Nous avons au moins cela !

Elle se mordit la lèvre.

— Comment avez-vous le cœur à plaisanter ?

— Je préfère que vous vous souveniez de moi souriant. Le temps des larmes viendra bien assez vite.

Ils entrecroisèrent leurs doigts.

— Ma très chère Verity Mei-Lian Montgomery, je vous prends pour épouse.

— Kyle Renbourne, répondit-elle d'une voix qui tremblait un peu, je vous prends pour époux jusqu'à ce que la mort nous sépare.

— Vous avez la bague que je vous ai confiée à Canton. Ce sera votre alliance.

Elle fouilla sous sa tunique et sortit de la ceinture l'anneau celtique. Elle le baisa, le lui tendit pour qu'il fît de même, puis elle le glissa au troisième doigt de sa main gauche. Mais il était encore trop grand, et elle le rangea dans sa cachette.

— Je le ferai rétrécir à Macao, dit-elle.

— Embrassez-moi, ma femme, demanda-t-il doucement. Nous avons encore quelques minutes, et j'aimerais les passer dans vos bras.

Elle posa ses lèvres sur celles de Kyle, et aussitôt le désir flamba entre eux, au mépris de la mort. À moins que ce ne fût une flamme brillante qui défiait l'ombre à venir.

Elle déposa un chapelet de petits baisers sur son menton mal rasé, son cou.

— Je n'aurais jamais imaginé qu'un corps masculin pût être aussi superbe, mon époux, murmura-t-elle au creux de son épaule. Aucun homme ne me donnera jamais autant de plaisir que vous.

— Ne dites pas ça ! protesta-t-il.

Il retint sa respiration tandis qu'elle embrassait chacun de ses hématomes, chacune de ses plaies.

— Vous me pleurerez un certain temps, mais votre vie ne doit pas s'arrêter sous prétexte que je ne suis plus là. Cherchez l'amour, car c'est le plus beau cadeau que puisse vous offrir la vie.

— Ne me parlez pas d'autres hommes ! Vous seul comptez pour moi.

Ses mains s'affairaient à ouvrir le pantalon endommagé, et il ferma les yeux, tout entier concentré sur l'exquise sensation de ses doigts sur son ventre.

Puis elle le prit dans sa bouche et il ne put retenir un cri, comme s'il allait exploser. Ses hanches bougeaient entre elle et le mur, tandis que la passion montait, irrésistible, et qu'il mettait en pratique la maîtrise qu'il avait cultivée ces dernières semaines.

— Dieu, Mei-Lian, souffla-t-il, vous allez me tuer avec la plus douce des armes, et soyez-en bénie à jamais !

Comme elle le sentait proche du point de rupture, elle se redressa, ôta son pantalon, puis elle passa un bras ferme autour de son torse, une jambe souple sur ses reins, avant de le guider en elle.

Elle le taquina un instant, jouant avec son sexe et, quand il ne put en supporter davantage, il la pénétra d'un gigantesque coup de reins. Il faillit jouir sur-le-champ, mais Verity se tint immobile, attendant qu'il fût un peu apaisé pour commencer à se mouvoir en rythme, un rythme voluptueux, en harmonie avec les battements de leurs cœurs. Un seul corps, une seule âme. Son époux. Il n'existait plus que la passion, une vie si intense qu'elle en effaçait l'horreur à venir.

— Verity, ma très belle... murmura-t-il en se dégageant.

Elle le plaqua entre le mur et elle.

— Si je suis votre épouse, donnez-moi au moins l'espoir d'un enfant, dit-elle tandis que leur passion se déchaînait.

Enfin ils furent emportés au-delà des étoiles, au-delà de tout contrôle, dans un univers de magie et d'extase.

Sans le support des chaînes, ils seraient tombés tous les deux sur le sol de pierre. Elle resserra son étreinte sur Kyle. Tant qu'elle le tenait ainsi, il ne pouvait rien lui arriver. Ils étaient immortels puisqu'ils venaient de partager une joie plus forte que tout.

Il baisa ses cheveux.

— Merci, ma chérie. Vous venez de me donner un plaisir que la plupart des hommes ne connaissent jamais dans leur vie.

Elle ravala ses larmes. Il ne fallait pas qu'il parte avec l'image d'une Verity éplorée. Elle se détacha lentement de lui, rajusta sa tenue, remit son propre pantalon. Il la contemplait, étonnamment calme. Il ressemblait à un ange enchaîné, invaincu et insupportablement beau.

Une porte claqua au bout du couloir.

— Quand vous arriverez en Angleterre, allez voir mon frère Dominic, Lord Grahame, à Warfield Park, dans le Shropshire, chuchota-t-il rapidement. Vous vous souviendrez ?

— Lord Grahame, Warfield, Park, le Shropshire, répéta-t-elle. Croira-t-il vraiment que je suis votre femme ?

— Oui. Et si ce n'était pas le cas... demandez-lui de vous raconter le jour où il a été coincé dans la cachette du prêtre à Dornleigh. Là, il vous croira.

— Quels autres messages dois-je porter ?

— Assurez-les, ma sœur et lui, de toute mon affection, et dites-leur que je suis désolé de ne pas m'être mieux débrouillé.

Kyle ferma les yeux un instant.

— J'aimerais tellement vous prendre dans mes bras ! Vous voulez bien vous serrer contre moi pour le temps qui nous reste ?

Ravalant de nouvelles larmes, Verity tenta de mémoriser son odeur, le goût de sa peau, la force de ses muscles sous ses doigts. Elle avait envie de crier qu'elle l'aimait, mais elle savait que cela ne ferait qu'alourdir son fardeau. Il ne devait pas connaître l'étendue de son désespoir.

Des pas approchaient, et elle posa tendrement la main sur son bas-ventre. Pourvu qu'ils aient engendré un enfant !

— Adieu, mon très cher seigneur, dit-elle en baisant ses lèvres. Je jure que j'accomplirai ma mission.

— Adieu, ma très chère épouse. Que Dieu vous protège.

La clé tournait dans la serrure, et Verity rabattit son large chapeau sur son visage afin de dissimuler son visage ravagé par le chagrin.

Elle sortit sans se retourner.

Adieu, mon amour.

À l'aube, Kyle était dans un état de grâce dû à la résignation et à la magie de l'heure passée avec Verity. Il demeura calme tandis que les gardes le libéraient, bien que ses muscles fussent douloureux. Ils sortirent dans la cour où le soleil levant effleurait le toit incurvé du palais du préfet. Un bel endroit pour mourir !

Le peloton était en place, et Kyle eut une petite satisfaction amère en songeant que le mur de Wu Chong serait abîmé.

Comme il traversait la place entre une demi-douzaine de gardes, un tambour se mit à résonner au rythme de ses pas. La marche de la mort.

Au milieu de sa cour, Wu Chong était assis sur une estrade qui surplombait l'aire d'exécution. Kyle fut amené devant lui, et un garde hurla :

— Prosterne-toi !

S'il avait été disposé à montrer son respect le jour de son arrestation, ce n'était plus le cas. Comme les secondes s'écoulaient sans qu'il bouge, le garde le frappa entre les omoplates, cependant Kyle, qui s'y attendait, pivota et lui envoya son coude dans la gorge. L'homme s'effondra sur le sol de brique.

Les autres gardes firent mine de se jeter sur lui, mais le préfet aboya un ordre, et ils s'immobilisèrent. Un officier dégaina son épée, s'approcha de Kyle.

L'ignorant, celui-ci traversa la cour afin de se poster contre le mur. Toute son arrogance aristocratique reprit le dessus. Wu et ses gens le méprisaient peut-être, mais ils ne l'oublieraient pas de sitôt.

Il se tourna afin de faire face à ses bourreaux, heureux qu'ils n'aient pas entendu parler de la coutume occidentale qui voulait qu'on bandât les yeux des condamnés.

Les douze fusils à mèche semblaient plutôt démodés, mais ils feraient l'affaire, avec leurs énormes canons. Il espéra que tout irait très vite.

Wu Chong rayonnait d'un plaisir pervers. Que Dieu protège les gens qui vivaient sous son autorité !

Il était traditionnel aussi que le condamné ait la possibilité de s'exprimer avant de mourir, mais puisque personne ne comprenait la langue de Kyle, c'était hors de propos. Pourvu que Verity parvienne saine et sauve en Angleterre, pourvu qu'elle trouve un jour le bonheur...

Sur un signe de l'officier, les soldats le mirent en joue, leurs visages impassibles sous les casques à pointe.

Wu Chong hurla un ordre.

Je remets mon âme entre vos mains, Seigneur.

La foule qui s'était assemblée à l'extérieur du palais attendait en silence que Feng-tang soit débarrassée du diable étranger. Verity se tenait à l'écart, tendue au point de se briser si on lui adressait la parole. Wu Chong avait dû se rendre compte que c'était folie d'exécuter un Occidental. Il allait revenir sur sa décision.

Mais une voix dure cria :

— Feu !

Les détonations éclatèrent, emplissant l'air du matin d'un bruit de tonnerre. Comme une fumée sombre s'élevait dans le ciel pur, Verity se mordit le poing pour retenir le cri d'agonie qui lui montait aux lèvres.

Kyle Renbourne, vicomte Maxwell et maître de son cœur, n'était plus.

27

Angleterre
Noël 1832

— En ce temps-là, le grand empereur César Auguste voulut savoir combien de personnes vivaient dans son royaume.

La voix sonore du vicaire emplissait la petite église, et Verity ferma les yeux. Lorsqu'elle était enfant, Hugh Montgomery revenait toujours passer les fêtes à Macao avec sa famille, et le soir de Noël, il racontait l'histoire de la nativité d'une voix assez semblable à celle du prêtre de Warfield.

Assise sur le banc familial, entre Dominic et sa sœur, Verity avait un peu l'impression de retrouver une identité perdue à la mort de son père. Durant les années passées à Canton, elle lisait la Bible à Noël, mais ce n'était pas pareil. Cette nuit, elle se sentait de nouveau chrétienne, et elle savait que cela aurait fait plaisir à son père.

Le respect qu'elle éprouvait pour Kuan Yin et Bouddha n'entamait en rien la joie qu'elle éprouvait à Noël. Kyle avait compris ce besoin d'honorer ces différentes voies spirituelles – c'était même assez proche de ce qu'il ressentait –, mais Verity doutait que les Anglais en général partagent ce point de vue. À part Meriel, peut-être, que Verity suspectait d'être plus païenne que chrétienne. Ce soir, toutefois, la comtesse, irréprochable, suivait le service avec attention et sérénité, tel un ange aux cheveux d'argent. Elle portait même des souliers !

La messe terminée, les fidèles sortirent de l'église, la voix plus douce, le regard plus chaleureux. Des voitures les attendaient, mais Verity, voyant que la neige blanchissait les collines, manifesta le désir de rentrer à pied.

— Je vous accompagne, si cela ne vous dérange pas, offrit Dominic.

— Bien sûr que non !

Elle prit son bras et ils s'engagèrent sur le raccourci qui menait au château. Comme toujours, Verity prenait un plaisir doux-amer à la compagnie de Dominic. Malgré ses efforts pour ne pas penser à Kyle, elle continuait à rêver de ce qui aurait pu être.

Ils étaient à mi-chemin de Warfield quand Dominic dit calmement :

— Les fêtes rendent tout plus pénible. Je ne puis m'empêcher de penser que, l'année dernière à cette époque, Kyle était vivant. Il avait passé Noël en Inde et m'avait écrit que les festivités anglaises lui manquaient. Il... il promettait qu'il serait avec nous cette année...

— Il avait hâte de rentrer pour vous retrouver tous.

Verity serra affectueusement le bras de son beau-frère. Elle était la seule personne qui eût vu Kyle au cours de ces sept dernières années, et sa présence le rapprochait de son jumeau.

— Et moi, il y a un an, je ne connaissais pas encore Kyle, reprit-elle. Comment une si brève rencontre a-t-elle pu à ce point changer ma vie ?

Dominic esquissa un sourire.

— Meriel a bouleversé la mienne en quelques jours ! C'est le privilège de l'amour...

Il se rembrunit.

— Tout au fond de mon cœur, je n'accepte toujours pas la mort de Kyle. Parfois, la nuit, j'ai l'impression qu'il est tout près de moi. Il ne semble pas qu'il soit parti, mais il y a en moi une... douleur quand j'essaie de l'atteindre.

Verity ne comprenait que trop bien !

— Peut-être est-ce la preuve que l'esprit survit à la mort. Kyle existe quelque part, et il est triste de voir tout ce qu'il a laissé derrière lui.

— Vous le croyez vraiment ? demanda Dominic.

— Je voudrais bien, soupira-t-elle.

Ils arrivaient à un échalier, et Dominic y grimpa avant de lui tendre la main. Il l'aidait à mieux comprendre les manières galantes de Kyle, et elle devinait à présent pourquoi cela l'avait tant contrarié de ne pouvoir l'honorer avec les égards dus à une dame. Elle avait adoré les moments où il la traitait comme si elle était une fragile porcelaine. Cela la changeait tellement de la vie de garçon qu'elle avait menée si longtemps !

Sa jupe balaya la neige au sommet de la haie, et elle descendit gracieusement de l'échalier. Elle se croyait dans un paysage de conte de fées.

— Kyle m'avait dit que si vous ne vouliez pas croire que j'étais sa femme, il fallait que je vous parle du jour où vous avez été prisonnier de la cachette du prêtre à Dornleigh. Mais vous n'avez jamais douté. Pourtant, l'idée que je pouvais être une usurpatrice a dû vous effleurer.

— Jamais.

Dominic lui prit le bras, car ils approchaient d'une plaque de verglas.

— Votre amour pour lui était tellement évident ! Aucune usurpatrice n'aurait pu simuler de tels sentiments.

Verity cligna des yeux afin de refouler ses larmes. Était-elle donc si transparente ? Elle se demanda si Kyle avait deviné ce qu'elle éprouvait pour lui. À l'époque, elle avait désespérément tenté de dissimuler ses émotions déplacées. Il voulait un guide, une maîtresse, pas une compagne enamourée, alors elle avait utilisé son talent de comédienne pour lui montrer le visage qu'il voulait voir.

Maintenant qu'il était trop tard, elle regrettait amèrement de ne pas lui avoir avoué la vérité.

SECONDE PARTIE

La longue route du retour

28

Macao, Chine
Printemps 1832

Verity sortit de Feng-tang sans difficulté et s'élança dans la campagne en se cantonnant aux routes peu fréquentées et aux petits villages, dormant à la belle étoile afin de ne pas attirer l'attention. Il ne fallait absolument pas qu'on reconnaisse le complice du *Fan-qui*, car si on la jetait en prison, elle ne pourrait plus accomplir la mission dont Kyle l'avait chargée.

Elle n'osa pas traverser Canton et contourna la ville avant d'entreprendre les quelque cent vingt kilomètres qui la séparaient de Macao, allant au bout de ses forces afin d'anesthésier son chagrin. Elle fut intensément soulagée lorsqu'un bateau de pêche l'amena enfin vers le seul endroit en Chine où les Européens pouvaient vivre.

En empruntant Praya Grande, elle eut l'impression poignante de revenir chez elle. Macao était sa patrie comme Canton ne l'avait jamais été. Les rues regorgeaient de gens de toutes sortes, et beaucoup de visages métissés ressemblaient au sien. Sa vie aurait été bien différente si elle avait été recueillie par un marchand de Macao plutôt que par Chenqua, à la mort de son père. Peut-être serait-elle maintenant mariée, mère de famille…

Mais elle n'aurait jamais connu Kyle, et au lieu d'un mariage heureux, elle aurait pu être forcée de se prostituer. Mieux valait ne pas s'interroger sur le destin, songea-t-elle en s'installant dans un coin tranquille pour sortir l'anneau de Kyle de la ceinture à billets. Elle le serra bien fort dans sa main afin d'être sûre de ne pas le perdre. Son alliance.

Après s'être renseignée, elle grimpa la colline sur laquelle se trouvait la résidence de Gavin Elliott. Ce n'était pas loin de la maison où elle avait été élevée, et elle possédait la même grande véranda ainsi qu'une vue spectaculaire sur la ville et la Pearl River. Priant pour que Gavin ne fût pas parti en voyage d'affaires, elle actionna la sonnette.

L'homme qui vint lui ouvrir ne jeta qu'un coup d'œil à sa tenue négligée.

— File, mon garçon. Nous ne voulons pas de mendiants, ici.

Elle sursauta en reconnaissant le vieux portier qui avait travaillé chez son père. Comme il avait quelques notions d'anglais et de portugais, il n'était finalement pas étonnant qu'il se fût placé chez un autre Européen. Elle ôta son chapeau de paille.

— Voilà une curieuse façon de m'accueillir, Peng.

L'homme en resta bouche bée.

— Mademoiselle Mei-Lian ?

— C'est bien moi ! dit-elle en passant devant lui avec toute l'assurance d'une jeune maîtresse. L'honorable Elliott est-il chez lui ? Je dois lui parler.

Peng hocha la tête.

— Oui. Vous avez de la chance, parce qu'il part dans deux jours pour Singapour. Je vais l'avertir de votre présence.

— Annoncez-lui Jin Kang, c'est sous ce nom qu'il me connaît.

Peng haussa les sourcils, choqué par le prénom masculin, mais il obtempéra. Une minute plus tard, Gavin dégringolait les marches quatre à quatre.

— Vous voilà enfin, Jin ! Vous avez des semaines de retard. Où est Maxwell ?

La gorge serrée, Verity lui fit signe de pénétrer au salon dont ils fermèrent la porte derrière eux.

— Lord Maxwell est mort, dit-elle.

Elliott blêmit.

— Dieu du Ciel ! J'avais un mauvais pressentiment au sujet de ce voyage, mais j'ai essayé de me persuader que je m'inquiétais à tort...

Il se dirigea vers la fenêtre, les mains crispées dans le dos.

— Que s'est-il passé ?

D'une voix entrecoupée d'émotion, elle raconta comment on avait accidentellement découvert l'identité de Kyle, son arrestation, son exécution. À prononcer les mots à haute voix, cette mort lui paraissait plus réelle que jamais. Ce n'était pas un cauchemar dont elle allait se réveiller.

— Au moins... cela n'a pas été trop long, murmura Elliott. Mais tellement inutile ! Je crois que Maxwell ne s'est jamais douté à quel point on pouvait le haïr à cause de la couleur de sa peau et de la forme de ses yeux.

En effet, malgré son éducation aristocratique, Kyle avait toujours pris grand plaisir à la diversité du monde.

Elliot se retourna vers Verity, le regard embué.

— Et vous, Jin ? Maxwell m'a dit que votre père était un négociant écossais, Hugh Montgomery, et que vous étiez né ici, à Macao. Vous voulez toujours vous rendre en Angleterre ?

— Je le dois. J'ai promis à Kyle d'annoncer personnellement sa mort à sa famille.

Elliott haussa les sourcils en l'entendant prononcer le prénom de son ami, et Verity, dans un geste de défi, dénoua sa tresse et secoua la tête comme son mari avait tant aimé la voir le faire.

— Kyle m'a dit que vous étiez étonné d'apprendre que Montgomery avait laissé un fils. C'est normal, puisque mon père n'avait qu'une petite fille sans importance du nom de Verity.

— Seigneur ! Et toutes ces années, vous avez vécu déguisée en garçon ? C'est incroyable ! Pourtant, maintenant que je vous regarde, je me demande comment j'ai pu m'y laisser prendre !

— Les gens voient ce qu'on leur montre, dit-elle.

Sauf Kyle, qui avait pris la peine de regarder plus attentivement.

— En tant que femme, reprit-elle, je n'étais d'aucune utilité à Chenqua, alors Verity Montgomery a disparu de la surface de la terre.

— Comme Jin Kang disparaît aujourd'hui.

Elle se détendit, heureuse de constater qu'il comprenait rapidement le dilemme qui avait été le sien durant tant d'années.

— Il y a encore autre chose, monsieur Elliott.

Elle ouvrit sa main gauche pour lui montrer l'anneau celtique.

— Kyle m'a épousée en prison la veille de sa mort. J'ai cru qu'il perdait l'esprit, mais il a dit qu'en Écosse, il suffisait de se jurer fidélité. J'ignore si c'était légal, cependant, c'est ce qu'il souhaitait.

— Et vous aussi, je suppose? dit doucement Gavin.

Son intuition eut raison de la volonté qui la maintenait debout depuis la mort de Kyle. D'immenses sanglots douloureux la secouèrent, et elle se détourna, humiliée par ce manque de dignité, mais incapable de se dominer.

Elliot la prit dans ses bras comme si elle était une enfant.

— Ça a été dur pour vous, petite, chuchota-t-il. Mais c'est fini, vous êtes en sécurité.

Curieux comme il la traitait différemment maintenant qu'il la savait femme et à demi écossaise. Bien qu'il se fût toujours montré courtois envers Jin Kang, il offrait à Verity la tendresse d'un grand frère, et elle se laissa aller dans ses bras, pleurant toutes les larmes de son corps la perte de l'homme le plus merveilleux du monde. L'homme qu'elle avait aimé et à peine eu le temps de connaître.

Quand ses larmes furent enfin taries, elle se dégagea et vit que Gavin avait également les yeux humides. Il n'avait pas perdu seulement un associé, mais aussi un ami.

Il ne tarda pas à se ressaisir.

— Je vais commander des rafraîchissements. On dirait que vous n'avez rien avalé depuis des semaines. Qu'aimeriez-vous?

— Du thé et n'importe quoi qui se mange! répondit-elle en se laissant tomber avec lassitude dans un fauteuil pendant qu'il sonnait un domestique.

Il s'assit en face d'elle.

— Excusez mon indiscrétion, mais avez-vous une chance de porter l'enfant de Kyle?

— Non, hélas!

Elle ferma les yeux. La nuit où elle en avait eu la preuve, elle avait sangloté jusqu'à l'aube.

— Je suis navré, pourtant, cela rend la situation plus facile, dit-il. La famille Maxwell ne discutera pas le mariage si vous ne représentez pas de danger pour elle. Et s'ils se montraient réticents, eh bien, je vous considérerais comme l'héritière de Kyle, ce qui signifierait que vous posséderiez un quart de la société Elliott.

Elle sursauta.

— Je... je n'y avais jamais pensé !

— Vous aviez des préoccupations plus importantes. Si les Renbourne refusent de vous accepter en tant que Lady Maxwell, vous aurez suffisamment de revenus grâce à la société Elliott pour vivre à l'abri du besoin. Et plus encore.

— Cela me semble... excessif, compte tenu du fait que nous avons été mariés à peine une journée.

— Maxwell vous a épousée afin d'assurer votre avenir, alors ne refusez pas ce qu'il jugeait bon de vous offrir. J'ai l'intention d'ouvrir un bureau à Londres. Comme associée vivant en Angleterre, vous avez toutes les raisons de le diriger. En outre, vous connaissez parfaitement la Chine.

Verity se prit la tête entre les mains. Tout cela allait si vite ! De petite employée insignifiante, elle devenait brusquement partenaire d'une puissante compagnie américaine.

— C'est un choc pour vous, devina Elliott. Mais vous aurez cinq ou six mois pour vous préparer à tenir le rôle de la veuve de Lord Maxwell. Chaque chose en son temps.

Chaque chose en son temps...

— Il faut que je me commande des vêtements européens. Je n'ai que ce que je porte sur moi.

— Qui mérite d'être brûlé au plus vite ! Je connais une couturière qui habille les Européennes. Elle s'occupera de vous.

Un serviteur apporta une collation que Verity dévora de bel appétit tandis que Gavin sirotait une tasse de thé.

— Peng m'a dit que vous partiez dans deux jours pour Singapour, dit-elle quand elle se fut restaurée.

Elliott fronça les sourcils.

— Je le crains. Je peux sans doute retarder mon départ de vingt-quatre heures, mais pas davantage.

— Il est inutile que vous bousculiez vos plans pour moi, fit-elle avec un sourire amer. Je suis habituée à me débrouiller seule.

— Mais ce n'est plus la peine maintenant. C'est pour cela que Kyle vous a épousée.

Au bord des larmes, Verity se resservit du thé.

— Le plus important est de s'arranger pour récupérer son corps afin qu'il soit enterré en Angleterre. Je pense que le mieux est de s'adresser à M. Boynton, puisqu'il dirige la Compagnie des Indes en Chine.

— Bonne idée. Il a de l'influence sur le vice-roi. J'irai dès cet après-midi lui raconter toute l'histoire. Kyle était un aristocrate, et la Compagnie coopérera volontiers. Chenqua est-il au courant ?

Verity secoua la tête.

— Il faut lui en parler, reprit Elliott.

Il avait raison. Verity avait essayé de composer une lettre durant le long retour de Feng-tang. Si elle n'avait guère apprécié le rôle que Chenqua lui avait imposé, elle devait reconnaître qu'il s'était toujours comporté honorablement avec elle, et elle lui était reconnaissante de ce qu'il avait fait. Si elle le craignait un peu, elle éprouvait également pour lui respect et affection.

— Je lui écrirai avant de quitter Macao.

— Bien entendu, vous allez demeurer ici durant mon voyage à Singapour, dit Elliott, l'air pensif. Il y a au port un navire anglais qui prend la mer au début de la semaine prochaine. Juste le temps pour vous d'acquérir une garde-robe.

Le plus tôt serait le mieux. Elle avait hâte de quitter la Chine et ses fantômes. Elle se leva.

— Avez-vous une chambre d'ami prête à m'accueillir ? Je suis épuisée.

— Bien sûr !

Il sonna un domestique et l'accompagna jusqu'à la porte du salon.

— N'hésitez pas à appeler si vous avez besoin de quoi que ce soit.

Elle eut un sourire un peu tremblant.

— Vous êtes gentil. Kyle a été très bon pour moi quand il m'a épousée par pitié.

Gavin lui releva le menton, et il y avait une étonnante chaleur dans son regard quand il déclara doucement :

— Il ne vous a pas épousée par pitié, Verity Montgomery.

Sur ces mots, il la remit entre les mains du majordome et se rendit aux bureaux de la compagnie.

Soulagée de n'être plus seule à porter le fardeau de la mort de Kyle, Verity se laissa tomber sur son lit sans même se déshabiller.

Elle dormit vingt heures d'affilée.

Bien que Verity eût vécu quinze ans dans la demeure d'un homme riche, elle n'en avait jamais vraiment profité. En quelques jours, Elliott organisa sa nouvelle vie avec une rapidité et une efficacité époustouflantes. Lorsqu'il partit pour Singapour, une journée plus tard que prévu, il lui avait réservé son billet pour Londres, sa garde-robe était en bonne voie, il avait donné ordre à sa banque londonienne de remettre à Verity la somme correspondant aux bénéfices dus à Kyle. Verity se sentait merveilleusement prise en charge.

La couturière fut déçue quand elle insista pour choisir des couleurs neutres et sombres pour ses tenues européennes, mais Verity voulait avoir l'air respectable lorsqu'elle rencontrerait la famille de Kyle.

Ses obligations personnelles étaient plus difficiles à mettre en œuvre. Elle commença par écrire à Chenqua une lettre dans laquelle elle lui expliquait ce qu'elle avait fait et annonçait la mort de Lord Maxwell. Elle le suppliait de lui pardonner sa désobéissance, sans toutefois proposer de reprendre sa vie auprès de lui à Canton. Elle avait payé trop cher le prix de sa liberté pour y renoncer maintenant !

Puis elle se rendit au cimetière protestant où ses parents étaient enterrés. C'était un jardin paisible, clos de murs. Son père avait participé à son achat qui était indispensable, car l'autre cimetière chrétien était catholique, or ni les Chinois ni les catholiques ne voulaient accueillir les corps des protestants.

Hugh Montgomery n'avait pas envisagé d'y reposer lui-même. Il parlait plus volontiers des collines écossaises et des terres de sa famille. Cependant, il était sûrement heureux de se trouver dans le pays exotique où il avait passé la plus grande partie de sa vie d'homme.

— Au revoir, papa, murmura-t-elle en déposant des fleurs sur la tombe. En ton honneur, je jure de me rendre en Écosse. Je... j'aurais aimé que nous y allions ensemble.

Sa ravissante mère était officiellement chrétienne, mais elle avait aussi vénéré les dieux de son pays.

— J'ai fait faire une plaque avec ton nom et celui de papa, lui dit Verity, et je l'honorerai toute ma vie, ainsi ton esprit n'aura jamais faim ni soif.

Elle alluma des bâtonnets d'encens qu'elle posa à la tête de la pierre tombale avec un panier d'oranges, puis elle sortit du cimetière, sachant qu'elle n'y reviendrait jamais.

Enfin, elle longea la petite péninsule de Macao jusqu'à la Grande Muraille qui avait été érigée afin d'empêcher les Européens de poser le pied en territoire chinois. De son propre choix, elle se coupait irrévocablement de sa terre natale.

Elle contempla le mur un long moment avant de tourner les talons.

Qu'il en soit ainsi.

29

Feng-tang, Chine
Été 1832

Ce jour-là, Kyle allait être exécuté... de nouveau. Il priait pour que cette fois fût la bonne !

Il s'était préparé à périr sous les armes du préfet, et avait été stupéfait de se trouver debout tandis que la fumée filait dans le vent. Il se demanda vaguement s'il était mortellement blessé, mais trop atteint pour sentir la douleur.

Puis il avait regardé Wu Chong et, à la cruelle satisfaction qui se peignait sur son visage, il avait compris. Les fusils étaient chargés à blanc ! Cette parodie d'exécution était une forme de torture mentale particulièrement perverse.

Kyle était encore tout raide contre le mur lorsque le gros marchand, Wang, s'était approché, tête baissée, honteux.

— Wu Chong a consulté un devin qui a dit pas être bon moment pour tuer *Fan-qui*. Après nouvelle lune, exécution faite dans style chinois.

— Une décapitation ?

— Rapide, pas douloureux, assura Wang.

Kyle aurait préféré les balles.

Rassemblant ce qui lui restait de dignité, il avait suivi les gardes qui le raccompagnaient à son cachot en le bourrant de coups de poing avant de le jeter sur la paille humide.

Trois semaines avant la nouvelle lune !

Afin de ne pas devenir fou, il s'obligeait à faire des exercices physiques. Pour son cerveau, il revint méthodiquement sur tout ce qu'il avait appris à Cambridge, en commençant par le premier trimestre de la première année. Philosophie, mathématiques, les classiques latins et grecs. Incroyable comme un homme se souvenait, lorsqu'il n'avait que cela à faire !

Il essayait de ne pas penser à Verity, ni à sa patrie, car c'était beaucoup plus pénible que de réciter des passages de l'*Odyssée*. Mais il ne parvenait pas à contrôler ses rêves. La nuit, Constancia dormait près de lui, tiède et aimante, ou bien Verity, douce, sincère, passionnée. D'autres fois il pêchait avec Dominic, il chevauchait à travers les collines de Dornleigh en compagnie de sa sœur et de son père.

Le réveil était une descente aux enfers.

Il était certain que la seconde exécution ne serait pas feinte. Après tout, la décapitation était la méthode préférée des Chinois, et l'on disait qu'ils y étaient experts.

Toutefois, malgré les affirmations de Wang, l'idée était particulièrement déplaisante, et Kyle eut plus de mal que la première fois à garder un visage impassible quand on l'amena dans la cour. Heureusement, sa barbe avait poussé, masquant l'expression de son visage.

Quand il fut forcé de s'agenouiller devant le bourreau, il pensa à Hoshan et à la sérénité qui l'avait envahi dans ce lieu de culte. Malgré cela, les battements de son cœur couvraient presque le roulement des tambours lorsque l'épée se leva.

Un courant d'air frais lui effleura le visage tandis que la lame se plantait dans le sol à quelques centimètres de sa tête. Il s'attendit à un second coup au moment où il se croyait presque sauvé, mais Wu Chong était plus subtil que cela.

Une fois encore, on le raccompagna dans sa cellule nauséabonde. Il faisait une chaleur étouffante, en cette époque de mousson, et les murs ruisselaient en permanence, saturant l'air d'humidité.

Chaque nuit, Kyle faisait une entaille sur le mur en se demandant combien de temps il faudrait pour que le préfet se lasse de son petit jeu et y mette fin une bonne fois pour toutes.

Il fut décidé, par respect pour les coutumes occidentales, que la troisième exécution serait une pendaison. Kyle ne s'en souciait guère, car il était atteint de malaria. Comme il l'avait pressenti dès le début, la prison était un véritable bouillon de culture, et sa robuste santé ne suffit pas à le protéger.

Cela commença par des frissons qui le secouaient malgré la chaleur ambiante. Puis, indifférent, il vit ses ongles bleuir, ses doigts prendre une pâleur cadavérique.

Les frissons furent suivis par une fièvre dévorante et il en vint à se frotter le visage contre les murs suintants dans l'espoir de se rafraîchir un peu. Ses muscles se tétanisaient, il avait mal jusqu'à la moelle des os. Le garde qui lui apportait son repas se contenta de lui donner un coup dans les côtes avant de le laisser à son misérable sort.

Une douzaine d'heures après l'apparition des premiers symptômes, il connut une sorte d'accalmie et il en profita pour manger son riz et boire autant d'eau que possible. Souvent, la malaria frappait avec une régularité d'horloge, et il lui fallait garder des forces pour la prochaine crise.

Les frissons revinrent en effet, suivis de la fièvre, en un cycle infernal. Trop malade pour marquer les jours sur le mur, il en perdit le compte. Parfois, lorsqu'il tremblait de froid, il imaginait que Verity le réchauffait de son corps. Quand il transpirait, il sentait ses mains fraîches sur son front… Puis il retournait à l'horreur de sa cellule.

Il fallut qu'on le porte jusqu'à l'échafaud, pourtant, il parvint à se tenir droit pendant qu'on lui passait la corde autour du cou. Dans quelques minutes, son supplice prendrait fin.

Désolé, Dominic, je ne rentrerai pas comme je te l'avais promis.

Mais le bourreau était un amateur, et l'exécution une simulation. Au lieu de le laisser tomber assez bas pour que le cou se brise, comme l'aurait fait un bon maître d'œuvre anglais, il laissa Kyle pendu jusqu'à ce qu'il s'évanouisse. Alors on coupa la corde.

Difficile d'être arrogant quand on était vautré à terre en train de vomir tripes et boyaux, mais Kyle fit de son mieux. Wrexham aurait été fier.

Déçu que sa proie n'en ait plus pour longtemps, Wu Chong fit signe qu'on le ramène dans sa prison.

Comme sa crise de fièvre quotidienne s'emparait de lui, Kyle parvint à se consoler vaguement en songeant que Verity et les siens croyaient qu'il avait eu une mort rapide et propre.

Il avait voulu voir le monde, et il se trouvait confiné entre quatre murs de pierre avec pour seuls compagnons la maladie et le désespoir.

— Buvez.

Kyle se débattit tandis qu'on essayait de lui faire avaler une amère potion. Si même ses rêves devenaient des cauchemars, la mort serait une bénédiction.

— Buvez !

Il toussa, cracha, se réveilla à demi et s'aperçut qu'un Chinois bien vêtu essayait de le faire boire. Médicament ? Poison ? Comme il s'en moquait, il avala, et perdit de nouveau conscience.

Il eut vaguement la sensation qu'on le portait, qu'il voyageait dans une charrette. Les longs trous noirs étaient ponctués par quelques instants d'éveil fiévreux.

Quand il reprit enfin totalement ses esprits, il se trouvait dans un lit délicieusement propre. Il était entouré de paravents de bois sculptés, de tentures de soie, il y avait sur un guéridon un vase de porcelaine avec une seule fleur parfaite. Il se trouvait dans la maison d'un riche Chinois. Pas Wu Chong, tout de même ?

Une vieille servante se pencha sur lui, puis elle quitta la pièce. Quelques minutes plus tard, une autre femme arrivait, âgée également, mais vêtue en maîtresse de maison. Comme elle posait sur son front une main fraîche, Kyle parvint à murmurer :

— *Tai-tai* ?

Il avait la voix éraillée, mais elle sourit de voir qu'il reconnaissait son rang. Elle lui fit boire une potion toujours aussi amère, cette fois cependant il reconnut le quinquina. Il s'agissait d'un produit rare et cher, en provenance d'Amérique du Sud, extrêmement efficace contre la malaria.

Quand il se réveilla de nouveau, la servante qui le veillait sortit pour revenir un instant plus tard accompagnée de Chenqua, le chef du Cohong. Kyle comprit enfin.

— Mes respects, seigneur Chenqua. Je pense que vous m'avez sauvé la vie, et c'est plus que je ne mérite.

— Certainement ! rétorqua sèchement le Chinois. Vos crimes me coûtent bien des taels d'argent, mais votre mort m'en aurait coûté davantage encore.

Kyle ferma les yeux. Il avait l'impression d'avoir cinq ans, quand son père le réprimandait.

— Je suis désolé. Je n'aurais pas dû pénétrer en Chine, pourtant... je voulais tellement voir Hoshan !

Un peu adouci, Chenqua reprit :

— C'est compréhensible, mais stupide !

— Suis-je à Canton ?

Chenqua acquiesça.

— Va-t-on m'emprisonner de nouveau, maintenant que je suis guéri ?

— Non. Vous irez à Macao, et de là en Angleterre. Wu Chong prétend qu'il n'a jamais eu l'intention de vous tuer, seulement de vous garder en prison le temps qu'il avertisse Pékin de votre capture... très lentement. Et il est impossible de prouver qu'il ment.

Ainsi, Wu Chong ne serait pas puni pour son abus de pouvoir. Si Kyle était mort des fièvres, cela aurait été dommage, mais il n'en aurait pas été responsable. Les fausses exécutions n'étaient que de petites représailles, bien plus anodines que ce que méritait le *Fan-qui*, dirait la version officielle. Il n'y aurait pas d'incident diplomatique, mais simplement un Britannique qui aurait bafoué la loi et que le gouvernement chinois avait la clémence de renvoyer chez lui.

— Comment avez-vous entendu parler de ma capture ?

— Par la Compagnie, ainsi qu'une lettre de Mei-Lian.

Donc, Verity lui avait une fois encore sauvé la vie, et Chenqua devait être plus ou moins au courant de leurs relations. À présent, elle ne devait pas être loin de l'Angleterre. Sa famille subirait de longs mois de deuil avant d'apprendre qu'il était vivant, mais Kyle n'y pouvait rien. Pourvu que son père n'en meure pas de chagrin ! Jamais il ne se le pardonnerait.

— Je vous rembourserai tout ce que je vous ai coûté, dit-il à Chenqua.

— Non. Vous allez rentrer chez vous et vivre avec le remords de ce que votre folie a coûté.

— Vous êtes dur, dit Kyle, gravement.

— Toujours.

Chenqua se leva, hésita un moment avant d'ajouter :

— Vous m'avez volé ma meilleure interprète. Jurez que vous prendrez soin d'elle.

— Je le lui ai déjà juré.

Kyle essayait de décrypter l'expression du marchand. Qu'avait représenté Verity pour lui ? Pas une fille, pas vraiment une amie, mais il avait éprouvé de l'affection pour elle, c'était certain.

— Avez-vous un message pour Mei-Lian ? demanda Kyle.

— Dites-lui... que nos séances de *kung fu* me manquent.

— Comptez sur moi.

Chenqua parti, Kyle, épuisé, retomba sur le matelas. Sa grande aventure s'était terminée dans l'humiliation et il avait frôlé la mort. Cela en valait-il la peine ?

Il avait subi des mois de souffrance, la douloureuse conscience de sa propre stupidité, une maladie qui le tarauderait pendant des mois, voire des années. Il avait également contracté un mariage qui devait durer quelques heures, pas toute une vie. En essayant d'aider Verity, il l'avait trahie.

Il était un fieffé imbécile !

30

Shropshire, Angleterre
Début du printemps 1833

Verity arrêta sa monture en haut de la colline qui dominait la longue allée d'accès à Warfield. Elle contemplait le ciel d'un bleu pâle et les timides bourgeons qui pointaient.

— Je commence à croire qu'il peut exister un été en Angleterre, dit-elle.

Meriel, à côté d'elle, éclata de rire.

— Je ne puis vous reprocher d'en douter, mais le printemps est bel et bien en route. C'est la période de l'année que je préfère, quand la nature se réveille.

— J'ai hâte de voir vos jardins dans toute leur splendeur !

— J'aimerais aussi que vous m'aidiez à composer un jardin à la chinoise, rétorqua Meriel, les yeux brillants.

Dominic avait également tiré sur ses rênes, mais il ne se mêla pas à la conversation. Il était préoccupé, absent, bien qu'il eût suggéré lui-même cette promenade. Meriel et lui étaient d'excellents cavaliers, cependant ils s'adaptaient volontiers au rythme plus modeste de Verity, qui avait fait des progrès mais appréciait toujours la docilité de Cannelle.

Les mois avaient passé depuis son arrivée en Angleterre, et il était temps qu'elle quitte son refuge. Il fallait qu'elle se rende en Écosse, comme elle l'avait promis sur la tombe de son père. Ensuite seulement elle déciderait où elle voulait vivre.

— Il serait bon que je discute avec Dominic pour connaître la réalité de mes finances. Je suppose que j'ai de quoi m'acheter une petite maison.

— Bien davantage ! s'écria Meriel. Mais vous feriez mieux de rester ici. Les enfants vous adorent, Dominic et moi également.

Verity secoua la tête en souriant.

— Je ne peux vivre chez vous définitivement.

Meriel jeta un coup d'œil à son mari et fronça les sourcils. Il n'avait visiblement rien écouté.

— Quelque chose vous tracasse, Dominic ?

Il sursauta, tiré de sa rêverie.

— Excusez-moi. J'avais d'étranges pensées en tête.

Il hésita un instant avant de continuer avec peine :

— Je... je continue à imaginer que Kyle va franchir les grilles du parc. J'en ai encore rêvé la nuit dernière. C'est absurde, je sais, mais... je ne peux m'en empêcher.

Meriel lui prit la main, le regard plein de compassion. Verity comprenait la difficulté qu'avait Dominic à accepter la disparition de son jumeau, car elle était aux prises avec les mêmes fantasmes. Elle rêvait souvent que Kyle revenait et annonçait en riant que sa mort n'était qu'un malentendu, qu'il se portait à merveille. Alors elle se jetait dans ses bras... À partir de là, le rêve devenait tellement précis qu'elle rougissait rien que de se le rappeler.

— Si nous allions jusqu'au château ? proposa Meriel afin d'alléger l'atmosphère. Par une si belle journée, nous devrions y avoir une vue magnifique.

Ils se mettaient en route quand les grilles de Warfield s'ouvrirent au loin devant un attelage. Verity avait appris à reconnaître différents types de véhicules, et celui-ci ne ressemblait pas à celui d'un voisin venu en visite, mais plutôt à la chaise de poste qui l'avait amenée dans le Shropshire.

Dominic émit un son étranglé, puis il lança sa monture au triple galop. Meriel l'imita aussitôt.

Que se passait-il ? Verity les suivit à une allure plus raisonnable. Était-ce un parent cher ? Pourtant, la voiture n'était pas celle de Wrexham, ni celle de Lucia et de son mari, elle les aurait reconnues.

Dominic arrivait sur la route où il fit signe au cocher d'arrêter, puis il sauta à bas de son cheval et se précipita sur la portière qu'il ouvrit à la volée. Une mince silhouette en sortit, tombant pratiquement dans les bras de Dominic.

Dieu, c'était impossible! *Impossible!*

Le cœur battant, Verity éperonna sa jument qui se lança dans un galop effréné tandis qu'elle s'accrochait désespérément au pommeau de la selle.

Impossible mais vrai! Hagard, Kyle serrait dans ses bras un Dominic en larmes.

Avant même d'avoir arrêté convenablement Cannelle, Verity sauta à terre, puis elle s'immobilisa, hésitant à interrompre les deux frères.

— Ce n'est pas possible, murmura-t-elle.

— Vous ne l'avez pas vraiment vu mourir, observa Meriel.

C'était indiscutable. Verity avait entendu la sentence, elle avait aussi entendu les coups de fusil, elle avait vu la fumée monter vers le ciel, cependant elle n'avait pas assisté à l'exécution. Et, miraculeusement, Kyle était là, épuisé, décharné, mais vivant. Vivant!

Il se tourna enfin vers les femmes, soutenu par le bras de son jumeau. Il n'était guère difficile de les différencier, à présent. L'un éclatait de santé tandis que l'autre semblait sorti tout juste d'un lit de douleur.

Le désir que Verity avait de l'embrasser s'évanouit quand elle croisa le regard vide de Kyle. Dieu, il n'avait pu l'oublier! Ou alors – pire – il ne voulait plus la voir?

Puis un léger sourire incurva ses lèvres.

— Verity. Je suis heureux que vous ayez pu arriver jusqu'ici.

Au moins l'avait-il reconnue. En Angleterre comme en Chine, les démonstrations publiques étaient mal considérées. Même des gens aussi unis que Meriel et Dominic se montraient réservés en présence de tiers.

— Je... je vous croyais mort, monseigneur.

— Je n'ai jamais vraiment pensé que tu avais disparu, Kyle! déclara Dominic, radieux. Pourtant, j'aurais dû, après avoir entendu le récit de Verity.

— J'ai bien failli. Mais Wu Chong a un curieux sens de l'humour. Il adore les parodies d'exécution. Grâce aux messages de Verity à Chenqua et à la Compagnie des Indes, on m'a enlevé de Feng-tang avant que la malaria ne m'emporte.

Kyle s'écarta de son frère et faillit tomber. Dominic le rattrapa de justesse.

— Tu as l'air d'un mort vivant.

— Ce n'est pas à ce point, Dom ! marmonna Kyle qui cependant vacillait. La malaria est une maladie longue à guérir, mais je suis sûr que Verity saura la soigner.

— J'en suis certain aussi, mais pour l'instant, nous allons rentrer à la maison. Je viens avec toi. Meriel, vous voulez bien ramener mon cheval ?

Sans attendre la réponse, Dominic aida son frère à monter dans la chaise de poste où il prit place auprès de lui.

C'était la maladie qui rendait Kyle si distant, se dit Verity. Il était épuisé par son long emprisonnement et le voyage de retour en Angleterre. En outre, on ne se remettait pas aisément de la malaria.

Néanmoins, elle souffrait profondément lorsqu'elle mena Cannelle vers un rocher afin de se remettre en selle. Il l'avait traitée comme une vague connaissance, pas comme une épouse chérie.

Ce que signifiait le retour de Kyle la frappa brusquement. Il lui avait proposé le mariage afin de la protéger, il n'avait pas véritablement souhaité qu'elle fût sa femme. Elle avait été sa maîtresse, et sans la condamnation à mort, elle n'aurait jamais été davantage.

Meriel était déjà sur sa monture.

— Ne soyez pas troublée par le lien qui unit Kyle à Dominic, dit-elle gravement. Cela ne nous enlève rien, ni à vous ni à moi. Au contraire, leur intimité les rend plus aptes à aimer leurs épouses.

Verity déglutit, ne sachant si elle devait se réjouir ou déplorer que Meriel fût aussi intuitive.

— Peut-être que leurs liens ne vous enlèvent rien, parce que Dominic vous aime. Kyle et moi... c'est différent.

Meriel remontait l'allée, tenant le cheval de son mari par la bride.

— Différent, oui, puisque vous n'avez pas eu l'occasion de vous connaître dans des circonstances normales. Mais vous l'aimez, et jamais il n'aurait suggéré de vous épouser s'il ne tenait sincèrement à vous. Pour l'instant, il est épuisé. Soyez patiente.

Verity n'avait pas d'autre solution. Mais comme elle suivait sa belle-sœur, elle se rappela ses rêves, quand son mari revenait miraculeusement et qu'elle lui tombait dans les bras en pleurant. Quelle folle elle avait été !

Le mariage contracté dans de louables intentions devenait une véritable catastrophe.

Kyle s'éveilla en sueur d'un cauchemar atroce pour trouver un tiède corps de femme contre lui. À la lueur de la chandelle, il vit un nuage de cheveux bruns répandus sur son épaule. Tout habillée, Verity était allongée près de lui au-dessus des couvertures. Elle avait dû le veiller, puis décider de prendre un peu de repos.

Kyle fit appel à toute sa volonté pour s'empêcher de rouler sur elle et de la prendre dans ses bras. Non par passion – tout désir était mort en lui à Feng-tang. Mais par un besoin désespéré de se raccrocher à elle, surtout quand les immondes images venaient le torturer.

Durant le long voyage de retour vers l'Angleterre, il avait eu tout le temps de penser à Verity. Si leur mariage avait été parfaitement légal, ils n'auraient pas eu le choix : ils auraient dû s'en accommoder. Mais là, la légalité de leur union était pour le moins discutable, ce qui signifiait que Kyle avait le devoir de la libérer d'une obligation qui n'était prévue que pour quelques heures. Elle souhaitait – et elle le méritait – avoir le choix de sa vie.

Toutefois, maintenant qu'elle avait été, en privé comme en public, acceptée en tant que Lady Maxwell, il serait bien difficile de dénouer ces liens sans causer de scandale.

Il avait espéré qu'elle ne se trouverait pas à Warfield. Dans l'idéal, elle aurait annoncé sa mort à Dominic, puis elle serait partie en Écosse et il n'aurait pas été confronté à la tentation de la revoir.

Il avait été troublé de la voir avec son frère et sa belle-sœur, si belle, si anglaise dans sa tenue d'équitation, qu'il ne l'avait pas reconnue immédiatement. Le timide Jin Kang et la séduisante Mei-Lian avaient disparu et, sans ses yeux fendus à l'orientale, il aurait pu croire que c'était une élégante amie de Meriel.

Il déplia un plaid qui se trouvait au pied du lit et en couvrit la jeune femme. À cet instant, il eut le vif souvenir de ses rires joyeux quand ils faisaient l'amour. Mais la passion et la joie semblaient avoir existé pour un autre homme. Dorénavant, il était un étranger pour elle, et pour lui-même.

Il avait essayé de ne pas la réveiller, pourtant les cils de Verity battirent, et elle leva sur lui des yeux inquiets.

— Dominic est resté avec vous jusqu'à ce que Meriel l'oblige à me laisser la place. Vous sentez-vous mieux, monseigneur ?

— Beaucoup mieux.

L'appréhension de la jeune femme faisait peine à voir. Il fallait absolument qu'il la rassure, qu'il lui dise qu'il n'avait aucune intention de l'obliger à respecter un marché qu'elle n'avait pas souhaité.

— Je suis désolé, Verity, j'ai tout gâché. Dans mon arrogance, j'ai pensé que je pourrais visiter Hoshan et rentrer à Macao sans encombre. Au lieu de ça, vous avez failli être tuée, j'ai causé beaucoup de souffrances à ma famille, j'ai coûté une fortune à Chenqua et j'ai fait perdre la face aux négociants européens. Tout cela parce que je refusais d'entendre raison.

— Ce qui est fait est fait, dit-elle, raisonnable. Racontez-moi ce qui s'est passé.

Il décrivit brièvement les fausses exécutions, s'en tenant strictement aux faits. Même des mois plus tard, il ne supportait pas de parler de son humiliante et dramatique situation. Surtout pas à Verity.

— Alors, Chenqua vous a sauvé ?

— Oui, mais cela a pris du temps. Rien ne pressait, au début, puisqu'on me croyait mort, aussi le vice-roi ne s'est-il pas dépêché d'intervenir. Dès que Chenqua a appris que j'étais en vie, il a envoyé son fils aîné, ainsi que son médecin personnel et une petite troupe au cas où Wu Chong ferait la mauvaise tête.

Kyle eut un sourire ironique.

— Apparemment, le préfet a parfaitement coopéré. Bien sûr, ils pouvaient emmener le diable étranger. Il avait d'ailleurs écrit à Pékin afin de demander des instructions – il avait dû envoyer le message à dos d'âne, à mon avis –, mais si le vice-roi voulait prendre la responsabilité du prisonnier, Wu était ravi de la lui confier. Naturellement, j'ai appris tout cela bien plus tard.

— Et Chenqua ?

— Il m'a réprimandé comme si j'étais un écolier turbulent et il a refusé que je lui rembourse l'amende qu'il avait payée à cause de moi.

— Était-il furieux contre moi ?

Verity gardait un visage impassible.

— Il a dit qu'il regrette vos séances de *kung fu*, fit Kyle avant d'ajouter, sachant combien c'était important pour elle : Je crois qu'il était désolé de vous perdre. Et pas seulement parce que vous lui étiez utile. Il n'était pas en colère, seulement... triste. Et il espère que vous serez heureuse.

Elle se détendit visiblement.

— J'en suis soulagée.

— Avez-vous eu des problèmes, après avoir quitté Feng-tang ?

— Aucun. Gavin Elliott a été merveilleux, et toute votre famille s'est montrée bonne envers moi. Même le vieux dragon, votre père.

— Le vieux dragon ? Ça lui va bien ! Au fait, il devrait arriver d'un moment à l'autre. À peine en Angleterre, je lui ai envoyé un message, ainsi qu'à ma sœur.

Il aurait dû se rendre d'abord à Dornleigh, mais il ne l'avait même pas envisagé. Le lien qui l'unissait à son frère était infiniment plus fort que ses relations souvent tendues avec le comte. Plus fort même que le sens du devoir.

Verity enfouit le visage dans son cou.

— Que va-t-il se passer, maintenant ?

— Du diable si je le sais ! Ce qui paraissait évident dans une prison chinoise semble une véritable folie en Angleterre, répondit Kyle qui fixait le plafond sans le voir. Le problème est de vous rendre votre liberté sans créer de scandale.

Elle se pétrifia.

— Vous souhaitez mettre fin à notre mariage ?

Il ne s'agissait pas de ce qu'il souhaitait mais de ce qu'il *devait* faire.

— Un monde de possibilités s'ouvre à vous, dit-il en choisissant soigneusement ses mots, tandis que je... eh bien, je n'ai jamais eu l'intention de me remarier, et je ne crois pas avoir l'étoffe d'un bon époux. Vous méritez mieux.

— Quelle noblesse d'esprit ! ironisa-t-elle.

Il rit, pour la première fois depuis des mois.

— Ce n'est pas de la noblesse. Je suis en pleine confusion, mais j'essaie de me conduire le mieux possible. Toutefois, continua-t-il, incapable de résister à la tentation, puisque vous n'êtes pas pressée, nous pouvons attendre que j'aie repris des forces et que vous ayez décidé de ce que vous voulez faire. Vous devez être encore sous le choc de ma résurrection miraculeuse.

Elle acquiesça, et il caressa doucement la chevelure soyeuse.

— Je suis navré. Il n'aurait servi à rien que j'écrive, je serais arrivé en même temps que la lettre.

— Cela, je le comprends, dit-elle d'une voix froide. Pour le reste... je suppose que vous ne voulez pas que nous... nous comportions comme mari et femme pendant que vous réfléchissez à la meilleure façon de nous séparer.

Il tressaillit. Se doutait-elle que, s'ils redevenaient amants, il craignait de n'avoir jamais le courage de la laisser partir ? Il se réfugia dans l'humour.

— Quand vous aurez vu Dornleigh, c'est vous qui aurez hâte d'annuler notre mariage. C'est la plus sinistre demeure d'Angleterre.

— Mais c'est la vôtre.

— Une punition pour mes péchés, sans doute ! Je dois avouer, ajouta-t-il avec un peu de dérision, que j'ai tout de même envie d'y retourner. C'est long, sept ans d'absence.

Assez long pour réaliser tous ses rêves... et qu'il n'en reste rien.

31

Dornleigh se montra à la hauteur de sa réputation. Découpé contre le ciel lourd de pluie, il aurait pu porter sur son fronton : « Vous qui entrez ici, abandonnez tout espoir. » Verity se détourna de la vitre, ne sachant pas si elle devait se réjouir que le triste voyage fût enfin fini, ou déplorer que leur destination fût aussi rébarbative que Kyle le lui avait annoncé.

Elle était assise face à son mari et à son beau-père dans le luxueux carrosse de voyage de Wrexham, et ils partageaient cet espace depuis deux longues journées en évitant tout contact.

La dernière quinzaine avait été épuisante pour tout le monde. Lord Wrexham était arrivé à Warfield Park deux jours après le retour de l'enfant prodigue, et une heure avant Lady Lucia. Malgré son attitude bourrue, le comte était agité comme une mère poule qui vient de retrouver son poussin égaré. Kyle acceptait toute cette attention avec courtoisie bien qu'il eût préféré, Verity en était certaine, davantage d'intimité.

Cependant, son opinion avait peu d'importance. Depuis le jour où Kyle était arrivé et où il avait eu sa chambre à lui, elle se sentait moins son épouse que lorsqu'on le croyait mort. Personne n'était déplaisant vis-à-vis d'elle, on ne suggérait pas que sa présence était superflue dans cette réunion de famille, pourtant elle avait l'impression d'être… inutile. Durant les longs jours et les interminables nuits, elle ne cessait de se répéter que l'indifférence de Kyle ne concernait pas qu'elle.

La seule compagnie qu'il accueillît volontiers était celle de son frère. Dominic, de son côté, était irrité et impatient avec tous sauf avec Kyle, et Verity se disait que le *chi* circulait entre eux, que l'énergie de Dominic se communiquait à son frère. Mais peut-être n'était-ce là que le fruit de son imagination. Dans l'Angleterre prosaïque, les croyances de son pays natal ressemblaient à des superstitions.

Heureusement, Meriel n'avait absolument pas changé d'attitude, et elle se chargeait d'occuper Verity avec les enfants, l'équitation, la préparation des serres en prévision du printemps.

Mais à Dornleigh, elle n'aurait plus Meriel à ses côtés. Au bout de dix jours, il fut décidé que Kyle était suffisamment remis pour retourner dans le berceau de la famille. Wrexham avait hâte de l'y ramener, comme si cela rendait son retour plus réel. À moins qu'il n'eût envie de séparer les jumeaux et de profiter de Kyle tout seul. Verity avait la désagréable impression qu'elle n'entrait pas du tout dans les plans du comte.

Cependant elle prenait son mal en patience et se contentait de souhaiter que la situation s'améliore avec l'état de santé de Kyle. Elle s'habillait, parlait, se comportait comme une parfaite lady, espérant obtenir ainsi l'approbation de Wrexham. Parfois, elle sentait sur elle le regard étonné de Kyle, comme s'il la reconnaissait à peine, et elle se doutait qu'il était surpris de la voir imiter si facilement le comportement d'une jeune femme bien née. Elle avait toujours eu une grande capacité d'adaptation, et sa mère était infiniment raffinée.

Comme l'attelage s'arrêtait devant l'immense bâtisse, un valet de pied se précipita pour ouvrir la portière et déplier le marchepied. Verity sortit avec bonheur sous la pluie. Elle aurait adoré passer deux jours seule avec Kyle, mais la présence de Wrexham avait tout gâché. Et sans doute le comte éprouvait-il le même sentiment à son égard. Quant à Kyle... il avait peut-être été soulagé que toute conversation privée lui fût épargnée.

Dans le grand hall glacial et sinistre, une armée de serviteurs attendait l'honneur de saluer le retour de l'héritier. Kyle passa aimablement dans leurs rangs tandis que Verity demeurait à l'écart, invisible pour qui ne cherchait pas à la voir. À sa grande surprise, quand

Kyle eut terminé de passer son personnel en revue, il vint la prendre par le bras et la présenta.

— Voici mon épouse, Lady Maxwell.

Une étincelle d'espoir s'alluma en elle devant cette reconnaissance publique, puis elle vit le comte pincer les lèvres d'un air désapprobateur. Tandis que la gouvernante la menait à ses appartements, Verity se promit de nouveau d'être patiente et de se comporter, quoi qu'il arrive, en épouse irréprochable.

En dehors de cela, elle ne pouvait que prier et espérer.

Au bout d'une semaine passée à Dornleigh, Verity avait compris pourquoi Kyle s'était enfui. L'harmonie, le *feng shui*, était épouvantable – mélange de désordre, de surcharge dans certains endroits, de vide intégral dans d'autres –, et l'atmosphère en général désespérante.

Peut-être cela convenait-il à son époux, qui errait dans la vaste demeure tel un fantôme. Il se montrait courtois mais tellement lointain dans les rares moments où ils se parlaient qu'il semblait ailleurs. De toute évidence, il souffrait d'un malaise plus profond qui n'était pas seulement dû à la maladie et à la fatigue. Son esprit avait subi une grave blessure. Il ne restait plus rien de la curiosité, de l'appétit de vivre qu'il manifestait lorsque Verity avait fait sa connaissance. Il n'était plus qu'une coquille vide.

Elle mourait d'envie de l'aider, mais ne savait comment, et craignait de s'y prendre mal. Elle avait déjà de la peine à garder le moral, enfermée dans ce mausolée durant une semaine de pluie incessante.

Elle lisait, elle explorait le manoir, elle s'entretenait avec les domestiques. Mais par-dessus tout, elle attendait un geste d'encouragement de la part de son époux. C'était à lui de faire le premier pas.

Comment se sortirait-il de la grande réception que Wrexham projetait de donner le lendemain afin de fêter le retour de son fils ? Tout ce qui comptait dans la région avait été invité. Kyle connaîtrait tous les convives, pourtant une telle manifestation serait épuisante. Verity, que cette perspective terrifiait, avait décidé qu'elle resterait dans sa chambre. Elle ne manquerait à personne.

Ce matin-là, justement, le soleil fit son apparition. Comme elle brossait ses cheveux, elle se réjouit du spectacle qu'offraient les collines du Northamptonshire. La pluie avait provoqué une explosion de verdure sur laquelle s'épanouissait le jaune brillant des jonquilles. Elle comprenait pourquoi Kyle avait voulu revenir – non pour la triste maison mais pour ce somptueux paysage.

Elle nouait ses cheveux en chignon sur la nuque lorsqu'elle eut brusquement envie d'aller chevaucher avec Kyle. Comme la goutte de Wrexham l'empêchait de monter à cheval, son mari et elle jouiraient d'une heure ou deux d'intimité. Peut-être retrouveraient-ils un peu du plaisir qu'ils avaient pris à être ensemble en Chine.

Enthousiasmée par ce projet, elle sonna Bessy, sa caméristе, et lui demanda sa tenue d'équitation. Si Kyle refusait son invitation, elle irait se promener seule. Elle manquait cruellement d'exercice physique.

Après Hoshan, elle avait d'abord été trop occupée à rentrer à Macao, puis elle avait été enfermée dans une étroite cabine sur le bateau. À Warfield, elle avait parfois envisagé de se remettre au *kung fu*, mais de telles activités ne convenaient guère à l'élégante Lady Maxwell.

Verity avala rapidement une tasse de thé et un toast à la marmelade. Elle parvenait à affronter les repas principaux avec Kyle et son père, cependant elle tenait à prendre son petit déjeuner seule dans sa chambre afin d'échapper un peu à l'atmosphère pesante de la maison.

Aidée de Bessy, elle enfila son costume d'équitation d'un bleu sombre auquel des galons dorés donnaient un petit air militaire du plus charmant effet.

Elle releva le bas de sa jupe d'amazone et descendit l'escalier le cœur léger. Peut-être Kyle apprécierait-il suffisamment la promenade pour avoir envie d'un autre genre d'exercice...

Elle se reprocha ces pensées osées, qui pourtant lui revenaient souvent à l'esprit. Kyle était sûrement trop las pour songer à cela, mais pour elle, c'était une torture permanente de ne pouvoir le toucher, se jeter dans ses bras, l'embrasser, éveiller sa passion.

Chaque chose en son temps.

— Savez-vous où se trouve Lord Maxwell, Hawking ? demanda-t-elle au majordome.

— Dans le bureau, je crois, madame. Belle journée pour une promenade, je suis certain que Lord Maxwell appréciera.

— Je l'espère.

Le majordome, qui avait toujours vécu à Dornleigh, nourrissait une profonde affection pour son jeune maître, et Verity avait l'impression d'une entente tacite entre le vieux serviteur et lui.

Le bureau était une pièce confortable adjacente à la bibliothèque. Avec sa cheminée, sa table de travail et plusieurs vastes fauteuils de cuir, c'était la plus accueillante des pièces communes. Il serait agréable d'y lire le soir, avec Kyle.

Elle traversa la bibliothèque et allait frapper à la porte du bureau lorsqu'elle entendit des voix. Celle de Wrexham, bourrue.

— Nous voilà enfin tous les deux, Maxwell. Tu ne peux pas m'éviter indéfiniment.

— Vraiment ? rétorqua légèrement Kyle. Pourtant, je ne m'en suis pas si mal sorti, jusqu'à présent.

Les deux hommes ne pouvaient la voir, et Verity se demanda si elle devait les laisser parler affaires. Mais la journée était si belle, et Kyle avait tant besoin de grand air, de soleil !

Un fauteuil grinça sous le poids de Wrexham.

— Quand vas-tu enfin régler la situation avec cette fille ?

Verity se pétrifia.

— Je présume que vous voulez parler de mon épouse, rétorqua Kyle, sur la défensive.

— Ce n'est pas ton épouse. Cette ridicule cérémonie aurait été irrégulière même en Écosse. En Chine, elle n'avait pas la moindre signification. Donc, tu peux la répudier et chercher une femme convenable.

— Bien que sa légalité soit discutable, nous avons tous les deux considéré que cette cérémonie nous liait l'un à l'autre.

— C'était ta maîtresse, et je ne te le reproche pas, car elle est belle fille, mais jamais tu ne te serais livré à cette parodie de mariage si tu n'avais pensé que tu mourrais le lendemain.

— Il est vrai que c'est la condamnation à mort qui m'en a donné l'idée, mais là n'est pas la question. Je me suis uni à elle en toute bonne foi, je ne peux pas la renvoyer maintenant.

— Tu le peux, et tu le feras ! J'étais disposé à l'accepter comme ta veuve, mais certainement pas comme la prochaine comtesse de Wrexham.

— Pourquoi ?

— Pour l'amour du Ciel, ne joue pas les imbéciles ! Elle est chinoise, et je refuse qu'un futur comte de Wrexham ait les yeux bridés.

Tremblante, Verity se laissa tomber dans un fauteuil. Tous ses efforts pour se comporter en lady avaient été vains. Pour Wrexham, son sang mêlé pèserait toujours plus lourd dans la balance que ses qualités de cœur ou d'intelligence.

— Logiquement, rétorqua Kyle avec une pointe d'ironie, vous devriez être mort bien avant que cet hypothétique enfant assume l'honneur de votre rang. J'ai promis à Verity de la protéger, je lui ai volontairement donné mon nom. Quel comte de Wrexham serais-je donc si je reniais ma parole sous prétexte que les choses ont pris un tour inattendu ?

Il n'avait parlé ni d'amour ni de passion, pas même d'amitié. Pour lui, elle n'était qu'une obligation. Un fardeau.

— Comme elle t'a aidé à sortir de prison, il n'est pas question de la renvoyer purement et simplement, concéda Wrexham. Tu peux te permettre d'être généreux. Une rente de deux mille livres par an fera d'elle une femme riche. Elle pourra aller à Londres et prendre autant d'amants qu'il lui plaira. Tu n'étais pas le premier, tu ne seras pas le dernier.

Verity se cacha le visage dans les mains tandis que Kyle répondait, glacial :

— L'honneur et la vertu de Verity sont irréprochables, et je ne supporterai pas qu'elle soit insultée, ni par vous ni par quiconque. Me suis-je bien fait comprendre ?

Verity se dit vaguement que ces phrases auraient dû la consoler, mais une fois de plus, il parlait de devoir, pas de tendresse.

Incapable d'en supporter davantage, elle laissa les deux hommes se disputer et monta se réfugier dans sa chambre. Elle se jeta sur son lit, roulée en boule, les bras serrés autour d'elle.

Son mariage avait pris fin. Mariage ? Même pas. Alors qu'elle avait vraiment eu l'impression qu'il était son mari, jamais il ne l'avait réellement considérée comme sa femme. Elle n'était qu'un encombrant souvenir de voyage.

Même s'il avait encore eu envie d'elle, il n'aurait pu y avoir de mariage face à la désapprobation irrévocable de Wrexham. Kyle regimbait, mais il finirait par céder, obéir à son père. Il n'y avait pas de place à Dornleigh pour elle, et puisqu'ils n'étaient pas légalement mariés, elle n'avait aucune raison de rester.

Et puis elle ne le voulait pas. Que Maxwell et son père aillent au diable ! Elle était une fille de l'Empire céleste et leur attitude prouvait que les *Fan-qui* étaient bien des Barbares. Plutôt mourir que de rester une minute de plus dans cette demeure ! Elle n'avait que faire de la pitié des Renbourne, ni de celle de personne, d'ailleurs.

Avec une rage comme elle n'en avait jamais connu, elle sonna sa femme de chambre et commença à faire ses bagages. La malle était trop lourde, mais elle possédait deux grands sacs de voyage. Dans l'un elle entassa une garde-robe de base, gardant l'autre pour ses précieux trésors chinois. Peut-être enverrait-elle plus tard chercher le reste de ses affaires. Les Renbourne seraient tellement contents d'être définitivement débarrassés d'elle qu'ils lui expédieraient volontiers sa malle.

Non. Elle disparaîtrait, tout simplement. Libéré de cette embarrassante pas-tout-à-fait-épouse, Kyle pourrait se marier avec une de ces fades jeunes filles blondes qui lui lançaient des coups d'œil enamourés après la messe à Warfield, et qui deviendraient un jour de grosses dames ennuyeuses.

Quand Bessy arriva, Verity ordonna :

— Aidez-moi à ôter ce costume et demandez une voiture.

La servante ouvrit de grands yeux en voyant les sacs de voyage.

— Madame ?

— Pas un mot à quiconque !

La jeune servante dévêtit sa maîtresse, puis elle sortit tandis que Verity enfilait une simple robe de matinée. Elle laissa la tenue d'équitation en tas par terre.

La courtoisie exigeait qu'elle rédigeât une explication, et elle était certainement mieux éduquée que ces diables étrangers. Elle écrivit simplement quelques mots : *Lord Maxwell – Votre famille et vous-même souhaitez être débarrassés de moi. Votre vœu est exaucé.* Elle signa Mei-Lian en caractères chinois.

Un sac dans chaque main, elle descendit l'escalier et regarda par une fenêtre latérale. La voiture était bien là. Une fois dehors, elle demanda au cocher de la conduire au plus proche relais de poste.

Comme Bessy, le brave homme resta bouche bée.

— Madame ?

Elle lui lança son regard froid de *tai-tai* contrariée, et il se hâta de charger les bagages dans la voiture avant de l'aider à y monter.

Lorsque le véhicule se mit en route, elle se laissa enfin aller, la tête appuyée à la banquette de velours. C'était fini. Elle n'était qu'une maîtresse qui quittait son amant, et qui aurait dû le faire depuis longtemps.

Avec l'argent que Kyle lui avait donné au début de leur expédition et les fonds fournis par Gavin Elliott, elle aurait de quoi vivre plusieurs mois. Elle se rendrait en Écosse. Peut-être trouverait-elle à Édimbourg une société d'import-export qui embaucherait une secrétaire parlant chinois. Et sinon, ce serait à Londres. Gavin voudrait-il toujours d'elle, maintenant qu'elle était l'ancienne maîtresse de son associé au lieu de sa veuve ? Si ce n'était pas le cas, tant pis. Elle se débrouillerait toute seule.

Les yeux secs, elle lança un dernier coup d'œil à Dornleigh. Elle avait désiré que Lord Maxwell l'aide à se rendre en Angleterre, elle avait obtenu cette satisfaction, ainsi que de quoi vivre le temps de trouver une situation. Ils avaient tous les deux respecté leur marché, et il ne restait plus rien entre eux.

Rien du tout.

32

Kyle s'était efforcé jusque-là de ne pas accorder d'importance aux paroles de son père, mais il revint brusquement à la réalité lorsque celui-ci dépassa les bornes. Il serra les poings pour résister à l'envie de le frapper.

— L'honneur et la vertu de Verity sont irréprochables, et je ne supporterai pas qu'elle soit insultée, ni par vous ni par quiconque. Me suis-je bien fait comprendre ?

Wrexham en resta bouche bée.

— Comment oses-tu me parler sur ce ton ?

— Un homme a des devoirs envers son épouse plus encore qu'envers son père, déclara fermement Kyle. Vous semblez supposer que Verity n'est pas assez bien pour moi, alors qu'en réalité, c'est tout le contraire. C'est moi qui ne suis pas à la hauteur.

Le comte eut un geste exaspéré.

— Si tu y tiens, elle est pure comme la neige, et elle fait honneur au genre féminin. Mais ce n'est pas une épouse pour toi.

— Puisque vous ne voulez pas l'accepter comme belle-fille, je ne suis plus votre fils. Déshéritez-moi.

Wrexham était au bord de l'apoplexie.

— Tu sais très bien que je ne peux pas. Le titre et presque tout le domaine te reviennent. Les biens passent de fils aîné en fils aîné, et il doit en être ainsi.

Kyle lui lança un regard noir.

— Ce qui veut dire que je peux faire ce que je veux. Vous n'avez pas les moyens de m'en empêcher.

— En effet. Est-ce trop demander que de te voir te conduire en homme sage et honnête ?

Kyle se mit à arpenter la pièce, les tempes battantes. Il avait délibérément évité de se trouver seul avec son père, car il savait comment l'entretien se terminerait, or il se sentait incapable de résoudre le conflit entre ce qu'il devait à Verity et ce que son père pensait qu'il devait à la famille. Mais il ne pouvait plus esquiver le problème. Comment diable empêcher leur querelle de s'envenimer irrévocablement ?

Les relations de Kyle avec son père avaient toujours été un curieux mélange d'affection, de devoir et de tension. Le comte avait hérité d'un domaine au bord de la faillite et l'avait remis à flot à force de travail acharné. Il était devenu un maître juste et raisonnable, un consciencieux membre de la Chambre des lords, mais en ce qui concernait les siens, il se montrait terriblement protecteur et d'une rigidité étouffante.

Kyle s'efforça de se rappeler surtout les immenses qualités du comte, et il reprit plus doucement :

— Vous m'avez manqué, lorsque j'étais au loin, père. Je ne suis pas revenu pour que nous nous disputions de nouveau.

Le comte se crispa.

— Tu ne m'appelles jamais « père ».

— Alors, il en est sans doute temps. Votre opinion est importante pour moi, cependant, vous ne pouvez continuer à régenter ma vie comme vous le faisiez lorsque Dominic et moi étions enfants.

— Je ne régente pas ta vie ! Je... je veux seulement t'empêcher de faire des erreurs désastreuses.

Kyle ne put retenir un sourire. Son père était un véritable tyran, mais il était bien intentionné.

— Les erreurs aident à mûrir, elles font partie de l'éducation.

Son père sourit fugitivement en retour.

— Tu as sans doute raison, toutefois il est difficile de rester sans rien faire quand on voit ses enfants ruiner leur avenir.

— Comme quand, petit garçon, vous avez vu votre père ruiner la famille Renbourne ?

Wrexham se frotta le menton, pensif.

— Je... Peut-être. Je n'y avais jamais songé.

Durant les longs mois passés dans la prison de Wu Chong, Kyle avait beaucoup réfléchi, et compris un certain nombre de choses. Il était temps d'utiliser cette compréhension afin d'améliorer ses relations avec son père.

— Je doute que Verity et moi puissions construire un véritable mariage, mais le choix lui appartient. Si elle décide qu'elle sera plus heureuse sans moi, je lui dirai adieu et lui donnerai ma bénédiction.

En même temps, une violente douleur lui serrait le cœur à l'idée de la perdre.

— Si elle préfère rester Lady Maxwell, reprit-il, ce dont je doute, je l'épouserai de nouveau devant l'Église d'Angleterre, ainsi personne ne contestera la légalité de notre union. Et, je le répète, le choix lui appartient.

— Ne laisse pas tes obligations envers elle t'éloigner de ton devoir, Maxwell, dit son père avec tristesse. Vous serez tous les deux mieux l'un sans l'autre. Puisqu'elle est aussi parfaite, elle trouvera un bon mari, et, le moment venu, tu choisiras une épouse qui te convienne. Une qui saura se conduire en comtesse.

— Pourquoi n'aimez-vous pas Verity? Simplement parce qu'elle est à moitié chinoise? Le monde évolue, père. Lord Liverpool était quarteron d'Indien, et il est resté Premier ministre pendant quinze ans. La famille royale britannique a du sang africain dans les veines. À mesure que l'Empire s'agrandit, il va y avoir de plus en plus de mariages multiraciaux. Pourquoi les Renbourne n'en seraient-ils pas les pionniers?

Wrexham fronça les sourcils.

— Je ne peux pas dire que je ne l'aime pas, mais je ne veux pas de sang asiatique dans la famille. En outre, cette petite me met mal à l'aise. Elle est... trop docile. Trop insignifiante. Trop sournoise, secrète. Je sens qu'elle tourne dans sa tête des idées que je ne comprendrai jamais, et cela me dérange.

— Insignifiante, Verity? répéta Kyle, stupéfait, avant de repenser aux semaines écoulées.

Il était vrai qu'elle s'était faite discrète au point de devenir presque invisible, mais lui aussi.

— Je suppose que c'est parce qu'elle veut se comporter le mieux possible, la défendit-il, et qu'elle est dans une situation délicate. Mais je vous assure qu'elle n'est ni insignifiante ni sournoise. Elle est exceptionnelle, et c'est son passé qui la rend si particulière.

Il y eut un long silence.

— Tu as vraiment beaucoup d'affection pour elle, dit enfin le comte.

— Oui.

C'était peu dire, mais Kyle n'était pas prêt à admettre à quel point les sentiments qu'elle lui inspirait étaient profonds, et compliqués.

— Le destin a voulu que nous nous rencontrions, elle et moi. Si elle me quitte, qu'il en soit ainsi, mais si vous espérez que je vous donne des petits-enfants, ce seront ceux de Verity et de personne d'autre... Alors vous avez intérêt à prier pour qu'elle me quitte, ajouta-t-il avec un sourire sans joie.

Son père se leva avec peine.

— Je prierai pour que tu trouves l'apaisement. Cependant, peut-être est-ce trop demander.

Kyle fixa un moment la porte qui s'était refermée sur le comte. Cela ressemblait bien au vieux monsieur de terminer une discussion par des paroles de bon sens ! Avait-il toujours su combien son héritier était insatiable ?

Il resta longtemps dans le bureau, à réfléchir sur sa vie. Il était englué dans une sorte de marécage depuis son emprisonnement, hanté la nuit par des cauchemars, paralysé d'indécision. Pour le bien de sa famille, il fallait qu'il se ressaisisse.

Et pour celui de Verity, évidemment, qui avait montré une patience et une abnégation hors du commun. Il devait trouver le courage de lui rendre sa liberté plutôt que de la garder captive de Dornleigh à cause de son silence. Elle lui manquerait comme si on l'avait amputé d'un membre, mais il n'avait pas le droit de la garder ainsi en cage alors qu'il ne pouvait lui offrir ce qu'elle méritait.

Il s'aperçut soudain que le soleil brillait, et se dit qu'il serait plaisant d'aller se promener à cheval avec elle. Peut-être la conversation serait-elle alors plus facile.

Cela le ramena à Sheng, et il se demanda ce que l'âne était devenu. Il avait fini par s'y attacher, malgré son dos osseux !

Il sonna Hawking.

— Savez-vous où se trouve Lady Maxwell ? lui demanda-t-il. Je pense que nous pourrions profiter de cette belle journée pour monter un peu à cheval.

— Lady Maxwell ne vous a pas trouvé ? Elle avait la même idée, et elle vous cherchait, tout à l'heure.

— Vraiment ? Je ne l'ai pas vue, ce matin.

Kyle fut soudain horrifié. Si Verity était venue le chercher dans le bureau, et qu'elle ait entendu certains passages de sa conversation avec le comte...

Inquiet, il se rendit en hâte à la chambre de Verity, espérant ne pas la trouver en larmes.

Il frappa à sa porte et, n'obtenant pas de réponse, tourna doucement le bouton.

Ce qu'il découvrit était bien pire que des larmes ! La chambre avait été mise à sac, les tiroirs et l'armoire étaient béants, il y avait des vêtements épars sur le lit, par terre. Il était difficile de croire que la méticuleuse Verity vivait dans ce capharnaüm. D'ailleurs, visiblement, elle n'y vivait plus. Il sonna la cameriste.

Tandis qu'il l'attendait, il aperçut une note sur le manteau de la cheminée et lut : *Lord Maxwell – Votre famille et vous-même southaitez être débarrassés de moi. Votre vœu est exausé.*

Il froissait le papier dans sa main quand la servante entra.

— Monseigneur, dit-elle nerveusement en faisant la révérence.

— Savez-vous où est partie Lady Maxwell ? demanda-t-il d'une voix étonnamment ferme.

— Pas vraiment, monseigneur, mais elle a demandé une voiture.

— Celle de voyage, ou une plus légère ?

— Une calèche.

Kyle réfléchissait rapidement. Elle ne pouvait entreprendre un long voyage sans que le cocher discute ses ordres, donc, elle avait dû se rendre à Northampton, où elle pourrait prendre une diligence pour Londres. Non. Pas Londres. Elle irait sûrement en Écosse. Il avait d'ailleurs eu l'intention de l'y emmener, mais il n'avait pas trouvé l'énergie nécessaire pour mener son projet à bien.

Quoi qu'il en soit, il ferait mieux de se remuer, à présent ! Il alla enfiler une veste d'équitation et, comme il traversait le hall, il croisa son père.

— Vous avez de la chance, dit-il, acide. Verity a entendu des bribes de notre conversation, et elle est partie. J'espère la convaincre de revenir, mais je ne lui en voudrai pas si elle refuse.

— Sacredieu ! Ce n'était pas ce que je voulais ! Peut-être acceptera-t-elle plus facilement de revenir si je m'en vais. Le Parlement est en session, et je devrais être à Londres. Je ne peux pas partir avant la réception que je donne en ton honneur demain soir, mais je m'en irai dès le lendemain. Cela vous donnera le temps de mettre les choses au point, si c'est possible.

Kyle cligna des yeux, surpris par cette proposition.

— C'est très délicat de votre part. Je vous remercie.

Wrexham ébaucha un sourire.

— Je suppose qu'il vaut mieux des petits-enfants en partie chinois que pas de petits-enfants du tout.

Il s'éloigna en hélant bruyamment son secrétaire.

À l'écurie, Kyle sella un cheval bai assez semblable à Pégase. Malloy, le chef palefrenier qui avait appris aux jumeaux à monter à cheval, sortit d'une stalle alors qu'il serrait les sangles.

— Prêt pour un peu de rodéo, monseigneur ?

Ce n'était guère encourageant.

— Cet animal a-t-il des instincts meurtriers ?

— Non, répondit l'homme en riant. Nelson a seulement du caractère, mais vous l'apprécierez.

En effet, le cheval avait du caractère ! Dès que Kyle fut sur son dos, il se lança dans une série de ruades qui envoyèrent le cavalier à terre. Comme un lad venait calmer Nelson, Malloy se précipita vers son maître.

— Rien de cassé, monseigneur ?

Kyle le congédia d'un geste en pestant entre ses dents.

— Ça va.

Il s'épousseta et revint vers Nelson avec détermination. Il y avait plus d'un an qu'il n'était pas monté à cheval, il n'aurait pas dû l'oublier. Avec une monture comme celle-ci, il fallait montrer dès le départ qui était le chef. L'autorité avait toujours été une seconde nature, chez Kyle, mais en Chine il en avait perdu l'habitude.

Avec l'attitude d'un homme qui se sait le maître, il prit le cheval par les rênes et passa quelques minutes à le caresser sans se laisser repousser. Enfin, il se remit en selle, prêt à contrer ses mouvements hostiles.

Il parvint à l'immobiliser complètement, et Malloy le félicita.

— Je vois que vous n'avez pas perdu la main.

— Je suis un peu rouillé, mais pas tout à fait incompétent.

Kyle lança sa monture au grand galop en direction de Northampton.

Il ne doutait pas de retrouver Verity... Mais après?

33

Le plaisir de la chevauchée était un peu gâché par l'épuisement quand Kyle arriva à Northampton. La malaria avait miné ses forces aussi gravement que la prison avait anéanti son esprit.

Comme il avait coupé à travers champ, Verity n'avait pu arriver bien longtemps avant lui. Avec un peu de chance, il la trouverait au relais de poste. Et si elle était déjà partie... son physique exotique la rendrait facile à suivre.

Mais que diable allait-il lui dire ? Il avait essayé de l'éviter, comme il avait évité son père, et pour les mêmes raisons. Il savait que toute discussion avec elle serait un déchirement, et il ne s'était pas senti la force de le supporter. Naturellement, la situation avait empiré, entre-temps. Vu l'état de sa chambre à Dornleigh, elle était partie furieuse, et aussi cruellement blessée.

Le pire était qu'il *fallait* qu'elle parte, afin de pouvoir mener la vie dont elle avait rêvé. Elle n'était restée à Dornleigh, qu'elle détestait, que par fidélité, par courtoisie. Mais il ne supportait pas l'idée qu'ils se quittent ainsi, dans le chagrin et la colère.

Priant pour qu'elle fût là, il pénétra dans la cour du *George*, tendit les rênes de Nelson à un garçon d'écurie et entra dans l'établissement.

— Je suis Maxwell, dit-il à l'aubergiste. Est-ce qu'une belle dame à l'allure exotique est arrivée récemment ?

— Oui, répondit prudemment le propriétaire. Vous êtes en affaire avec elle, monsieur ?

— Je suis son mari.

— Ah ! Ainsi, elle n'est pas Mlle Montgomery, mais Mme Maxwell. Elle est dans un salon privé, où elle attend la diligence du nord. Par ici, monsieur.

Kyle suivit l'homme dans un petit salon meublé d'une table et d'une demi-douzaine de chaises. Verity picorait dans une assiette remplie de pain et de fromage. Quand Kyle entra, le sang se retira de son visage.

— Je suppose que vous avez entendu les propos sectaires de mon père, ce matin, dit-il tout de go. Je suis désolé.

Les yeux étincelants de rage, elle bondit sur ses pieds.

— Désolé ? Votre père me méprise, et vous me considérez comme une regrettable charge, comme un vieux chien de chasse qui ne rend plus aucun service. Je devrais sans doute m'excuser auprès des Renbourne de vicier l'air pur de Dornleigh !

— Mon père a dit des choses horribles, mais nous avons fini par trouver un terrain d'entente.

— Un terrain d'entente ! coupa-t-elle. Vous étiez d'accord pour dire que notre mariage n'était pas valide, et le seul problème était de savoir que faire de mon encombrante personne. Eh bien, je l'ai résolu. À partir de ce jour, je ne vous dérangerai plus.

Toute la douleur, toute la colère du monde passaient dans son regard.

Il fit un pas vers elle, incapable de supporter son tourment.

— Non, Verity ! Ce mariage était réel, pour moi, et j'ai cru que c'était le cas pour vous aussi. Je vous en prie... revenez à la maison, que nous puissions réfléchir ensemble à l'avenir.

— Je ne retournerai jamais dans cette horrible demeure !

Elle s'empara d'un couteau pointu.

— Plutôt mourir ! ajouta-t-elle.

— La situation n'est pas si dramatique, plaida Kyle.

— Vous ne comprenez rien ! cria-t-elle. Mais si vous voulez du drame, vous allez en avoir.

Elle dirigea la pointe du couteau vers sa gorge et se pencha en avant afin qu'elle pénètre dans sa chair.

Horrifié, Kyle plongea sur elle, lui saisit le poignet tandis qu'ils s'écrasaient tous les deux sur le tapis usé.

Comme elle se débattait, il la tint de façon que la lame soit tournée vers le sol. Elle luttait comme un démon.

— Allez au diable ! Allez tous au diable !

— Pour l'amour du Ciel, Verity, calmez-vous !

Elle était mince et robuste, capable de vaincre une demi-douzaine d'hommes, mais Kyle n'osait utiliser avec elle les ruses de combat qu'il avait apprises dans des endroits peu recommandables, de peur de la blesser. Il se contentait de la clouer au sol sous son poids.

— Comment en sommes-nous arrivés là, dit-il, alors qu'il y avait tant de tendresse entre nous ?

Elle cessa de s'agiter.

— C'est parce que vous regrettez de m'avoir rencontrée, murmura-t-elle en fondant en larmes.

— C'est vous qui avez toutes les raisons de le regretter.

Elle ne protesta pas quand il s'empara du couteau et le lança au loin avant de se relever pour la prendre sur ses genoux et la bercer.

— Jurez que vous ne recommencerez jamais, Verity. Mettre fin à vos jours n'est pas une solution.

— Mais à quoi me sert de vivre alors que je ne suis de nulle part ? À Canton, au moins, j'avais ma place, même si elle ne me plaisait pas.

La culpabilité rongeait Kyle.

— Si j'avais eu le moyen de me tuer, à Feng-tang, je l'aurais fait, ce qui aurait été une erreur. Ces derniers mois n'ont pas été agréables, mais ils étaient meilleurs que la prison de Wu Chong, et avec l'aide de Dieu, tout s'améliorera encore. Pour vous aussi.

— Mais vous, vous êtes chez vous. Moi, je ne le suis pas, et je ne le serai jamais.

Il caressait la chevelure brune aux reflets d'acajou.

— Je ne vous reproche pas de vouloir quitter Dornleigh. C'est un endroit sinistre, où je ne me suis pas montré sous mon meilleur jour, loin de là. J'en suis désolé. Mon devoir était de m'occuper de vous, j'ai échoué.

— Votre devoir ! s'écria-t-elle, toute son agressivité retrouvée. Nous ne nous devons rien l'un à l'autre. Je vous ai emmené à Hoshan, vous m'avez permis de venir en Angleterre. Nous avons l'un et l'autre respecté notre engagement, nous sommes désormais libres de suivre des chemins différents.

— Il y avait beaucoup plus que cela entre nous, lorsque nous étions sur la route, dit-il, la gorge serrée. Mais j'ai été stupide de croire que devenir amants serait aussi simple qu'il y paraissait.

Elle baissa ses beaux yeux gonflés de larmes.

— C'était simple. Jamais je n'avais songé au mariage, pourtant, après la cérémonie, j'ai... commencé à vous considérer comme mon époux. Alors que rien de tout cela n'avait de réalité, n'est-ce pas ? Vous aviez raison, personne n'avait de motif de contester notre union tant que l'on vous croyait mort. À présent, vous êtes vivant, et je n'ai jamais été votre épouse.

— La cérémonie était aussi réelle pour moi que pour vous. Sur le moment, j'ai pensé que c'était une merveilleuse idée.

Il lui effleura la joue, mais elle se déroba.

— Revenez à Dornleigh, ne serait-ce que quelque temps. Je ne supporte pas l'idée que nous nous séparions dans la fureur.

— Non. J'ai essayé, vraiment, mais je ne serai jamais une lady anglaise, parce que je ne suis qu'une catin chinoise.

— Je vous interdis de dire une chose pareille ! C'est laid, et c'est faux.

— Pas aux yeux de votre père.

— Il se trompe.

— Mais il est quand même votre père.

C'était indiscutable.

— Pourquoi diable tenez-vous tant à être une lady anglaise ? Je ne vous l'ai jamais demandé, Dominic et Meriel non plus, que je sache.

— J'ai été trop souvent méprisée à cause de mes particularités, murmura-t-elle. Je pensais qu'en Angleterre, on me remarquerait moins, mais je suis aussi étrangère ici que je l'étais en Chine.

Il prit ses mains dans les siennes.

— Certaines personnes haïssent les gens qui ne leur ressemblent pas, d'autres sont charmés et fascinés par ces différences. Lesquels préférez-vous avoir comme amis ?

Elle eut un petit hoquet surpris.
— Je... je n'ai jamais considéré la situation sous cet angle.
— C'est normal, puisque vous vous êtes toujours sentie étrangère. Je ne veux pas vous mentir, Verity. Partout en Angleterre, vous attirerez l'attention, mais vous verrez, la plupart des Britanniques sont assez tolérants. Où que vous choisissiez de vivre, vous vous ferez un cercle d'amis qui aimeront la femme exceptionnelle et attirante que vous êtes.
— Avec vous, cela paraît si simple !
— Pas simple, mais pas impossible non plus... Revenez à Dornleigh, et nous trouverons un moyen de vous rendre votre liberté sans ternir votre réputation.
Elle esquissa un sourire.
— Dornleigh a été dessiné par le diable afin d'opprimer les caractères.
— Alors, opérez des changements. Vous m'avez parlé de... *feng shui*, c'est bien cela ? L'harmonie des objets. Je vous donne l'autorisation de faire de Dornleigh une demeure agréable. En fait, j'en serai enchanté, car je crains bien d'être condamné à y finir mes jours.
— Je ne crois pas que Lord Wrexham approuve.
— Il vous donnera aussi son autorisation, je m'y engage. Il a d'ailleurs décidé de se rendre à Londres. Il partira le lendemain de la réception.
Elle se mordillait la lèvre, intriguée, puis elle secoua la tête.
— Quel intérêt ? Plus tôt je m'en irai, plus vite le scandale sera étouffé. Si je me rends en Écosse sous mon propre nom, qui se souciera de savoir que j'ai été temporairement Lady Maxwell ?
Il ne voulait pas qu'elle s'en aille, mais cette réaction égoïste n'était pas une raison suffisante pour lui demander de rester.
— Je crois avoir trouvé une façon de nous séparer sans que l'on trouve à y redire. À part ma famille, personne ne sait exactement ce qui s'est passé dans mon cachot, et ils n'en parleront certainement pas avec des étrangers. Nous nous sommes donnés l'un à l'autre selon une très ancienne cérémonie, mais il existe une autre coutume écossaise, le mariage à l'essai.

— Le mariage à l'essai ?

— Oui, afin de savoir si deux personnes sont faites l'une pour l'autre. Au bout d'un an et un jour, les partenaires peuvent se quitter s'ils le désirent.

— Et s'il y a un enfant ?

— Le père doit le prendre financièrement en charge. Souvent, le couple décide de s'unir définitivement, mais lorsque ce n'est pas le cas, ils peuvent se séparer sans honte.

— Les Écossais ont de drôles de coutumes en ce qui concerne le mariage ! ironisa Verity. Mais comment cela pourrait-il nous servir ?

— Nous dirons que j'ai voulu vous aider à sortir de Chine et que j'ai fait de vous Lady Maxwell « à l'essai ». Un an et un jour après, vous êtes libre de vous en aller. En même temps, cela expliquera pourquoi on vous a présentée comme Lady Maxwell. Nous n'avons pas... cohabité, aussi est-il facile de dire qu'il s'agissait d'un mariage de convenance.

— Vous avez l'esprit retors, Lord Maxwell.

— Merci.

— Ce n'était pas un compliment.

— L'année a été rude, rétorqua-t-il. Je prends les compliments là où je les trouve.

Comme il discernait sur ses lèvres une ombre de sourire, il lui prit la main et l'aida à se lever.

— Cette version des événements n'est peut-être pas tout à fait exacte, poursuivit-il, mais elle est assez proche de l'esprit qui a présidé aux faits, et elle fournit une explication qui laisse votre réputation intacte.

— Je ne suis pas assez importante pour avoir besoin d'une « réputation », pourtant votre idée me paraît plus respectable qu'un faux mariage.

— Cela veut-il dire que vous reviendrez à Dornleigh jusqu'à ce que se soient écoulés un an et un jour ? Pensez au plaisir que vous prendrez à transformer ce mausolée en demeure vivable !

Elle plissait les yeux, songeuse.

— J'imagine que je tiendrai jusque-là. M'emmènerez-vous en Écosse pendant cette période ? Ce sera plus facile avec vous.

Si elle voulait rechercher des gens de sa famille, Lady Maxwell serait mieux accueillie que Mlle Montgomery.

— Avec plaisir, mais nous devrons attendre quelques semaines que le temps s'améliore. Quand nous serons là-bas, j'aimerais vous emmener dans notre domaine des Highlands. Vous en apprendrez autant sur l'Écosse qu'avec les histoires que vous racontait votre père.

— Si j'accepte de revenir avec vous, ce ne sera pas en tant que convenable lady anglaise, l'avertit-elle. J'ai passé une partie de ma vie à faire semblant, et j'en suis lasse à mourir.

— Je vous comprends. J'ai dû parcourir la moitié du monde pour apprendre qui j'étais réellement. Vous en avez fait autant, alors peut-être est-ce à Dornleigh que vous découvrirez votre vraie nature. Et je vous en prie, ajouta-t-il en lui serrant davantage la main, promettez-moi de ne plus essayer de vous blesser.

Elle eut un petit sourire malin.

— J'aurais détourné la lame au dernier moment, mais il fallait que je fasse quelque chose pour montrer... combien j'étais furieuse.

— Vous y êtes parvenue ! J'ai dû attraper une poignée de cheveux blancs ! Bien que je n'aie pas le charme de Dominic, jamais une femme n'a tenté de se suicider rien que pour m'échapper ! C'est très dur pour mon amour-propre.

— Vous trouvez votre frère plus charmant que vous ?

— Absolument. Il a un caractère plus souple, alors que j'ai un peu de la raideur de mon père. Mais je ferai des efforts.

— Sage résolution. La maison n'est pas la seule à avoir besoin d'améliorations, fit-elle avec un regard en coin.

Elle sortit de la pièce, lui laissant le soin de prendre les sacs. D'insignifiante et presque impalpable, elle était devenue affirmée, imprévisible. Kyle se demanda comment elle allait évoluer, maintenant qu'elle avait cessé d'être ce que l'on attendait d'elle.

Il suspectait qu'elle serait encore plus fascinante qu'elle ne l'était déjà.

34

Il était bien difficile de renoncer, se dit Verity une fois revenue à Dornleigh. Elle avait nourri le secret espoir que Kyle déciderait qu'il l'aimait et qu'il la voulait pour femme si elle faisait suffisamment d'efforts, si elle se montrait respectable, serviable, effacée.

Mais elle avait bien vite déchanté car, de toute évidence, il n'avait jamais envisagé la possibilité de rester marié. Il l'appréciait, il lui voulait du bien, il se sentait une certaine responsabilité vis-à-vis d'elle, mais il ne souhaitait pas l'avoir comme épouse.

Quelle chance avait eue Constancia d'être aimée par un homme aussi fidèle !

Puisqu'elle n'avait plus d'espoir, du moins Verity se sentait-elle désormais totalement libre. Hormis Kyle, elle se moquait complètement de ce que les gens pouvaient penser d'elle, car bientôt elle ne serait plus là. Le jour de son retour à Dornleigh, elle salua froidement Wrexham, sans plus se soucier de déférence, puisqu'il l'avait jugée et condamnée pour des faits auxquels elle ne pouvait rien changer.

Il détourna les yeux. Il semblait regretter ce qu'il avait dit à son fils, mais il ne fit pas mine de s'en excuser. Sans doute ne savait-il pas comment s'y prendre ! Elle admirait presque son manque d'hypocrisie. Il la méprisait, il pensait qu'elle allait gâcher la vie de son héritier, point final.

Dieu merci, il partait pour Londres ! Elle s'arrangerait pour ne pas être là quand il reviendrait ; cela ferait deux heureux.

Ironie du sort, depuis le retour de Kyle, elle avait désespérément essayé d'être anglaise, pourtant, elle s'était surprise à se comporter avec la docilité et la soumission d'une femme chinoise. Assez de tout cela ! Désormais, elle agirait comme une Écossaise à la personnalité affirmée ! Elle commencerait par accepter son héritage asiatique, et que ses détracteurs aillent au diable !

Elle aimait bien l'idée de laisser derrière elle une légende bizarre au sujet de la folle épouse chinoise qu'un Renbourne avait ramenée de ses voyages en Orient. Elle se transmettrait de génération en génération, devenant plus extravagante au fil du temps.

Le lendemain de son retour, elle se leva à l'aube, revêtit une tunique et un large pantalon qu'elle avait rapportés de Chine, et traversa la maison endormie pour se rendre dans le parc. Les massifs et les plates-bandes rectilignes n'avaient certes pas le charme des jardins de Chenqua ou de Meriel, mais les fleurs printanières sortaient de terre, la nature frémissait. Ce serait encore une belle journée.

Elle commença ses exercices de *tai chi* et s'aperçut qu'elle avait perdu la forme ! Elle était raide, ses muscles étaient atrophiés par le manque d'entraînement. Si Chenqua était là, il n'en ferait qu'une bouchée !

Elle eut un pincement au cœur à la pensée qu'ils ne s'exerceraient plus jamais ensemble. Bien qu'elle eût toujours été un peu mal à l'aise avec lui, ils partageaient une relation très particulière qui resterait exceptionnelle pour l'un comme pour l'autre. *Merci, honorable Chenqua, d'avoir trouvé dans votre maisonnée une place pour la petite métisse.*

Elle tenta de visualiser le *chi* qui montait de la terre dans ses membres. Ce fut difficile au début, puis elle sentit peu à peu l'énergie l'envahir. Le *chi* était réel, quoi qu'en pensent les Anglais matérialistes. La pulsion vitale existait partout, et la force et l'harmonie étaient tributaires de son équilibre.

Après une heure d'exercices de plus en plus durs, elle se retrouva hors d'haleine, mais en accord avec elle-même, pour la première fois depuis des mois. Elle avait été stupide d'interrompre l'entraînement.

Elle prit un bain puis elle se rendit à la salle à manger prendre son petit déjeuner, ce qui ne lui était encore jamais arrivé. Il y avait une quantité impressionnante de mets sous des cloches d'argent, et elle s'était suffisamment dépensée pour apprécier un solide repas.

Elle avait presque terminé quand Kyle entra et se servit une tasse de café.

— J'avais entendu dire que vous étiez là. Puis-je me joindre à vous ?

— Comme il vous plaira.

Il n'était plus question qu'elle le regarde avec des yeux d'épagneul triste, d'autant qu'il ne le remarquait jamais.

Mais elle ne put s'empêcher de l'observer pendant qu'il emplissait son assiette. Il était encore très maigre et, ce jour-là, il se déplaçait avec quelque difficulté.

— Vous semblez courbatu, dit-elle.

— En effet. Je suis monté à cheval trop longtemps. En outre, Nelson m'a désarçonné avant même que je quitte l'écurie.

Il prit une chaise en face d'elle.

— J'allais vous proposer de faire une promenade à cheval, hier, quand j'ai appris que vous aviez eu la même idée avec les conséquences regrettables que nous savons.

— Pas regrettables. Plutôt... instructives.

Kyle changeait maladroitement de position sur son siège.

— Mieux vaut que j'évite de monter pendant un jour ou deux, mais voulez-vous que nous allions galoper un peu à la fin de la semaine ? J'aimerais vous montrer le domaine et renouer connaissance avec les lieux moi-même.

Exactement ce qu'elle avait souhaité la veille ! C'était plutôt cocasse, cependant, elle savait qu'elle prendrait plaisir à la promenade.

— Volontiers, si vous possédez dans vos écuries une monture qui ne mettra pas un point d'honneur à me jeter à terre.

— Cela doit pouvoir s'arranger. La maison va être sens dessus dessous, aujourd'hui, avec la réception de ce soir. Vous y assisterez, n'est-ce pas ?

— Je ne vois aucune bonne raison de m'y rendre. Je ne suis pas ici pour toujours, et je ne tiens pas à ce que l'on me regarde comme une bête curieuse.

— Mais si vous ne venez pas, on aura l'impression que nous cachons quelque chose, car tout le voisinage a entendu parler de vous, maintenant. En fait, c'est l'occasion idéale pour commencer à expliquer que nous sommes mariés à l'essai, et non de façon permanente. Plus il y aura de gens qui connaîtront la version officielle, plus vite elle sera acceptée.

Il eut un sourire qui monta jusqu'à ses yeux pour ajouter :

— Je serais heureux de votre présence.

Maudit soit-il ! Il allait de nouveau la transformer en épagneul ! Mais sa requête était raisonnable.

— Très bien. Je viendrai le temps que vous m'exhibiez.

— Et nous pourrons nous éclipser quand nous en aurons assez.

Certes. Mais ils s'éclipseraient séparément, pas ensemble.

Le soir, Verity prit tout son temps pour se baigner, laver et sécher ses cheveux. La plupart des invités étaient déjà arrivés quand elle commença, bon gré mal gré, à s'habiller. Elle porterait la robe lavande qu'on lui avait fait faire pour le bal de Noël à Warfield.

Bessy la sortit respectueusement de l'armoire.

— Comme vous allez être belle, madame !

Verity caressa la soie en se rappelant cette soirée. Elle avait eu peur, mais tout s'était bien passé, finalement. Il faut dire qu'elle s'était sentie la bienvenue, alors. Ce soir, ce serait bien différent.

Elle se souvint aussi de ce que Jena Curry lui avait dit : « Ne renoncez pas à votre part chinoise. En devenant seulement anglaise, vous perdriez votre richesse. »

Verity n'avait pas tenu compte de ce conseil tant elle avait envie de se fondre dans la famille Renbourne. Pourtant, ce ne serait jamais le cas, Lord Wrexham l'avait clairement décrété ! Elle avait sottement imaginé que le cadeau qu'il lui avait fait alors était une marque de reconnaissance, bien que Meriel eût précisé que c'était au nom de Kyle.

Que Lord Wrexham aille au diable ! Elle abandonnait l'idée de lui plaire, et son mariage avec Kyle était bel et bien terminé. Ce soir, elle serait ce qu'elle avait toujours eu envie d'être : une grande dame chinoise.

— J'ai changé d'avis.

Elle sortit les cadeaux que Kyle lui avait offerts à Canton et que Bessy n'avait pas encore vus, car Verity les avait rangés elle-même.

Sous-vêtements, pantalon large, bijoux, maquillage furent posés sur le lit, suivis par la magnifique tunique écarlate brodée de fleurs et de papillons. Heureusement, elle n'était pratiquement pas froissée.

Bessy osait à peine la toucher.

— Oh, madame ! C'est une toilette chinoise ?

— Oui, et je vais la porter ce soir.

— Je... je ne saurai pas vous aider à vous habiller, s'inquiéta Bessy.

— Ce ne sera pas la peine. Les vêtements asiatiques sont beaucoup plus faciles à enfiler que ceux des Européennes.

Après avoir mis les sous-vêtements et le pantalon, Verity passa la tunique, ferma les boutons de l'épaule aux genoux. Elle contempla un instant son image dans le miroir, fascinée. Une femme en robe de mariée qui n'était pas une vraie épouse. Elle réprima un petit soupir.

— Qu'en pensez-vous, Bessy ?

La jeune fille ouvrait des yeux comme des soucoupes.

— Vous êtes magnifique ! Mais le pantalon... N'est-ce pas un peu osé, sur une femme ?

— Pas en Chine.

Verity s'assit à la coiffeuse et sourit en se rappelant sa réaction devant le décolleté de la robe lavande. À présent, elle était dissimulée jusqu'au cou, et bien plus à l'aise qu'elle ne l'avait été corsetée à l'européenne.

Elle tordit habilement sa chevelure en un chignon dans lequel elle planta ses épingles à têtes d'or.

Puis elle ouvrit un coffret de maquillage en laque où les palettes avaient une forme de lotus. Elle fut un instant tentée d'utiliser le fond de teint très blanc en vogue à la cour impériale, mais elle y renonça de peur de choquer, et préféra souligner ses lèvres, ses pommettes, ses sourcils.

Elle attacha à son cou le double rang de jade, déposa un peu du parfum que Kyle lui avait offert au creux de sa gorge et de ses poignets. Comme l'odeur envoûtante envahissait la pièce, elle attrapa un éventail et se tourna vers Bessy.

— Croyez-vous que je vais faire scandale ?

La domestique secoua la tête.

— Ils n'auront jamais vu pareille beauté, madame.

— Parfait !

Le sourire aux lèvres, bien décidée à séduire tous les invités, Verity se dirigea vers l'escalier.

Bien qu'il fût agréable de retrouver de vieux amis et connaissances, c'était aussi fatigant. Terriblement fatigant. Pourtant, il faudrait que Kyle reste jusqu'à la fin de la soirée, car le comte, pris d'une crise de goutte, serait obligé de se retirer de bonne heure. Heureusement, il ne s'agissait pas d'un bal à proprement parler, cependant on danserait, on jouerait aux cartes et on bavarderait devant des assiettes bien garnies et des verres bien remplis.

Une jeune fille blonde s'avançait vers lui. Il connaissait la famille, mais pas chaque membre en particulier, car Lord Hamill avait plusieurs filles, toutes également blondes et jolies.

— J'ai parié avec mes sœurs que vous ne sauriez pas qui je suis, dit-elle, hardie. Voulez-vous me prouver le contraire ?

— Vous êtes l'une des ravissantes demoiselles Hamill, répliqua Kyle en se torturant le cerveau.

— Ça, c'est facile. Laquelle ? insista-t-elle, coquette.

— La plus ravissante, naturellement.

Elle lui tapota le bras de son éventail.

— Astucieux, mais cela ne me suffit pas. Autrefois, vous connaissiez mon prénom. Je vous donne un indice : nous nous suivons par ordre alphabétique.

Elle avait une vingtaine d'années, donc elle devait être encore au couvent lorsque Kyle avait quitté l'Angleterre. C'était sans doute la cadette. « Voyons... Anne, Barbara, Chloe, Diana... »

— Vous êtes Éloïse !

— Bravo ! Cela valait la peine de perdre mon pari pour assister à une telle démonstration de mémoire et d'intelligence.

Elle battait des cils, mutine, et Kyle se sentit soudain très vieux.

Où diable était Verity ? Avait-elle changé d'avis, et renoncé à paraître ?

Soudain, il entendit des murmures étonnés autour de lui et se retourna. Il eut l'impression que son cœur s'arrêtait de battre quand il la vit sur le seuil. Grande, élancée, dans sa tenue rouge et or, elle avait l'air d'un magnifique oiseau exotique parmi des pigeons. Sa coiffure révélait son cou mince, et son expression énigmatique faisait d'elle une femme mystérieuse et fascinante.

Elle s'éventait nonchalamment en parcourant l'assistance du regard, et elle haussa imperceptiblement les sourcils en voyant Éloïse Hamill près de Kyle. Oubliant l'existence de la jeune fille et les bonnes manières, Kyle se dirigea droit vers Verity et lui prit la main.

— Vous êtes superbe ! murmura-t-il. Vous avez décidé de sortir le Northamptonshire de sa torpeur ?

— Pas du tout.

Wrexham la fixait, bouche bée, et une étincelle de malice brilla dans ses yeux.

— Je suis vêtue en convenable dame chinoise.

— Comme on n'en a jamais vu dans notre partie du monde.

Kyle ne pouvait cesser de la contempler. Elle était toujours jolie, mais le costume qu'elle portait ce soir rehaussait son aspect étranger. Une ravissante concubine chinoise pour laquelle on aurait donné un empire.

Il la conduisit vers son père qui se trouvait avec des propriétaires terriens de la région, dont le duc de Candover. Celui-ci salua Kyle de la tête.

— Heureux que vous soyez revenu entier, Maxwell.

— Pas autant que moi ! Puis-je vous présenter mon épouse, messieurs ? Nous avons contracté un mariage à l'essai en Chine.

Wrexham grommela dans sa barbe, mais Kyle voulut attribuer cette réaction à la douleur provoquée par la goutte plutôt qu'à une désapprobation publique. Verity s'inclina gracieusement. Il aurait été amusant qu'elle se prosterne, le front contre le plancher, mais Kyle fut content qu'elle y eût renoncé. La bonne société de Northampton se serait offert un évanouissement collectif !

— Ravi de vous connaître, madame, dit le duc.

— Par Jupiter, c'est une véritable beauté ! s'exclama Lord Hamill.

— J'ai entendu dire que les Chinois pouvaient avoir autant de femmes et de concubines qu'ils le souhaitaient, dit Sir Edward Swithin, intéressé. Quelle chance ils ont !

Le vieux Lord Whitby, réputé pour son franc-parler, eut un petit ricanement.

— Un mariage à l'essai, afin de pouvoir tester la marchandise avant de changer ? Très malin, Maxwell !

— Au contraire, intervint Verity dans son anglais teinté d'écossais. Ce mariage à l'essai est de pure forme. J'étais dans une situation difficile et Lord Maxwell m'a galamment aidée à quitter la Chine et à venir en Angleterre.

Il y eut un silence que le duc de Candover brisa le premier.

— Vous possédez admirablement notre langue, Lady Maxwell, dit-il, une pointe d'humour dans la voix.

Elle lui offrit son regard lumineux.

— Mon père était écossais, aussi ai-je parlé anglais depuis la naissance.

— Écossaise ? répéta-t-il. Pas étonnant que vous ayez l'air d'une étrangère !

L'instant de gêne passé, tout le monde éclata de rire, y compris Verity.

— Mon père doit se retourner dans sa tombe à l'idée que j'aie épousé un Anglais, mais ce n'est que provisoire. Je serai bientôt libérée de cette union.

— On peut argumenter que le mariage à l'essai n'est légal que prononcé sur le sol écossais, mais compte tenu des circonstances... intervint Kyle, agacé d'entendre Verity insister sur l'aspect temporaire de leur arrangement.

— Aucun gentleman n'aurait refusé son aide à une si ravissante personne, fit Sir Edward.

Sir Edward était riche et célibataire. Un excellent parti, songea Kyle sombrement, avant de se tourner vers Verity.

— Voulez-vous m'accorder cette danse, ma chère ?

— Avec plaisir.

Il la mena sur la piste.

— Avez-vous valsé, à Warfield ?

— Certes non, puisque j'étais en deuil de mon époux. Mais j'ai bien observé les danseurs.

Elle posa une main sur son épaule, l'autre dans la sienne et, alors qu'elle lui lançait un regard langoureux, il se rendit compte qu'il avait commis une erreur en l'invitant à danser. Tout proche d'elle, il sentait le désir si longtemps disparu renaître en lui. Elle ne portait pas de gants, et il était ridiculement ému par les doigts qui reposaient dans sa propre main.

Sa souplesse et sa grâce lui permirent bientôt de suivre les pas de son cavalier.

— Vous êtes douée, dit Kyle.

Verity l'observait entre ses cils, provocante.

— La valse n'est pas très différente d'un assaut de *wing chun*.

C'était bien un assaut qu'elle menait, brusquement. Elle était en colère, pas précisément contre lui, se dit Kyle, ni même contre son père. Elle s'était plutôt irritée contre un monde qui ne lui apportait pas ce dont elle avait rêvé.

Il se souvenait avec précision du temple dans la grotte, où ils avaient fait l'amour pour la première fois, où elle lui avait parlé du *chi*. Au cœur de la montagne, ils avaient tous les deux découvert le bonheur à l'état pur, mais finalement leur relation avait coûté à Verity quelque chose de précieux. Kyle espérait de tout son cœur qu'elle serait un jour capable de se débarrasser de son armure et de trouver amour et confiance auprès d'un autre homme.

Tandis qu'ils évoluaient sur la piste, le désir de Kyle s'intensifiait. Bon sang, il avait bien besoin de ça ! Verity lui manquerait abominablement lorsqu'elle serait partie, et ce satané désir ne ferait qu'empirer la situation.

Mieux valait qu'il ne recouvre pas ses forces trop vite, car l'avoir près de lui sans la toucher allait devenir de plus en plus difficile à supporter. Pourtant, durant les semaines qui leur restaient à vivre ensemble, il ne voulait pas la quitter, car il chérirait ces souvenirs quand elle ne serait plus là.

Il en aurait désespérément besoin.

35

Verity s'attendait que la réception du comte fût une épreuve, et ça l'était, malgré l'appui de Kyle. Pas à cause des hommes. Avec un brin de cynisme, elle se doutait qu'elle représentait pour eux un fantasme d'exotisme, alors ils se montraient amicaux, à l'exception de quelques anciens qui lui lançaient des coups d'œil méfiants.

Mais avec les femmes, c'était une autre histoire! Lorsque Kyle la présenta à un groupe de dames influentes du comté, une douzaine de paires d'yeux l'observèrent avec différents degrés de curiosité ou d'hostilité. Non seulement elle était étrangère, mais en plus elle s'était approprié l'un des célibataires les plus prisés d'Angleterre. La plupart d'entre elles avaient déjà dû entendre parler du mariage à l'essai, aussi se disaient-elles qu'il serait bientôt libre de nouveau.

La conversation n'avait pas encore commencé qu'un serviteur vint murmurer quelques mots à l'oreille de Kyle. Celui-ci fronça les sourcils, avant de déclarer:

— Désolé, ma chère, je dois vous abandonner quelques minutes. Je reviens dès que possible.

Elle sentait qu'il répugnait à la laisser seule en face de ces juges de la vie sociale. La première à se manifester fut Lady Swithin, la vieille mère de Sir Edward, qui demanda avec une froideur courtoise:

— Comment avez-vous trouvé notre Northamptonshire, Lady Maxwell?

Réprimant l'envie de répliquer qu'elle avait loué une voiture et que le cocher s'était débrouillé, Verity répondit:

— C'est une région charmante, mais je suis habituée à des températures un peu plus élevées.

Une des femmes dit à voix basse, mais assez haut pour être entendue :

— Quelle créature étrange ! Où Maxwell a-t-il bien pu la dénicher ?

— Dans un endroit dont les dames convenables comme nous n'ont jamais entendu parler, répondit une autre sur le même ton.

Lady Swithin lança un regard courroucé aux chuchoteuses.

— Je suis certaine que notre communauté s'enorgueillira bien vite de votre présence, Lady Maxwell.

Le silence se fit lorsqu'une grande dame très élégante vint se joindre au groupe.

— Présentez-moi donc cette ravissante jeune personne, Lady Swithin, dit-elle d'une voix profonde et chaleureuse.

— Voici Lady Maxwell, Votre Grâce, répondit Lady Swithin avant de se tourner vers Verity.

— Madame la duchesse de Candover.

Les cheveux blonds de la duchesse étaient striés d'argent et les pattes-d'oie au coin de ses yeux accusaient une quarantaine bien avancée, sinon davantage, pourtant, elle était d'une beauté stupéfiante. Apparemment, elle était la *tai-tai* de cette société. Verity s'inclina.

— Je suis honorée, Votre Grâce.

— Tout l'honneur est pour moi. J'ai toujours été fascinée par la Chine, et j'espère que vous allez tout me raconter.

Elle posa la main sur la manche brodée et adressa un clin d'œil à Verity.

— Cette tenue est magnifique. Je n'ai jamais vu de broderies de ce style.

L'approbation de la duchesse détendit l'atmosphère. La jeune fille avec qui Kyle avait conversé déclara sans ambages :

— J'ai toujours pensé que les Chinois étaient jaunes, cependant votre teint est aussi clair que celui de n'importe quelle Anglaise.

— Les Chinois ont des teints différents, mais jamais jaunes, expliqua Verity. Ma mère venait d'une région de Chine où les gens ont la peau très claire, en outre, mon père était écossais.

Une fois la glace brisée, beaucoup de jeunes femmes interrogèrent Verity sur les toilettes, les fards, la vie des femmes chinoises. Améliorer son apparence était un sujet de préoccupations universellement féminin ! Et Verity se rendait compte que, puisqu'elle parlait la même langue qu'elles, les dames oubliaient rapidement son origine et s'adressaient à elle comme à une Anglaise. Ou du moins une Écossaise.

Kyle revint alors que Verity bavardait en buvant une coupe de champagne avec la duchesse qui, si elle était aussi accueillante que Meriel, semblait en revanche avoir eu un passé plutôt mouvementé. Auraient-elles le temps de faire plus ample connaissance ? Sans doute pas, songea Verity avec regret.

La duchesse se tourna vers Kyle.

— Grâce à cette jeune personne, Maxwell, vous avez rehaussé le niveau des conversations dans notre province. Bravo !

Il gratifia la duchesse d'un sourire affectueux.

— J'étais sûr que vous vous entendriez bien, toutes les deux. Puis-je vous emprunter mon épouse le temps d'une valse ?

— Si vous insistez... Il est d'ailleurs temps que j'arrache mon mari à ses ennuyeux amis pour danser, moi aussi.

Une fois sur la piste, Kyle déclara :

— Si la duchesse vous apprécie, vous serez acceptée sans aucun problème. J'étais follement amoureux d'elle, lorsque j'étais collégien, ajouta-t-il avec un sourire attendri. Et elle s'est montrée pleine d'indulgence pour cette foucade.

Il serait sans doute toujours un peu amoureux de la duchesse, se dit Verity. Ce genre de femme inspirait la fidélité.

— Aviez-vous des ennuis ? Quand on est venu vous chercher...

— Mon père voulait me parler avant de se retirer.

— Il a quitté la réception ?

— Un accès de goutte. C'est une inflammation horriblement douloureuse du gros orteil. Il est à présent dans sa chambre en train de passer ses nerfs sur son valet.

Verity ne put s'empêcher de plaindre le comte.

— Mon père en était affligé. Il existe un traitement très simple, qui ne guérit pas mais endort la douleur.

— Vous aideriez mon père après la façon dont il vous a traitée ?

— Je veux qu'il se sente suffisamment bien pour partir demain comme il en avait l'intention ! rétorqua-t-elle, arrachant un sourire à Kyle.

— C'est une excellente raison. Voulez-vous que nous allions le voir ?

Elle acquiesça et, dès la danse terminée, ils montèrent à l'étage tandis que les invités se dirigeaient vers la vaste salle à manger pour le souper.

Le vieux valet de chambre était dans un coin de la pièce, et le comte, assis dans un vaste fauteuil à oreilles, le pied droit posé sur un tabouret, sirotait un verre d'alcool.

Kyle le lui enleva des mains ainsi que le flacon posé sur le guéridon.

— Sauf si votre médecin a changé d'avis, vous n'avez pas le droit de boire d'alcool, surtout en cas de crise.

— Rends-moi ça, espèce d'insolent ! rugit Wrexham en essayant d'attraper le verre.

Il échoua et retomba contre le dossier de son siège, le front luisant de sueur.

— Et pourquoi diable l'as-tu amenée ? grogna-t-il en désignant Verity du menton.

— Mon père avait des accès de goutte, répondit-elle à la place de Kyle. Les massages chinois le soulageaient, en général.

— Que je sois damné si je vous laisse exercer vos pratiques païennes sur moi !

— Comme il vous plaira, monseigneur.

Verity salua et se dirigea vers la porte.

— Attendez ! la rappela Wrexham. Que feriez-vous ?

Le vieux dragon devait être bien mal en point, pour accepter de l'écouter !

— Il y a des points d'énergie dans le corps. Si l'on appuie aux bons endroits, on peut changer le circuit de l'énergie et atténuer la douleur, parfois même soigner. Mais je ne suis pas une véritable guérisseuse. Je ne connais pratiquement que la goutte. Je presserai très fort sur quelques points à l'intérieur de votre cheville, et avec un peu de chance, vous souffrirez moins.

Le comte s'agita nerveusement dans son fauteuil.

— Je suppose qu'il n'y a pas de mal à essayer. Mais tu dois retourner auprès de nos invités, Maxwell. Nous ne pouvons nous absenter tous les deux.

Kyle obéit, et Verity fit signe au valet de s'approcher.

— Regardez bien comment je procède. Si c'est efficace, vous pourrez en faire autant, à l'avenir.

Verity s'agenouilla et enfonça résolument le pouce dans la cheville du comte qui sursauta, serra plus fort les accoudoirs, mais n'émit pas un son.

Espérant se rappeler tous les points clés, Verity continua sa tâche en expliquant au domestique ce qu'elle faisait. Enfin, elle se releva.

— Vous sentez-vous mieux ? demanda-t-elle au vieux monsieur.

Celui-ci semblait sceptique.

— J'ai moins mal, mais cela serait peut-être passé de toute façon.

— C'est possible. Bonne nuit, Lord Wrexham.

De nouveau, il la rappela avant qu'elle quitte la chambre.

— À vrai dire, marmonna-t-il, bourru, ça s'est nettement amélioré. Pourquoi m'êtes-vous venue en aide ?

— Les bons chrétiens doivent aider leurs ennemis, dit-elle avec un grand sourire. Ensuite, c'est l'ennemi qui éprouve du remords.

Wrexham eut un rire qui ressemblait à un aboiement.

— Quand je pense que je vous trouvais insignifiante !

— Vous n'avez jamais essayé de me connaître, monseigneur.

Sur ce, Verity salua, consciente d'avoir obtenu un peu d'estime de la part du vieux dragon. Ce qui n'avait d'ailleurs aucune importance, car il serait bientôt parti. Mais elle ne détestait pas l'idée qu'il souffrît de quelques remords.

Bien qu'elle se fût couchée tard, Verity se leva de bonne heure afin de pratiquer ses exercices. L'air était glacial, aussi était-elle obligée de bouger afin de se tenir chaud.

Elle entamait le second enchaînement lorsque Kyle arriva et se mit silencieusement à reproduire ses gestes. Elle ne sut si cela l'amusait ou l'agaçait.

— Vous avez encore du chemin à parcourir avant de maîtriser cette technique, monseigneur, dit-elle, ironique, en commençant le lent mouvement sinueux appelé « les bras de nuage ».

— J'ai donc intérêt à prendre des leçons du seul expert de Grande-Bretagne.

Il fit une grimace.

— Je suis encore un peu courbatu. Cela vous ennuie, si je travaille avec vous ? Je vous promets de ne pas dire un mot. Cependant, je comprendrais parfaitement que vous préfériez rester seule avec le *chi* et le brouillard.

Elle appréciait la solitude, mais, se rendit-elle compte, elle appréciait encore plus sa présence.

— Comme vous voudrez. À propos, comment se porte Lord Wrexham ?

— Assez bien pour partir à Londres. Vous l'avez fortement impressionné.

Heureuse que le dragon quitte Dornleigh, Verity reprit ses exercices. Kyle était rapide, et il se rappelait les leçons du voyage à Hoshan. Lorsqu'elle le quitterait, il aurait acquis une compétence certaine. La pratique lui permettrait de retrouver l'équilibre de son énergie, ce qui n'était pas encore tout à fait le cas.

En état de méditation, elle avait presque oublié sa présence et elle accélérait le rythme lorsqu'elle vit Kyle se plier en deux et tomber sur l'herbe humide.

— Kyle ! s'écria-t-elle en s'agenouillant près de lui, une main sur son front. Vous avez une crise de malaria ?

— Rien d'aussi grave, haleta-t-il en se tenant le flanc. Simplement un point de côté. Je ne suis pas en grande forme, Verity !

Elle s'assit sur ses talons.

— Vous me semblez pourtant bien vif, pour un mort !

— La nouvelle de ma mort a été grandement exagérée, dit-il en se redressant lentement. Le pire, dans la malaria, c'est la durée de la convalescence. J'ai eu ma dernière crise au large du cap de Bonne-Espérance, pourtant, des mois plus tard, je perdrais le combat contre un chiot de taille raisonnable.

— Je pourrais en effet avoir le dessus sur vous, même les deux mains attachées dans le dos, renchérit-elle.

— Vexant mais vrai, admit-il en se levant avec peine. Mieux vaut que j'arrête là pour aujourd'hui, sinon il faudra me ramener à la maison sur une civière.

— J'ai terminé aussi, dit-elle.

Le soleil perçait à travers la brume, et il faisait un peu plus chaud… pour un printemps anglais.

— À plus tard, ajouta-t-elle. Je veux explorer les jardins, car je n'en ai pas eu l'occasion, avec la pluie.

Il lui emboîta le pas tandis qu'elle s'éloignait.

— Vous voulez voir comment vous pourrez les transformer afin d'améliorer le *feng shui* ?

— Je doute d'en avoir le temps. Un bon jardin se façonne au fil des années. Mais peut-être pourrait-on le rendre plus accueillant avec de l'eau. Les fontaines et les bassins sont reposants.

— J'avais envisagé de construire une orangerie, comme à Warfield. Cela vous semble-t-il une bonne idée ?

— Peut-être. Si vous continuez à pratiquer vos exercices, il faudrait aussi vous aménager dans la serre un espace où vous pourrez travailler entouré de vie. Le *chi* sera meilleur, et vu le mauvais temps qui règne sur cette île, il est bon d'avoir un endroit abrité.

— Vous pourriez m'aider, dit-il en la guidant vers le fond du jardin. Sauriez-vous m'expliquer les grands principes du *feng shui*, ou est-ce trop compliqué pour mon esprit borné d'Anglais ?

— Je ne suis pas une experte, mais le sujet m'intéresse, aussi lorsque je voyais un praticien du *feng shui*, je le suivais et je lui posais des questions.

Par où commencer ?

Elle se rappela ce que lui avait dit un vieil homme qui pratiquait la géomancie, quand elle était petite.

— Fondamentalement, commença-t-elle, le *feng shui* est destiné à favoriser un bon équilibre de l'énergie par l'intermédiaire d'une structure, et par suite, améliorer la vie des gens. Warfield Park en est un bon exemple. Meriel n'a jamais entendu parler de *feng shui*, mais Dominic et elle sont attentifs à leur environnement, et les choix qu'ils ont faits ont eu d'heureux résultats. D'ailleurs cela devait être pareil avant eux, car Warfield me semble être une demeure qui a été aimée par ses habitants.

— Tandis que Dornleigh a été subi, non pas aimé. Qu'y changeriez-vous ?

Elle se tourna vers la grande bâtisse sombre.

— Je ferais grimper de la vigne vierge sur les murs, cela rendrait la façade moins austère.

— C'est une bonne solution, en effet. Et ensuite ?

— Les angles vifs sont gênants. L'allée d'accès est absolument rectiligne des grilles jusqu'au porche. C'est une « flèche empoisonnée » qui vient frapper le cœur de la maison.

Elle lui jeta un regard en coin, craignant qu'il ne se moque d'elle, avant de continuer :

— Modifiez le trajet et faites une courbe douce à l'arrivée.

Kyle réfléchissait.

— Il sera difficile de changer le début de la route, parce qu'elle se trouve entre des rangées de marronniers, mais on peut aisément agir sur la seconde partie. Cela suffira-t-il ?

Elle admira une fois de plus son ouverture d'esprit.

— Ces modifications amélioreront grandement l'aspect extérieur de Dornleigh. À l'intérieur, il y a beaucoup à faire avec l'emplacement des meubles, les couleurs, les tentures…

— Puis-je vous accompagner dans votre promenade et vous interroger en marchant ?

Elle réprima un sourire. Il reprenait vraiment goût à la vie !

— Si vous voulez, mais sachez bien que je ne possède pas toutes les réponses, loin de là.

Au moins, quand elle partirait, Kyle aurait une maison plus avenante.

Il la mena vers une arche de rosiers grimpants dénudés par l'hiver.

— Que pensez-vous de ce petit temple grec ? Cela s'appelle une folie, et c'était l'une de nos retraites favorites, à Dom et moi.

— C'est très joli, et on y sent le bon *chi*.

Kyle commençait à deviner la corrélation entre un bon *chi* et un environnement apaisant. Verity était un réel trésor. Il s'était passé trop de choses pour qu'ils puissent retrouver l'intimité qu'ils avaient partagée durant leur voyage à Hoshan, et il savait qu'elle avait élevé des barrières entre eux, mais au moins étaient-ils à présent courtois l'un envers l'autre. Voire amicaux.

Comme ils se dirigeaient vers le temple circulaire, une petite ombre fila devant Verity qui s'agenouilla, ravie.

— Un chaton ! Viens me voir, petit !

C'était un animal gris à grosse queue et taches blanches, qui sauta sur la jeune femme pour jouer. Elle le prit dans ses bras.

— Comme il est mignon ! Vous savez d'où il vient ?

— Des écuries. Je l'y ai vu jouer avec ses frères et sœurs. C'est une petite chatte, et la moins sauvage de toute la portée. D'ailleurs, il faut qu'elle soit hardie pour s'être aventurée jusqu'ici.

La petite chatte était à présent perchée sur l'épaule de Verity, les moustaches frémissant de curiosité.

— Nous avions un chien, à Macao. Je ne sais pas ce qu'il est devenu quand la maison a été fermée, mais j'ai toujours eu peur qu'il ne finisse dans une cocotte.

Kyle frissonna. Il savait que les Chinois mangeaient du chien, ce qui en soi n'était guère différent des lapins ou des pigeons, mais il était trop anglais pour ne pas trouver l'idée barbare.

— Peut-être a-t-il été pris comme gardien dans une autre demeure.

— Je l'espère. Les chiens de garde sont bien traités parce qu'ils sont utiles. J'aurais aimé avoir un animal de compagnie, chez Chenqua, mais je n'avais le droit qu'à un criquet ou à un petit oiseau, or ce n'était pas ce que je désirais.

Elle se caressait sensuellement la joue contre le petit animal, et Kyle, ému, avala sa salive.

— Gardez cette petite chatte. Elle est assez grande pour vivre sans sa mère, et je suis sûr qu'on n'a pas besoin d'elle à l'écurie !

Verity s'épanouit, comme naguère à Hoshan.

— Oh, Kyle, c'est vrai, je peux ?

— À mon avis, Malloy vous en sera même reconnaissant !

Il aurait volontiers couvert Verity de diamants, mais si ce modeste cadeau provoquait un tel sourire, elle pouvait bien avoir tous les chatons du royaume !

— Aimez-vous ce sofa ? demanda Verity.

Kyle contemplait le siège incriminé, de style plus ou moins égyptien, qui datait de plusieurs décades. Il l'avait toujours vu là, et il l'acceptait comme un aspect inéluctable du décor.

— Non, je ne l'aime pas, répondit-il. En fait, je le déteste. Les pieds de crocodile ont un certain charme, mais il est parfaitement inconfortable, et ce vert est abominable !

— Alors, qu'on l'enlève ! décréta Verity en faisant signe à deux valets de l'emporter.

Depuis quinze jours, elle s'appliquait à transformer les pièces principales de la demeure en suivant certaines règles élémentaires du *feng shui* : rien de cassé, pas de désordre, rien qui déplaise aux habitants.

En deux siècles, Dornleigh avait accumulé bien des objets superflus, et Verity passait impitoyablement en revue les vieux meubles, les mauvais tableaux, les tapis usés jusqu'à la corde. Kyle la suivait, donnant son avis sur ce dont elle voulait se débarrasser. S'il était attaché à tel ou tel objet, elle lui permettait de le garder, mais il se rendit vite compte que lorsqu'elle condamnait un objet, c'était à juste titre.

La façon dont elle avait arrangé le bureau avait définitivement acquis Kyle à la théorie du *feng shui*. La petite pièce contenait tous les livres de comptes et les dossiers du domaine, mais Kyle ne s'y sentait pas bien. Il n'y passait du temps que lorsque c'était absolument indispensable.

Après un bref examen, Verity avait déplacé la table de travail de façon que celui qui l'occupait ne tourne pas le dos à la porte. Dès qu'il s'y était assis, Kyle avait compris qu'il détestait l'idée que l'on pût entrer à son insu pendant qu'il travaillait.

Verity avait effectué d'autres changements mineurs, dont la disparition d'une table et de deux chaises branlantes ainsi que l'accrochage au mur d'un tableau que Kyle avait toujours aimé. Ce n'était désormais plus une corvée pour lui que de régler les problèmes du domaine.

Elle avait de la même manière transformé la plus grande partie du rez-de-chaussée, et on traçait une nouvelle allée d'accès. Il faudrait plus de temps pour réaliser ses autres souhaits : la vigne vierge, les peintures et les tapisseries murales ainsi que les draperies dans plusieurs chambres, mais déjà Kyle se sentait mieux à Dornleigh que par le passé.

Ces aménagements le faisaient réfléchir différemment au sujet de cette demeure dans laquelle il avait grandi. Il avait toujours été conscient de ne représenter qu'un maillon dans la longue chaîne des Renbourne. La maison et les terres lui appartiendraient un jour, pourtant il n'en était que le dépositaire qui avait pour tâche de la maintenir en bon état pour son héritier. Cette idée l'avait toujours un peu irrité.

À présent, avec les changements apportés par Verity, il se rendait compte qu'il pouvait participer à l'évolution de son environnement. Son patrimoine restait toujours une charge sacrée, cependant il pesait moins lourd sur sa conscience. Tandis que ses souvenirs de voyage arrivaient pour égayer la demeure, il commença à y être vraiment bien. C'était surprenant !

Quant à Verity elle-même, c'était une bénédiction qui le laissait sur sa faim. Il adorait se trouver avec elle et ils passaient une bonne partie de la journée ensemble, commençant en général par les exercices *chi* ou une promenade à cheval dans les environs, avant de s'atteler au travail de réaménagement. C'était une compagne stimulante, agréable, passionnée par tous les sujets, pleine d'informations fascinantes sur son propre passé.

Mais il n'y avait malheureusement rien de personnel dans leurs relations. Verity était toujours aimable, pourtant, jamais elle ne révélait ses pensées profondes.

Pis, elle ne cessait de faire allusion au peu de temps qu'il leur restait à passer ensemble, et c'était une épée de Damoclès au-dessus de la tête de Kyle.

— Smith, présentez ce miroir contre le mur, s'il vous plaît. Qu'en pensez-vous, monseigneur ?

Ramené à l'instant présent, Kyle contempla la glace au cadre doré que le valet tenait en place.

— Accrochez-le. C'est curieux comme un miroir agrandit une pièce, en augmente la luminosité. Où avez-vous déniché celui-ci ? Je ne me le rappelle pas du tout.

— Au grenier. Il y a là-haut suffisamment de meubles pour réaménager deux fois la maison... Maintenant, il est temps de passer à votre chambre.

Il cligna des yeux.

— Est-ce bien nécessaire ?

— Oui, décréta Verity d'un ton sans appel avant de se diriger résolument vers l'escalier.

Quand il la rattrapa, elle était plantée au milieu de la pièce, les yeux plissés.

— Comme il s'agit là de votre domaine privé, il faut faire très attention pour que votre énergie reste en harmonie. Il n'est pas étonnant que vous ayez eu envie de vous enfuir ailleurs, avec cette énorme mappemonde. Et votre lit est en position de cercueil, il faut le changer immédiatement. Je ne m'étonne plus que vous n'ayez pas encore recouvré complètement la santé.

— En position de cercueil ?

— Les cadavres sont allongés les pieds en direction de la porte, avant les funérailles. Cette orientation est bonne pour les morts, mauvaise pour les vivants. Afin que vous vous reposiez mieux, il faut mettre le lit contre ce mur, ajouta-t-elle en consultant une boussole dont elle se servait pour la disposition des meubles.

— Mais la chambre a toujours été ainsi...

Elle haussa les sourcils.

— Et vous avez toujours eu envie d'en partir, n'est-ce pas ? Votre instinct ne vous trompait pas.

Il songea aux atroces cauchemars qui le hantaient sans cesse. S'il pouvait mieux dormir avec le lit placé différemment, cela valait la peine d'essayer.

— Entendu, dit-il.

— Vous verrez, vous passerez de meilleures nuits, donc vous irez mieux.

À contre-jour devant la fenêtre, Verity offrait un ravissant spectacle, dans ses vêtements occidentaux. Elle portait ses robes avec grâce et sensualité, heureuse d'être enfin femme. Il eut une vision fugitive d'elle, nue entre ses bras...

Décidément, ses forces revenaient !

Pendant qu'on changeait le mobilier de place, Verity sortit chercher des objets de décoration. Lorsqu'elle revint, Kyle était assis dans un fauteuil Voltaire avec la chatte, que Verity avait baptisée Perle, sur les genoux. Il avait dû la prendre pour lui éviter d'être bousculée dans le déménagement, mais la petite bête s'était installée et ronronnait joyeusement.

Sur une table au sud-ouest de la chambre, Verity mit un vase de cristal taillé et un bouquet de fleurs de serre qu'elle avait composé elle-même, ordonnant à une servante de le renouveler régulièrement.

— C'est un endroit favorable pour le cristal, expliqua-t-elle.

Kyle regardait la mappemonde qui avait été déplacée.

— Je pense que je vais aimer cette nouvelle décoration.

— J'en suis sûre.

Verity montra une paire de canards mandarins en céramique qu'elle avait trouvés au grenier. C'était sa petite plaisanterie personnelle – ou plutôt son cadeau – que d'améliorer le *feng shui* de la partie de sa chambre qui contrôlait les relations sentimentales. Les canards mandarins étaient symboles d'amour et de fidélité. Et ils étaient toujours deux. Pas un, ni trois, deux.

Elle avait travaillé sur tous les endroits propices aux relations humaines sans expliquer ce qu'elle faisait. Kyle se remarierait bientôt. Wrexham lui-même trouverait peut-être une jolie veuve, quand il rentrerait de

Londres. Ou peut-être pas. Kyle et Verity avaient décidé de ne pas toucher à ses appartements sans son consentement.

Elle disposa les canards près du vase scintillant.

— Ces canards mandarins ont été fabriqués en Chine. C'était prémonitoire.

— J'aime l'idée d'avoir un objet chinois auprès de moi.

Elle tourna les canards de façon à ce qu'ils se regardent.

— Encore vingt-huit jours.

Le sourire de Kyle s'effaça.

— Où irez-vous en quittant Dornleigh, Verity? Qu'aimeriez-vous faire?

— Il est possible que je reste en Écosse, que j'y achète un petit cottage et que j'apprenne à élever des moutons.

— Une vie bien solitaire!

— J'ai au moins les moyens de me l'offrir. Il y a l'argent que vous m'avez confié avant que nous quittions Canton, plus une somme que m'a remise Gavin Elliott et qui représente vos parts dans sa société. À vrai dire, tout cela vous appartient, et je vous le rendrai dès que possible. J'avais pensé également chercher un travail de secrétaire dans une maison de commerce à Édimbourg ou à Londres.

— Il est hors de question que vous partiez toute seule sans le sou! s'irrita-t-il. J'ai toujours eu l'intention de vous verser une rente, afin que vous soyez à l'aise jusqu'à la fin de vos jours.

Elle fit une petite grimace.

— Lord Wrexham parlait de deux mille livres par an, mais ce serait beaucoup d'argent gâché. Vous n'avez pas besoin d'acheter mon départ, puisque je m'en vais gratuitement.

— Bon sang, Verity, vous êtes un vrai hérisson, aujourd'hui!

Il se leva et posa le chaton par terre.

— Cessez de nous confondre, mon père et moi. Il n'est pas question « d'acheter votre départ ». Vous m'avez sauvé la vie, et j'ai la faiblesse d'y accorder une grande importance, alors pourquoi ne vous témoignerais-je pas ma gratitude en vous versant une rente annuelle ?

La gratitude. Encore une forme d'obligation. Grinçante, elle rétorqua :

— Une centaine de livres par an me suffiraient largement. Ne gaspillez pas votre patrimoine avec une ancienne maîtresse, mieux vaut le garder pour vos fils et filles au sang pur.

Il alla s'appuyer sur la table et lui lança un regard furibond à travers le bouquet.

— Je vous le répète, il n'est pas question d'enfants, puisque je n'ai aucune intention de me remarier. Je suis nul dans le rôle d'époux.

Elle ne l'avait jamais vu aussi courroucé. Pas contre elle, en tout cas. Pourquoi le harcelait-elle ainsi, insinuant qu'elle était mal traitée par sa famille et lui-même ? Son père était un insupportable vieux bigot, mais Kyle s'était toujours montré d'une honnêteté parfaite vis-à-vis d'elle. Ce n'était pas sa faute s'il ne pouvait l'aimer.

Elle eut une vision de leur soirée à Feng-tang lorsqu'il l'avait obligée à s'enfuir afin d'échapper à la fureur de la foule. Si elle lui avait sauvé la vie, il avait aussi sauvé la sienne, et elle n'avait aucun droit de se mettre en colère. La colère, il fallait la chasser avant qu'elle ne ronge son âme.

— Vous n'avez peut-être pas l'intention de vous remarier, mais la vie réserve des surprises. Il ne faut jamais dire : « Fontaine, je ne boirai pas de ton eau. »

Perle choisit ce moment pour bondir sur la table et se précipiter vers le bouquet. Verity la prit dans ses bras.

— Mieux vaut garder votre porte fermée, monseigneur, sinon de dangereuses femelles risquent d'entrer ici et de vous assaillir, vous et vos biens.

Le chat sur l'épaule, elle contourna le lit et se dirigea vers la porte, se demandant qui finirait par partager cette chambre avec lui.

Pas elle. Jamais elle.

36

Le changement de place du lit avait été salutaire ! Les cauchemars de Kyle se transformèrent en quelques mauvais rêves intermittents. C'était une nette amélioration, et son énergie s'en trouva notablement restaurée.

Hélas, cela ne modifia pas ses rapports avec Verity, qui le traitait toujours avec une délicieuse mais froide politesse. Cela valait mieux, d'ailleurs, parce que avec ses forces revenait un désir douloureux.

Cette année-là, le printemps était en avance, et il serait bientôt temps qu'ils se rendent en Écosse, or Kyle savait au plus profond de lui qu'il en rentrerait seul.

Verity lui laisserait au moins les exercices *chi*. Les séances du matin lui apportaient calme et détente, lui permettaient d'affronter la journée. Il s'était fait faire plusieurs tenues chinoises, ainsi que deux pour Verity.

Chaque matin, elle quittait la maison, silencieuse comme un chat, sans se soucier apparemment qu'il se joignît ou non à elle. Il s'amusait à essayer de l'intercepter lorsqu'elle sortait, ou à la découvrir dans le jardin, car elle changeait souvent d'endroit, en fonction du temps ou de son humeur. Ce matin-là, elle partait lorsqu'il se mit à sa fenêtre, donc il lui faudrait la chercher.

Il se trompait rarement, et ne fut pas surpris de la trouver dans un petit bouquet d'arbres fruitiers au fond du jardin. Avec les branches croulant sous les fleurs, les pétales qui jonchaient le sol, par cette parfaite matinée, le lieu était magique.

Il s'immobilisa, le cœur serré, et la contempla tandis qu'elle évoluait gracieusement dans les rayons de soleil filtrés par les arbres. Elle n'avait pas sa pareille, ni en Chine, ni en Angleterre, ni en Amérique. Ce matin-là, elle portait les cheveux défaits, et la masse soyeuse ondulait autour de ses épaules tandis qu'elle dansait dans l'air parfumé.

Comme elle se tournait, elle l'aperçut et l'invita à la rejoindre. Il ne lui avait pas vu ce sourire chaleureux depuis des semaines, et il se mit aisément aux gestes du *tai chi*. La paix qui l'envahit fut un baume sur son cœur douloureux. Bientôt, il s'exercerait seul, mais d'une certaine manière, Verity serait toujours avec lui.

Au bout d'un moment, elle ramassa une branche.

— Maintenant que vous êtes plus fort, nous pouvons essayer un assaut. Avez-vous déjà vu lutter au bâton ?

— Pas dans le style *wing chum*, mais à la manière anglaise ou indienne, oui.

Il ramassa une branche à son tour.

— Elles vont se briser facilement.

— Il vaudrait mieux du bambou, mais peu importe, nous n'avons pas l'intention de nous faire du mal.

À peine Kyle eut-il fini d'ébrancher son bâton qu'elle fit claquer le sien au sol et se servit du rebond pour attaquer. Il para juste à temps.

Ils se lancèrent alors dans un jeu d'attaque et de riposte compliqué par le fait que leurs bâtons étaient rigides. Kyle répugnait à l'idée de frapper Verity, mais elle n'avait pas de ces scrupules, et elle n'hésitait pas à le toucher. Pourtant, elle ne se battait pas pour de vrai, sinon, elle aurait causé beaucoup plus de dommages !

S'enhardissant lorsqu'il vit qu'elle savait parfaitement bloquer ses coups, Kyle mit plus d'agressivité dans son jeu. Une attaque vive, et elle se réfugia sur la branche basse d'un arbre, déclenchant une pluie de pétales roses.

— Bravo ! dit-elle en riant. Vous avez appris à vous battre avec un bâton, quand vous étiez petit garçon ?

— Non, mais j'ai pratiqué l'escrime avec le meilleur maître de Londres. Cela y ressemble un peu.

Avec un cri de guerre, elle s'élança de l'arbre, le bâton en avant. Il vint à sa rencontre et fut récompensé par le bruit des deux branches qui se brisaient.

Verity regarda ce qui restait de son arme improvisée.

— Ainsi finit l'assaut au bâton.

Il n'avait pas envie d'arrêter cette récréation que tous deux appréciaient tant.

— Nous pourrions essayer l'exercice des mains collées ? suggéra-t-il.

— D'accord.

Elle leva les bras et il y pressa les siens.

Lentement, elle se mit à décrire des cercles tandis qu'il s'efforçait de ne pas rompre le contact. Était-ce son énergie qu'il sentait passer à travers lui, subtilement parfumée de l'essence de Verity ? Ou était-il seulement sous le charme de ses yeux bruns et de sa silhouette souple, musclée ? Il n'y avait pas que le *chi* qui circulait entre eux. L'attirance qui montait en eux depuis des semaines rompait les digues.

Avec un sourire malicieux, Verity accéléra le rythme, y mêla les pieds, recula brusquement, fit un bond de côté. Plusieurs fois, elle faillit lui échapper, mais il parvint à maintenir le contact.

— Vous avez fait des progrès ! dit-elle, un peu essoufflée. Je devrais essayer de vous jeter à terre. Le sol est assez meuble, vous ne risquez pas de vous faire grand mal.

— Vous êtes sûre de vous, on dirait ! répliqua-t-il en souriant. Allez-y, je suis prêt !

Elle changea d'appui, glissa la jambe derrière les siennes et le renversa. En effet, le sol n'était pas trop dur.

Il se releva et plaqua à nouveau ses mains contre celles de Verity.

— Encore quelques années d'entraînement, et je serai capable d'en faire autant !

Le regard de Verity se voila.

— Il ne vous reste que quelques jours, monseigneur. Vingt et un, précisément.

Pourquoi diable persistait-elle à le lui rappeler ? Irrité, il poussa davantage contre sa main droite. Comme elle le contrait, il passa la jambe derrière les siennes et lui fit perdre l'équilibre.

En tombant, elle s'accrocha à lui, et ils roulèrent ensemble sur le sol, Verity à moitié sur Kyle. Elle rit, le visage à quelques centimètres du sien.

— Vous apprenez vite, monseigneur. Rappelez-moi de ne plus vous sous-estimer.

Sa chevelure cascadait, ses seins étaient pressés contre le torse de Kyle, aussi tentants que le fruit offert à Ève par le serpent. Leurs regards s'accrochèrent, et la légèreté fit place à des émotions plus primitives.

Il aurait dû la repousser, se lever, ignorer ce qu'il lisait dans ses yeux, mais il dit, d'une voix enrouée :

— Vous me surestimez si vous me croyez capable de résister à une telle tentation.

Il prit son visage entre ses mains et l'embrassa. Il y avait si longtemps, si affreusement longtemps !

Ses lèvres s'entrouvrirent, leurs langues s'effleurèrent et il eut l'impression que c'était la manne divine qui s'offrait à lui. Comment avait-il pu oublier la puissance qui les poussait l'un vers l'autre ? Il la serrait contre lui de toutes ses forces.

— Dieu, Mei-Lian, j'ai tellement envie de vous ! De vous caresser, de vous tenir contre moi, de vous aimer…

— Et… et le *chi*, répondit-elle dans un souffle. Nous ne devons pas nous consumer…

— C'est déjà fait.

Il la fit rouler sous lui, baisa la peau satinée de son cou, glissa les mains sous sa tunique. Puis il la souleva, dénudant ses seins, et elle gémit lorsqu'il en prit un dans sa bouche.

Après presque une année de frustration, il ne se repaissait pas d'elle. Sa peau était légèrement salée, et il lui ôta son pantalon, tandis qu'un coup de vent parsemait son torse de pétales roses. Il laissait courir ses lèvres sur son ventre, et elle s'ouvrit à sa caresse.

Elle gémit, se haussa vers lui, enfouit les mains dans ses cheveux.

— Ô Kyle, Kyle !

Sa passion enflamma encore celle de Kyle qui voulait la lui rendre au centuple. Que cela dure, qu'il lui donne une éternité de plaisir, qu'il absorbe les gémissements de désir qui montaient vers les arbres.

Après une interminable jouissance, elle gémit :

— Assez, mon Dieu, ou je vais mourir…

Le souffle court, il posa la tête sur son ventre, ivre de son odeur, et elle lui caressa tendrement les cheveux.

— Venez, monseigneur, dit-elle doucement quand elle fut un peu remise. Mon *yin* vous réclame.

Il se déshabilla et accueillit avec plaisir l'air frais sur son corps enfiévré. Elle avait raison, sa féminité le complétait tandis qu'il plongeait en elle. *Yin* et *yang*, plénitude de la chair et de l'esprit exprimés en mouvements, en brusque immobilité.

Ensemble ils montèrent vers les plus hauts sommets, jusqu'à ce qu'elle jouisse de nouveau. Le temps n'existait plus, ils étaient seuls au monde.

Puis ils ralentirent leur rythme et ondulèrent doucement, tendrement. Proche de l'épuisement, Kyle pencha la tête pour un dernier baiser où il voulait puiser toute l'essence de Verity.

— Là, monseigneur, vous êtes un maître, souffla-t-elle contre ses lèvres.

Elle se contracta intérieurement, cambra les reins vers lui, et elle eut le plaisir de sentir sa semence se répandre enfin en elle.

— Bon Dieu! pesta-t-il, furieux de son manque de contrôle.

Il roula sur le côté, l'entraînant avec lui, bien serrée entre ses bras comme s'il pouvait la protéger de son erreur.

— Désolé, Verity, je ne le voulais pas.

Ces paroles furent comme un jet d'eau glacée qui réduisit sa joie en cendres. Comment avait-elle pu être assez folle pour ne pas comprendre que c'était son corps qu'il désirait, pas elle?

— Bien sûr, c'était un accident. Lutiner une concubine n'a rien à voir avec le plaisir de concevoir un enfant.

— Ne parlez pas ainsi.

Il tenait sa tête contre son épaule, comme si un geste tendre pouvait adoucir la dureté de ses paroles.

— En l'occurrence, reprit-il, on ne fait pas un enfant à une femme qui n'en désire pas.

Elle s'arracha à lui, les yeux lançant des éclairs.

— Quelle situation embarrassante, si vous deviez choisir entre subir une épouse non désirée ou être le père d'un bâtard. Rassurez-vous. Je n'ai pas conçu de bébé la dernière fois à Feng-tang, je ne pense pas que cela arrive maintenant. Vous et votre précieux patrimoine n'êtes pas en danger.

Il s'assit, et la regarda comme si elle était une bombe sur le point d'exploser.

— Me croyez-vous réellement assez intolérant pour rejeter un enfant sous prétexte qu'il a du sang chinois ?

Elle baissa les yeux, consciente d'avoir été injuste.

— Je ne pense pas que vous soyez intolérant.

Au contraire, c'était l'homme le plus tolérant qu'elle eût rencontré, mais cela ne résolvait pas le problème qui les divisait.

— Le désir ne mène à rien, reprit-elle. Il est même dangereux quand il ne repose pas sur des bases solides.

Pourtant, maintenant qu'ils avaient de nouveau goûté à la passion, comment pourraient-ils se tenir à l'écart l'un de l'autre en vivant sous le même toit ? Il n'y avait qu'une seule solution.

— Il est temps que je m'en aille, conclut-elle.

Il reçut cette déclaration de plein fouet, mais il feignit d'avoir mal compris.

— Nous pouvons partir pour l'Écosse dès demain.

— Pas « nous », Kyle. Nous sommes plus que d'anciens amants, mais moins que des conjoints. Rester ensemble ne peut nous faire que du mal. Je partirai seule.

Un petit muscle jouait sur la mâchoire de Kyle.

— Cela ne fait pas un an et un jour, objecta-t-il.

— Ce mariage à l'essai était une... mascarade sociale. Il n'y a aucune raison de la poursuivre quand la seule réalité est que nous ne sommes pas mariés et ne l'avons jamais été. Le temps continuera à s'écouler, que nous soyons ensemble ou séparés. Mieux même.

Elle se leva, résistant à l'envie de le toucher une dernière fois.

— Je m'en vais seule, Kyle, avec ou sans votre approbation.

Nu dans le soleil, il demeurait immobile, telle une statue grecque, hormis l'une de ses mains qui se crispait sporadiquement.

— Prenez l'attelage de voyage, dit-il enfin. Ce sera plus confortable. Et... et si vous décidez de revenir, il sera prêt à vous ramener.

— Je ne rentrerai pas, monseigneur, dit-elle doucement. À quoi bon ?

Elle se rhabilla et natta ses cheveux, se demandant si la réaction de Kyle aurait été la même si elle les avait sagement attachés dès le début. Non, c'était l'intimité dans le jeu qui avait causé leur perte.

Il se leva à son tour, enfila le pantalon et la tunique.

— M'écrirez-vous au moins de temps en temps ?

— Peut-être. Mais pour l'instant, il faut que je m'en aille. Très loin.

Elle se mit sur la pointe des pieds pour l'embrasser sur la joue, futile caresse après les instants de passion débridée qu'ils venaient de partager.

— Je suis heureuse de vous avoir connu, monseigneur.

Il prit sa main dans la sienne et la baisa.

— J'en suis heureux aussi. Je... j'aimerais que les circonstances soient différentes.

— Moi aussi, dit-elle avec une déchirante sincérité. Moi aussi...

La voiture lui permettrait d'avancer comme une tortue, toutes ses possessions terrestres sur le dos.

Il ne lui fallut pas longtemps pour boucler ses bagages. Elle dit calmement au revoir aux domestiques qu'elle connaissait le mieux, comme si ce départ était prévu de longue date. Bessy et Hawking lui lançaient des regards désapprobateurs, mais ils ne formulèrent aucun reproche, et elle se demanda ce qu'ils devinaient de sa relation avec Kyle.

Au moment de descendre dans la cour, le lendemain matin, elle se rendit compte qu'elle portait toujours la bague de Kyle. Elle la déposa sur un guéridon, et elle chercha le bracelet assorti que Meriel lui avait donné. Elle en entoura la bague. Elle n'était plus une Renbourne, elle ne l'avait jamais été réellement.

Au-delà des larmes, elle sortit de la demeure pour la dernière fois.

37

Il y avait des endroits, des situations où il était normal de se saouler, et c'était le cas à présent pour Kyle.

Il était parvenu à se comporter convenablement au moment du départ de Verity. Il lui avait donné de l'argent liquide, ainsi qu'une lettre de crédit sur sa banque à Édimbourg afin qu'elle ait de quoi vivre en attendant la rente.

Elle s'était conduite avec une égale courtoisie, des manières parfaites, une expression indéchiffrable. Après tout, ils savaient tous les deux comment cela devait se terminer. Seulement... pas si vite.

Après un aimable signe de tête, elle était montée dans l'attelage. Elle avait refusé que sa camériste l'accompagne. Elle voulait et elle pourrait se débrouiller seule, néanmoins elle avait emporté Perle dans un panier d'osier.

Kyle gravait dans sa mémoire le profil immobile tandis que le valet de pied fermait la portière. Difficile de croire que vingt-quatre heures auparavant ils partageaient la plus parfaite intimité !

Quand la voiture eut disparu au bout de l'allée, il monta dans la chambre de Verity. Il n'y avait jamais pénétré tant qu'elle y vivait, mais il ne fut pas surpris de constater que la pièce était différente de celle dont il gardait un vague souvenir.

Verity avait changé les bibelots, les tentures. C'était ravissant, mais affreusement vide. Tout ce que possédait la jeune femme se trouvait dans l'attelage qui montait vers le nord. Elle n'avait laissé derrière elle que la bague et le bracelet, cruellement disposés l'une à l'intérieur de l'autre.

Kyle sella Nelson et partit pour un galop infernal à travers les collines. Puis, aussi épuisé que sa monture, il décida de rendre visite à ses fermiers, en bon seigneur se préoccupant des prochaines récoltes et du bien-être de ses gens.

Jeune, il s'était senti étouffé par ces responsabilités qui semblaient le lier pour toujours au domaine. Curieusement, cela lui plaisait infiniment plus, à présent, même s'il n'avait pas, comme Dominic, un véritable goût pour la culture. Autrefois, il s'était comporté en consciencieux régisseur du patrimoine familial, désormais il prendrait plaisir aux cycles des saisons.

Les papiers et la correspondance l'occupèrent jusqu'à l'heure du souper qu'il prit seul, le visage impassible, avant de se retirer dans la bibliothèque où il entreprit de s'enivrer. Pas trop vite, cela aurait été vulgaire. La baisse de niveau du flacon de cognac devrait le trouver passablement ivre en milieu de soirée, et prêt à aller se coucher une ou deux heures plus tard.

Peut-être aurait-il intérêt à se rendre à Londres, où il pourrait rencontrer de vieux amis, assister à des soirées, passer un peu de temps avec son père ?

Les jeunes filles à marier et leurs ambitieuses mères adoreraient prendre dans leurs filets le futur comte de Wrexham.

Il frémit à cette éventualité. Mieux valait éviter Londres pendant la saison mondaine.

Il en était à son quatrième verre quand il entendit des voix dans le hall d'entrée. Sans doute Hawking parlant avec un valet de pied.

Puis la porte du bureau s'ouvrit sur son frère en tenue de voyage, l'air aussi naturel que s'ils avaient dîné ensemble.

— Ah, parfait ! Un ou deux verres de brandy me réchaufferont. La route est longue, à cheval.

Kyle ouvrait de grands yeux. Il n'était tout de même pas assez ivre pour avoir des hallucinations !

— Par le diable, que fais-tu ici ?

— Je passais dans le coin, alors j'ai pensé venir dormir à Dornleigh, fit Dominic en s'installant dans l'autre fauteuil après s'être servi à boire.

— Dornleigh n'est sur la route de nulle part où tu puisses te rendre, objecta Kyle.

— Alors, j'ai menti.

Un valet arrivait avec un plateau, et Dominic lui fit signe de le poser sur un guéridon, avant de demander qu'on allumât un feu. Kyle attendit que le serviteur fût sorti pour déclarer :

— Ne te gêne surtout pas, fais comme chez toi.

— J'ai vécu ici pendant des années, et si l'un des domestiques répugnait à m'obéir, je pourrais toujours me faire passer pour toi. Mais il faudrait que tu prennes encore quelques kilos, pour qu'on nous confonde.

Dominic présentait ses pieds à la flamme.

— Tu devrais t'offrir plus souvent le luxe d'un feu dans la cheminée, dit-il. La nuit est glaciale.

— Pas après plusieurs verres.

— Ah...

Dominic mordit à belles dents dans un sandwich au jambon.

— Qu'est-ce qui cloche, Kyle ? J'ai l'impression d'avoir reçu un coup au plexus, depuis hier. Comme ce n'est pas le cas, ça doit être toi.

— Comment fais-tu pour savoir toujours quand cela ne va pas ? soupira Kyle.

— Tu es pareil. Non seulement nous sommes jumeaux, mais je crois que nous avons hérité un peu du don de seconde vue de mère. Tu te rappelles ma mauvaise chute, un jour où je chassais ? Tu l'as su immédiatement, et deux jours plus tard, tu étais à mon chevet en train de me houspiller.

Kyle s'en souvenait parfaitement, ainsi que de la peur intolérable qu'il avait éprouvée quand son frère avait été porté disparu au cours de la bataille de Waterloo.

Plus sérieux, Dominic poursuivit :

— J'ai su qu'il t'était arrivé quelque chose d'horrible, en Chine. Je... je ne parvenais pas à croire que tu sois mort, pourtant la douleur ne passait pas. Et, bien qu'elle se soit un peu atténuée depuis que tu es sorti de prison, elle est encore présente. Pendant longtemps, je me suis demandé si ton âme était au purgatoire. Et j'ai l'impression que tu y es toujours, ajouta-t-il dans un murmure.

C'était une question à peine déguisée.

— Verity est partie ce matin pour l'Écosse, déclara Kyle qui ne pouvait se dérober davantage.

— Pour longtemps ?

— Elle ne reviendra pas. Jamais.

Dominic lui lança un regard de biais.

— D'où la carafe de brandy...

— Nous n'avons jamais vraiment souhaité être mariés, alors, nous avons raconté que nous avions procédé à un mariage à l'essai dans le but d'aider Verity à quitter la Chine. Un an et un jour étant presque écoulés, elle est partie, voilà tout.

— Pour quelqu'un qui ne voulait pas être marié, il me semble que tu absorbes beaucoup d'alcool en l'absence de ta non-épouse.

Kyle ferma les yeux.

— Je... j'aime beaucoup Verity. Elle va me manquer cruellement.

— Ainsi, c'est elle qui voulait mettre fin à vos relations ? Curieux. Je croyais qu'elle avait un gros faible pour toi.

— Cela ne suffit pas pour accepter un mariage.

— Il va vraiment falloir que je t'arrache les mots de la bouche, Kyle ! Je le ferai si c'est indispensable, mais il serait plus simple que tu me dises franchement ce qui n'a pas marché.

Kyle fixait les flammes, heureux de sentir la chaleur se répandre en lui. Il ne s'était pas rendu compte qu'il avait froid avant l'arrivée de son frère.

— C'était... difficile pour Verity comme pour moi. Comme elle l'a dit, nous sommes plus que d'anciens amants, mais moins que des conjoints. Je n'ai pas aimé la voir partir, pourtant, c'était la seule chose à faire. Elle a vécu la plus grande partie de sa vie avec l'impression d'être une étrangère. Elle mérite de trouver un homme pour qui elle sera le centre de l'univers. À jamais.

— Et cet homme ne peut être toi ?

— J'ai aimé une fois de cette façon, je ne suis pas capable de recommencer.

— Reprends-moi si je me trompe : tu dis que tu n'aimes pas Verity, que tu ne peux pas l'aimer. Son départ te déchire, et ce n'est pas de l'amour ?

— Ce n'est pas comme Constancia, répondit Kyle. Je ne te l'ai jamais avoué, mais j'ai épousé Constancia, juste avant sa mort, en Espagne. Une partie de moi a disparu avec elle, et jamais plus je ne pourrai aimer autant que je l'ai aimée.

Dominic ne se laissa pas apitoyer.

— Bien sûr que si ! Tes sentiments envers elle étaient uniques, fondés sur des qualités qui te la rendaient particulièrement chère. En outre, Constancia était ton premier amour, un immense amour. Mais tu l'as perdue, et cela ne signifie pas que tu ne puisses aimer une autre femme, d'une façon différente mais tout aussi fort.

— Je n'ai jamais eu comme toi l'œil charmeur et le cœur volage, rétorqua Kyle avec flegme.

— Avant de rencontrer Meriel, j'ai été bien souvent amoureux, et j'ai appris que chaque fois, avec chaque femme, c'était différent. Dieu merci, je n'ai jamais perdu un grand amour. S'il arrivait malheur à Meriel... Mais n'y pensons pas. Ce que je voulais dire, c'est que l'amour n'est pas une substance finie, limitée, dont on ne peut se servir qu'une fois. Ton amour pour Constancia prouve ta capacité à aimer. N'est-il pas possible que tu aimes déjà Verity, au moins un peu, et que tu puisses l'aimer davantage avec le temps ?

Kyle ouvrait la bouche pour protester, mais il se contenta de demander :

— Comment définis-tu l'amour ?

— Tu ne cherches pas les questions les plus faciles ! dit Dominic qui jeta distraitement quelques gouttes de brandy dans la cheminée.

De petites flammes bleues s'élevèrent.

— La passion est la graine de l'amour romantique, et elle a fleuri au fil des années comme je n'aurais jamais pu l'imaginer quand j'ai épousé Meriel. Mais il y a plus encore. L'amitié. La confiance, les conversations. Le vide que je ressens quand je ne l'ai pas vue pendant un moment. Une tendresse qui me gonfle le cœur simplement en pensant à elle.

Une autre gerbe de flammes bleues.

— Le fait est que je donnerais ma vie pour sauver la sienne sans l'ombre d'une hésitation.

Kyle réfléchit. La passion ? Verity et lui l'avaient connue. L'amitié, les conversations aussi. Il était en manque lorsqu'elle n'était pas là, et elle lui inspirait une tendresse protectrice. Il n'hésiterait pas non plus à donner sa vie pour elle, mais c'était normal, puisqu'elle avait sauvé la sienne. Elle avait risqué sa vie en venant le voir en prison, elle voulait l'aider à s'échapper, bien qu'elle sût que c'était voué à l'échec. Pourtant, toutes ces qualités ne contrebalançaient pas la profondeur de l'intimité qu'il avait partagée avec Constancia.

— L'amour n'est-il pas plus que l'addition de tous ces éléments ? demanda-t-il.

— Si, mais je ne trouve pas les mots pour le décrire. Sauf peut-être en disant que Meriel *est* mon cœur. Cependant, curieusement, lorsque Philip est né, je me suis aperçu qu'il y avait encore beaucoup de place pour lui dans mon cœur, et ensuite pour Gwen. Si nous avions un autre enfant, il y aurait encore une montagne d'amour en réserve pour lui.

— Tu sais mieux aimer que moi.

— Nous ne sommes pas si différents, Kyle. Tu as plus de mal à te laisser aller, tu as dû te protéger plus que moi, mais tu as autant à donner, et le même besoin de recevoir... Constancia aurait-elle aimé que tu la pleures toute ta vie ?

— Certes non ! C'était la plus généreuse des femmes, et ses derniers mots ont été pour m'encourager à vivre, à avancer. Mais ce n'est pas parce qu'elle aurait approuvé que mon cœur serait prêt à obéir.

— Constancia et toi êtes restés ensemble de longues années. Lorsque tu l'as vue pour la première fois, as-tu pensé que tu n'aimerais plus jamais si tu la perdais ?

Kyle fronça les sourcils.

— Je... je n'en sais rien. Sans doute pas.

Dominic se tut, laissant son frère tirer seul les conclusions. Kyle essayait de comparer ses sentiments pour Verity à ceux qu'il avait éprouvé pour Constancia au début de leur liaison, mais il n'y parvenait pas. Quand il pensait à Constancia, dix années se mêlaient dans le profond amour qu'il ressentait pour elle à la fin.

D'ailleurs, à en croire Dom, il n'avait aucune raison de chercher à comparer.

— Tu me dis qu'il est trop tôt pour décider que je n'aimerai jamais Verity comme j'ai aimé Constancia. Mais même si tu as raison, cela ne tient pas compte de ce que souhaite Verity. C'est elle qui a décidé qu'il était temps de partir.

— D'accord, parlons des souhaits de Verity. Que désire-t-elle le plus, dans la vie ?

— Être acceptée, répondit Kyle sans hésiter. Être reconnue, et elle ne pense pas que ce soit possible ici. Nous étions à Dornleigh depuis une semaine quand elle a surpris une conversation entre père et moi. Il était plus borné que jamais, et une demi-heure plus tard, elle prenait la route du nord. Je suis arrivé à la persuader de revenir, cependant, à mon avis, l'incident l'a convaincue qu'il n'y avait pas d'avenir possible ensemble.

— Alors, brisée, meurtrie, elle a préféré partir. Mais si elle est à moitié aussi malheureuse que toi, cela vaudrait la peine de faire un dernier essai. L'amour ne vous tombe pas tout rôti dans le bec, en général. Il faut le gagner, et ce n'est pas facile.

— Je ne sais pas si j'ai le courage de tenter et d'échouer.

— Un échec serait-il pire que de te demander le restant de tes jours si tu aurais pu connaître le bonheur avec Verity ? C'est une personne exceptionnelle.

— Selon toi, ce serait le cas de toutes les femmes.

— Un point pour toi ! Chaque personne est exceptionnelle, mais quelques-unes le sont plus encore que les autres. Tu ne retrouveras jamais une seconde Verity.

Kyle le savait, mais cela ne voulait pas dire qu'il avait le droit de l'accaparer.

— Tu m'as demandé ce que Verity voulait. Mais toi, Dom, que souhaites-tu le plus fort ?

— Encore cinquante années comme celles que je vis, répondit Dominic. Meriel, mes enfants, plus tard, des petits-enfants, la conscience d'agir dans l'intérêt des gens de Warfield et du Shropshire. Je suis un propriétaire terrien né, Kyle. Tu as de plus hautes ambitions, mais la politique devrait te convenir à merveille. Ce serait l'occasion de faire le bien à une échelle plus importante.

Son frère le connaissait à fond. Siéger à la Chambre des lords et aider à façonner l'avenir de sa patrie était un aspect de son héritage qui l'avait toujours attiré.

— Tu te rappelles que je t'avais promis Bradshaw Manor si tu prenais ma place auprès de ma fiancée folle ?

— Je ne risque pas de l'oublier, surtout que ton plan tordu a bouleversé ma vie !

— J'avais de toute façon l'intention de te donner Bradshaw, puisque c'était la seule propriété qui m'appartînt en nom propre.

Dominic haussa les sourcils.

— Quand nous étions jeunes, j'ai cru que tu allais me céder tôt ou tard un domaine de taille moyenne, puis nous avons été à couteaux tirés pendant longtemps, alors j'ai pensé que tu avais changé d'avis. Mais si tu avais réellement l'intention de me donner Bradshaw, pourquoi diable ne l'as-tu pas fait, au lieu de me laisser mariner à Londres pendant des années ?

Kyle eut un petit sourire.

— J'espérais que tu profiterais de ta liberté pour faire quelque chose d'intéressant, visiter la Chine, par exemple.

Dominic éclata de rire.

— C'était ton rêve, pas le mien ! Quand je pense à toutes les fois où je t'ai envié d'être l'aîné ! Mais c'était moi le plus chanceux, en réalité. J'ai grandi sans la pression qui t'était imposée.

Wrexham avait veillé de près à l'éducation de son héritier, n'hésitant pas à manier lui-même le fouet lorsque Kyle ne se montrait pas à la hauteur de ses ambitions. C'était dur, mais Kyle avait tout supporté stoïquement. Il s'enorgueillissait même d'avoir parfois assumé les bêtises de Dominic afin de lui épargner la colère paternelle. Il considérait que c'était son devoir d'aîné, et il avait toujours rempli son devoir.

— Je me suis parfois demandé… reprit Dominic, songeur. Si j'avais été l'aîné, serais-je toi, et toi moi ? Je veux dire, aurais-je été le jumeau responsable et toi le rebelle ? Ou bien nos différences sont-elles tellement innées que nos tempéraments seraient restés les mêmes si nous étions venus au monde dans l'ordre inverse ?

— Je n'en ai pas la moindre idée, Dom ! Et y réfléchir ce soir me donnerait la migraine.

— Ce serait plutôt le brandy, à mon avis, répliqua Dominic en se levant. Sur ce, je vais me coucher. À demain.

— Merci d'être venu, dit doucement Kyle.

Dominic posa la main sur l'épaule de son frère.

— Tu peux aussi attraper la migraine en t'interrogeant au sujet de Verity. Mais il serait sans doute plus simple de te demander tout bêtement si tu es mieux avec elle ou sans elle.

Son frère parti, Kyle posa son verre de brandy. Il n'avait plus envie de chercher l'oubli dans l'alcool. Et la dernière question de Dominic ne l'avançait guère. Kyle était mieux avec Verity que sans elle, mais la réciproque n'était pas vraie.

Comment s'était déroulée sa première année avec Constancia ? Érotique, évidemment, et pas seulement parce qu'il était puceau et qu'elle était une courtisane qui savait délicieusement plaire aux hommes. Quand ils faisaient l'amour, il y avait toujours une dimension affective qui dépassait le simple plaisir physique, bien qu'il eût mis dix ans à comprendre à quel point il l'aimait.

Dominic avait raison, il ne pouvait comparer l'amour qu'il avait porté à Constancia aux tumultueux sentiments qu'il éprouvait pour Verity. Avec Constancia, il était en paix, serein. Certes, il désirait Verity comme il n'avait jamais pensé pouvoir désirer une femme de nouveau, mais la base de leur relation n'était pas la paix, plutôt un besoin à l'état brut, et il détestait cette idée qui risquait de les détruire tous les deux. Il se mépriserait pour sa faiblesse, et elle le mépriserait de s'accrocher tant à elle. Cela ne correspondait à aucune définition de l'amour…

Mais s'il était trop lâche pour essayer d'explorer les possibilités d'avenir avec Verity, il se le reprocherait toute sa vie.

Et puis, il la désirait, il la voulait comme jamais il n'avait voulu quelque chose, ou quelqu'un. Il aurait du mal à la gagner. C'était même peut-être impossible.

Le brouillard de la dépression qui le paralysait se leva enfin. Il n'était sûrement pas désespéré au point de l'éloigner définitivement de lui.

Il existait un seul moyen de le savoir.

38

Melrose
À la frontière écossaise

— Je suis venue, père!

Verity riait aux éclats tandis que le vent s'engouffrait dans son manteau qui claquait comme une bannière sombre. En explorant les ruines de l'abbaye de Dryburgh, elle se sentait pleinement heureuse d'avoir tenu la promesse faite sur la tombe de son père.

Il lui avait souvent raconté l'abbaye, lorsqu'elle était enfant, et elle avait l'impression de l'entendre. Les batailles incessantes entre Écossais et Anglais avaient laissé le monument sans toit, et au milieu des bâtiments paissaient des moutons. Verity avait l'impression d'être l'héroïne d'un des romans qu'elle lisait à Warfield.

Peut-être un traître se cachait-il derrière les vieilles pierres, prêt à sauter sur l'innocente jeune fille. Au dernier moment, quand tout espoir semblerait perdu, le héros apparaîtrait et donnerait la mesure de son amour dans un combat sans merci. Évidemment, Verity n'était pas une innocente jeune fille, et elle était parfaitement capable de se débarrasser d'un malfrat sans l'aide de personne, mais elle adorait l'idée d'être sauvée par un beau et sombre héros qui serait fou d'elle.

Elle s'arrêta avec respect devant la tombe de Sir Walter Scott, qui avait vécu non loin, et que l'on avait enterré ici l'année précédente. Son père avait connu l'écrivain alors qu'il n'était encore qu'un enfant. Durant l'hiver, Verity avait dévoré ses histoires écossaises pleines d'aventures et d'amour. Scott avait choisi un bien bel endroit pour dernière demeure, même s'il n'y avait plus trace de traîtres ni de héros.

À moins que… À travers une fenêtre, elle aperçut une silhouette masculine vêtue de noir qui lui rappela un peu celle de Kyle. Mais ce n'était pas la première fois, depuis qu'elle avait quitté Dornleigh ! Elle était hantée par le fantôme d'un homme qui n'était pas mort.

S'il était là, jouerait-il le rôle du traître, ou celui du héros ? Elle sourit de ses propres fantasmes et rebroussa chemin afin d'éviter l'étranger. Elle préférait la solitude. Il lui suffisait déjà d'être en Écosse, où elle avait dû affronter quelques regards curieux, mais où la courtoisie naturelle avait pris le dessus, d'autant que son accent était typiquement du pays.

Elle décida d'aller jeter un coup d'œil à la rivière qui coulait derrière l'abbaye, et quitta l'église… pour faire un bond quand elle se heurta de plein fouet à l'autre visiteur. Dieux du Ciel, c'était bien Kyle, cette fois !

— Monseigneur ?

Son cœur battait la chamade. Il recula d'un pas.

— En personne. Désolé, je ne voulais pas vous effrayer.

Elle s'était ressaisie et demanda froidement :

— Vous êtes venu récupérer votre voiture ?

— Je suis venu vous voir.

Son regard intense était terriblement troublant.

— Comment m'avez-vous trouvée ?

— Il n'est pas difficile de suivre un attelage avec des armoiries sur les portières, d'autant moins que vous m'aviez raconté que la famille de votre père était originaire de Melrose. En outre, l'aubergiste chez qui vous logez m'a dit que vous étiez partie à l'abbaye à pied. J'ai eu envie de vous rejoindre. C'est une belle promenade !

— Mais pourquoi ? demanda-t-elle, déconcertée.

— Pour vous parler. Êtes-vous prête à rentrer à Melrose, ou voulez-vous rester encore un peu ?

— Cela ira pour aujourd'hui.

Il n'était pas possible de continuer la visite avec Kyle.

Il lui offrit son bras qu'elle accepta machinalement, sans pouvoir s'empêcher d'apprécier sa présence. Ils marchèrent un instant en silence, puis il reprit :

— Votre accent écossais est déjà plus prononcé. Le pays est-il à la hauteur de votre espérance ?

— Tout à fait.

Elle offrait son visage au vent.

— C'est le triomphe de l'origine sur l'éducation : j'aime l'air frais et le ciel qui change sans arrêt. J'ai l'impression de… rentrer chez moi. Les ombres, la lumière, les collines sont exactement telles que je les imaginais. C'est comme si j'avais vécu ici dans une autre vie.

— Peut-être est-ce vrai.

— Décidément, le bouddhisme a un peu déteint sur vous…

— Je le crois. Certains lieux parlent directement à nos cœurs. Cela a été mon cas lorsque j'ai découvert ces gravures chinoises. J'ai senti que la Chine était une partie de moi et que je ne trouverais pas le bonheur tant que je n'y serais pas allé.

— Votre passion a le mérite de vous rendre moins étroit d'esprit que la plupart de vos semblables, dit Verity qui se rappelait leur voyage à Hoshan. Vous auriez aimé rester en Chine ?

— Si j'avais eu le choix, je serais devenu négociant, comme votre père, et j'aurais passé la majeure partie de mon temps entre Macao et Canton. Mais puisque j'ai des responsabilités en Grande-Bretagne, je dois me contenter d'y être allé en touriste.

— Si vous avez appris à vous contenter de ce que vous avez, l'année passée n'aura pas été perdue. Quand je vous ai rencontré, le mot « insatiable » semblait vous définir assez bien.

De nouveau, le regard de Kyle se fit plus intense.

— L'année passée n'a pas été perdue, même si elle a été parfois difficile, affirma-t-il.

Désireuse d'éviter les conversations sérieuses, Verity releva sa jupe et sauta par-dessus une flaque d'eau.

— Il est curieux que l'on appelle cette partie de l'Écosse les Basses-Terres alors qu'elle est plus vallonnée que l'Angleterre en général.

— Certes, mais ces collines sont modestes comparées aux Highlands, les Hautes-Terres, où ma mère est née. En théorie, ajouta Kyle, Angleterre et Écosse ne sont à présent qu'un seul et même pays, mais je doute que ce soit un jour totalement vrai.

— Mon père aurait été de votre avis.

Elle se détourna, se demandant pourquoi Dominic était seulement bel homme, alors que Kyle, qui lui ressemblait comme deux gouttes d'eau, lui coupait le souffle.

— Avez-vous retrouvé des membres de sa famille?

Ses doigts se crispèrent sur le bras de Kyle.

— Je sais qu'il avait un frère, appelé James Montgomery, mais quand j'ai questionné l'aubergiste à *Auld Bruce Inn,* il m'a dit qu'il y en avait cinq dans le district. Je ne sais pas si j'ai envie d'insister. Peut-être vais-je rester à Melrose un jour ou deux avant de me rendre à Édimbourg.

— Si vous voulez, je peux vous aider à trouver votre oncle, et vous accompagner quand vous irez le voir.

Gênée de constater à quel point il lisait dans ses pensées, elle revint à sa première question.

— Donnez-moi une meilleure raison pour expliquer votre présence ici, Kyle. Est-ce pour nous rendre de nouveau malheureux?

— J'espère que non. Je... je pense que je suis venu vous courtiser.

Elle ouvrit de grands yeux.

— Me courtiser?

— Mieux vaut tard que jamais, dit-il en grimaçant un sourire. Une douzaine d'heures après votre départ, Dominic est venu me voir et il m'a dit en substance que j'étais un fieffé imbécile en ce qui vous concernait. Il a indéniablement raison.

Elle avait le cœur serré.

— Ce qui signifie?

— Je ne sais toujours pas si je suis capable d'être le mari que vous méritez, dit Kyle sincèrement, mais je ne veux pas renoncer à ce qui existe entre nous s'il peut y avoir davantage.

— Peut-être est-il trop tard, murmura-t-elle.

Elle baissa la tête, au bord des larmes. Elle l'aimait, elle l'avait aimé dès le premier instant, mais elle ne pensait plus qu'ils puissent avoir un avenir ensemble. Pourquoi avait-il fallu qu'il vienne tout embrouiller, alors qu'elle venait enfin de choisir sa voie?

Bien qu'il fût trop tôt pour l'affirmer de manière irréfutable, elle sentait dans sa chair qu'ils avaient conçu un enfant, sous les pommiers en fleur. Elle se sentait différente... Elle aurait même parié que l'enfant serait un garçon, car elle sentait en elle une énergie *yang*.

Cette perspective l'emplissait de joie, mais elle ne voulait pas que son enfant fût élevé à Dornleigh par un grand-père qui méprisait les métisses et un père qui s'était donné tant de mal pour que sa maîtresse ne soit pas enceinte. Son enfant connaîtrait un amour inconditionnel, dût-elle pour cela retourner à Macao.

— Pourquoi serait-il trop tard ? Nous n'avons jamais vécu ensemble comme un couple normal, Verity. Vous étiez déguisée en homme, ensuite nous étions en voyage illégal, et puis je me suis persuadé que je devais vous laisser partir. Ne serait-il pas agréable de profiter l'un de l'autre en toute simplicité et de voir comment cela évolue ?

— Je ne puis imaginer que les choses soient aussi limpides entre nous.

Il eut un léger sourire.

— Nous pouvons commencer par ne pas être amants. Une cour digne de ce nom se dispense du lit.

— Je ne suis pas certaine de pouvoir vivre auprès de vous sans penser à ces distractions...

— N'est-ce pas justement une excellente raison d'essayer et de voir où cela nous mène ?

Nerveuse, elle serra son manteau contre elle.

— À quoi bon, Kyle ? Je n'appartiens pas à votre univers. Et ce serait vrai même si votre père m'appréciait, ce qui n'est pas le cas. Comment pourriez-vous être heureux en ne vous comportant pas comme il souhaite ?

— En Angleterre, les enfants sont beaucoup moins dociles qu'en Chine. En outre, avant de partir pour Londres, Wrexham a dit que des petits-enfants avec du sang chinois valaient mieux que pas de petits-enfants du tout, or, c'est là que se situe l'alternative.

— Et vous considérez cela comme une approbation ? ironisa-t-elle.

— Pour lui, oui. Wrexham n'est sûrement pas le beau-père idéal, et votre expérience l'agace beaucoup plus que votre sang chinois, mais si nous décidons de nous marier pour de bon, je vous garantis qu'il vous acceptera dans la famille et vous défendra contre le roi s'il le faut. Quant à mon frère et à ma sœur... ils vous considèrent déjà comme une Renbourne. Ils m'en voudront terriblement si je vous laisse partir.

— Tout cela est bien beau, mais je ne suis pas convaincue.

— Convaincre demande du temps, c'est la raison pour laquelle on a inventé la cour. Accordez-moi jusqu'à la fin du mariage à l'essai, Verity, insista-t-il. Si un an et un jour après les vœux que nous avons échangés à Feng-tang nous décidons que nous n'avons pas d'avenir commun, nous nous quitterons courtoisement et sans regrets.

Elle se mordilla la lèvre. Si elle était réellement enceinte, elle devait à son futur bébé de ne pas repousser ce dernier effort pour construire un véritable mariage.

— Entendu, dit-elle. Jusqu'à la fin du mariage à l'essai.

Il lui releva le menton et lui donna un baiser délibérément tendre, dénué de passion. Ses lèvres étaient tièdes, douloureusement familières.

Elle mourait d'envie de se lover dans ses bras, mais elle souhaitait plus encore la simplicité des rapports qu'il lui proposait. Même si elle considérait qu'il était trop tard.

Il s'écarta, le cœur battant.

— Merci, Verity. Je m'efforcerai d'être de meilleure compagnie les prochains jours que durant ces dernières semaines.

— Ce ne sera pas difficile !

— Vous avez raison. J'étais tellement perturbé et ennuyeux, le mois dernier, que j'avais du mal à me supporter moi-même. Je ne suis pas étonné que vous m'ayez quitté !

Il lui prit le bras et ils se remirent en route.

— Au sujet de vos parents, reprit-il, de toute évidence, il y a un risque à aller les voir, mais vous ne craignez pas le risque, Verity Montgomery. Voulez-vous que je mène mon enquête ?

Elle respira un bon coup.

— Trouvez-les, Kyle. Il est grand temps que je rencontre ma seule famille.

Bien qu'ils ne soient pas mari et femme pour toujours, elle pouvait aussi bien profiter de sa présence pour l'aider à affronter cette épreuve.

Heureusement, *Auld Bruce Inn* était un établissement assez important pour avoir un salon privé où Verity et Kyle purent prendre leur repas en toute tranquillité. Verity avait descendu Perle de sa chambre, comme compagnie ou comme chaperon, car la petite chatte adorait se tenir sur les genoux de sa maîtresse, ce qui n'incitait pas à la passion.

Kyle en fut ravi. Tout était bon pour l'empêcher de prendre Verity dans ses bras, ce qui, il le savait, serait une erreur. Il lui fallait avancer lentement, prudemment, regagner son amitié et sa confiance, sinon il perdrait sa dernière chance de la garder près de lui.

Après leur retour de l'abbaye, il s'était mis en quête d'information sur la famille de Verity, mais il attendit la fin du repas pour lui communiquer ses découvertes.

— J'ai parlé au prêtre de la paroisse, et je pense avoir réussi à situer votre oncle.

Les doigts de Verity se crispèrent sur l'anse de sa tasse de thé.

— Vous en êtes sûr ?

— Certain. Il y a bien cinq James Montgomery, mais un seul avait un frère du nom de Hugh qui est parti faire fortune en Chine. Il n'est revenu en Écosse que deux fois, et la dernière date de plus de vingt ans, cependant on ne l'a pas oublié.

— Et qu'avez-vous appris d'autre sur mon oncle ?

— Il est maître d'école, comme son père.

— Oui, j'avais oublié, mais papa parlait toujours de son père et de son frère qui étaient instituteurs !

Elle but une gorgée de thé, l'air lointain.

— Je suppose que c'est la raison pour laquelle papa s'occupait tellement de mon éducation. Il m'enseignait lui-même tout ce qui concernait l'Europe, et veillait à ce que j'aie de bons professeurs pour la langue, l'histoire et la littérature chinoises.

— Les Écossais ont toujours accordé beaucoup d'importance à la culture. Ma mère était l'une des femmes les plus érudites que j'aie connues. Un peu comme vous.

Verity caressait à présent la petite boule de fourrure sur ses genoux.

— Mon oncle habite-t-il près d'ici ?

— Juste à la sortie de la ville, avec sa famille. Nous pourrons y aller à pied.

Kyle faisait tourner son vin dans son verre en priant pour que cet homme réserve un bon accueil à son exotique nièce, même si sa naissance n'était pas légale aux yeux des Britanniques.

Et si Montgomery la rejetait, Kyle ferait...

Il n'était pas très sûr de ce qu'il ferait, mais il regrettait que le duel fût interdit !

39

Tendue comme un arc, Verity tenait serrée contre elle la Bible de son père tandis que Kyle et elle descendaient le chemin qui menait à la maison de James Montgomery.

— Ce doit être ici, fit Kyle en désignant un grand cottage bien entretenu aux murs blanchis à la chaux.

Un chat sommeillait sur le porche.

— Le pire sera bientôt passé, ajouta-t-il.

Elle hocha la tête, la bouche trop sèche pour prononcer une parole, pendant que Kyle frappait à la porte. Celle-ci s'ouvrit aussitôt sur un homme grand, à l'air avenant.

— Puis-je vous aider ?

Verity eut le souffle coupé. Dieu, comme il ressemblait à son père ! Même stature, même visage long, même chevelure châtaine aux reflets roux, striée à présent de gris. Sans doute avait-il quelques années de moins que son père, se dit-elle.

— Vous êtes bien James Montgomery, le frère du défunt Hugh Montgomery, de Macao ?

L'homme haussa ses sourcils broussailleux.

— En effet.

Kyle poussa doucement Verity en avant.

— Permettez-moi de vous présenter votre nièce, Verity Montgomery, qui est arrivée récemment en Angleterre.

James en resta bouche bée, et il y avait une telle surprise dans son regard que Verity se serait enfuie en courant si Kyle ne l'avait tenue fermement par le bras. Puis il tonna, de sa voix de professeur :

— Mère, Janie ! La fille de Hugh est là !

Il lui prit la main et l'attira à l'intérieur de la maison. Deux femmes apparurent bien vite en essuyant sur leurs tabliers leurs doigts blancs de farine. L'une était d'âge moyen, rousse et rondelette, sûrement l'épouse de James, l'autre était une digne vieille dame aux cheveux de neige.

Deux chiens se mirent à aboyer quand la plus âgée s'approcha de Verity, très droite, le regard bienveillant.

— La fille de mon Hugh, murmura-t-elle tandis que les larmes lui montaient aux yeux. Comme tu lui ressembles, mon enfant !

C'était totalement invraisemblable et, lorsque la vieille dame la serra dans ses bras, Verity se mit à pleurer.

— Je... je ne savais pas que j'avais une grand-mère...

Elle avait envisagé plusieurs versions possibles qui allaient du rejet pur et simple à l'acceptation sans enthousiasme de son existence, mais pas un instant elle n'avait imaginé qu'elle recevrait un accueil aussi chaleureux. Comme sa grand-mère la guidait vers un sofa, elle entendit Kyle se présenter, et James faire de même pour sa femme, Jane, et sa mère, Mairead.

— Nous avons cru que tu étais morte dans le naufrage, avec Hugh, dit-il ensuite. Où as-tu passé toutes ces années, petite ?

Elle était en larmes, et Kyle répondit à sa place.

— À Canton. Un ami chinois de son père l'a recueillie lorsqu'elle s'est retrouvée orpheline.

Verity essayait de se ressaisir lorsqu'un des deux gros chiens vint poser les pattes sur ses genoux et poussa une truffe humide contre sa joue. Riant à travers ses larmes, la jeune femme se redressa pour chercher un mouchoir. Kyle lui tendit le sien.

Elle s'essuya les yeux.

— Je suis navrée de me donner ainsi en spectacle, balbutia-t-elle, mais je... je ne savais pas si je serais la bienvenue parmi vous.

— La fille unique de mon fils n'aurait pas été la bienvenue ? s'écria Mairead. Quelle idée absurde !

— Je suis à moitié chinoise, rétorqua Verity avec franchise, et mes parents n'étaient pas vraiment mariés, selon les rites écossais.

— Ils l'étaient, intervint James. Et même si ce n'était pas le cas, tu resterais la fille de mon frère.

— Mes parents étaient mariés ?

— Oui, répondit Mairead. Hugh et Li-Yin se sont juré fidélité à l'ancienne manière écossaise, seuls tous les deux devant Dieu.

Elle caressa tendrement les cheveux de sa petite-fille.

— Et ce genre de mariage était légal ? insista Verity.

— Si ça l'était pour eux, ça l'était aussi pour nous, dit calmement Janie. Tes parents ne t'en ont pas parlé ?

— Non, et je n'ai jamais pensé à les interroger.

Verity avait présumé que sa mère était une concubine, statut reconnu en Chine.

Maintenant, elle comprenait pourquoi le sujet n'avait jamais été abordé.

— À Macao, beaucoup de *Fan-qui* ont des concubines chinoises et des enfants métis, mais, pour un Européen, épouser sa maîtresse fait scandale, et il perd son travail. Mon père a dû préférer la discrétion.

Il appelait Li-Yin « ma Dame », ce que Verity trouvait élégant et romantique. En y réfléchissant, la haute moralité de son père lui aurait interdit de vivre dans le péché, aussi avait-il épousé Li-Yin de façon traditionnelle et en avait-il averti sa famille. Mais il avait jugé inutile d'en informer la communauté européenne, qui aurait poussé de hauts cris.

— Que diriez-vous d'une bonne tasse de thé ? demanda Janie qui revenait de la cuisine avec un plateau. Ça creuse, les émotions.

Trop nerveuse, Verity n'avait rien avalé depuis le matin, et elle fit honneur au thé bien chaud et aux sablés tout juste sortis du four. Ils étaient aussi délicieux que son père le lui avait raconté ! Rassasiée, elle s'adressa à sa toute nouvelle famille.

— Avez-vous des doutes sur mon identité ? J'ai apporté la Bible de mon père, si vous voulez la voir...

Mairead secoua la tête.

— Inutile. Tu lui ressembles, malgré ton sang chinois. Tu as ses oreilles, la forme de son visage, des expressions... Hugh savait combien je me languissais de connaître ma petite-fille, alors il écrivait souvent pour donner de tes nouvelles. Il était très fier de toi, si belle, si intelligente, et il disait qu'avec deux langues parlées couramment, tu lui serais très utile dans son travail. Je lui avais demandé de venir nous rendre visite, mais il ne voulait pas te séparer de ta mère, et il craignait que le voyage ne soit trop fatigant pour elle.

Il avait raison. Sa mère aurait détesté la longue traversée. Certes, elle aurait accepté pour lui faire plaisir, mais jamais il n'aurait voulu la forcer. Ne pas contraindre une femme était une qualité qu'il partageait avec Kyle.

— Maintenant que tu es là, je vais pouvoir te remettre la fortune qui te vient de ton père, intervint James. Et je suis bien content de pouvoir le faire enfin.

— Mais de quel argent s'agit-il? demanda Verity, stupéfaite. À sa mort, mon père était endetté. Chenqua, le marchand qui m'a recueillie, n'a pas pu me mentir quand il disait que j'étais sans le sou!

— Il est vraisemblable que M. Chenqua n'était pas au courant du compte qu'avait ton père en Angleterre. Il envoyait la plus grande partie de ses gains à une banque d'Édimbourg, et gardait à Macao juste ce qu'il fallait pour renouveler la marchandise. C'est sans doute tout ce que savait ton ami chinois.

— Sûrement, acquiesça Kyle. Et même si Chenqua savait qu'il y avait de l'argent en Angleterre, il vous croyait démunie, car les femmes chinoises ne peuvent hériter, n'est-ce pas?

Verity accepta l'explication avec soulagement. Elle refusait d'imaginer Chenqua malhonnête. Il faisait du commerce depuis quarante ans sans jamais avoir recours à un contrat plus précis que sa parole.

Elle contemplait de nouveau les visages affectueux des siens. Sa vie aurait été bien différente, si quelqu'un, dans la communauté anglaise, avait pensé à l'envoyer dans la famille de son père. Elle aurait été élevée dans cette maison, aimée, acceptée – et presque riche.

— Combien mon père a-t-il laissé?

— Nous en avons dépensé un peu, répondit James, puisque nous te croyions morte, mais il doit rester environ dix mille livres.

Verity en resta bouche bée. Une petite fortune! De quoi vivre confortablement pour le restant de ses jours, si elle se montrait raisonnable. Plus jamais elle ne serait pauvre – ni dépendante. Émerveillée, elle reprit :

— Puisque vous vous pensiez l'héritier légitime, pourquoi ne pas avoir dépensé plus ? Pour acheter un domaine, ou vous installer à Édimbourg...

Mairead eut l'air surpris.

— Quelle drôle d'idée! Melrose est notre foyer, et nous ne manquons de rien.

— Nous avons pris un peu de cet argent pour envoyer nos deux fils et deux de leurs cousins à l'université, expliqua James. Notre aîné, Jamie, est médecin à Édimbourg, et Hugh, le cadet, termine ses études. Il veut revenir ici pour enseigner. Nos filles ont reçu un cottage en dot lorsqu'elles se sont mariées, car il est bon d'avoir un toit sur la tête.

Il se rembrunit soudain.

— Nous te rembourserons, naturellement, mais il nous faudra un peu de temps.

— Et n'oublie pas que nous nous sommes servis de l'argent de Hugh pour arranger la cuisine, s'inquiéta Janee. Nous devons faire les comptes pour Verity.

— Pas question! protesta vivement la jeune femme. Mon père aurait voulu que ses neveux aient de l'instruction, et que vous ayez une belle cuisine, j'en suis certaine. En tout cas, c'est ce que moi je souhaite.

Jane se détendit.

— Tu es généreuse, petite.

Verity sourit.

— Il est facile d'être généreux avec de l'argent qu'on n'a jamais eu!

— Quels sont tes projets, à présent? J'espère que tu vas passer un peu de temps avec nous.

Elle jeta un coup d'œil à Kyle.

— Nous avions l'intention de visiter la propriété de Kyle, dans les Highlands, puis de séjourner quelque temps à Édimbourg.

— Mais nous pouvons rester quelques jours ici, intervint Kyle. Et revenir à Melrose après avoir été à Kinnockburn.

— Parfait ! Nous aurons le temps d'organiser un grand *cèilidh* afin de célébrer le retour de notre brebis égarée ! déclara Mairead.

— Qu'est-ce qu'un « cé-lid » ? questionna Verity.

— Une fête où l'on mange, boit et danse. Nous ferons venir Jamie et Hugh d'Édimbourg, ils auront envie de te connaître.

— Nous pourrions inviter Caleb Logan, l'ancien associé de ton père, suggéra James. Il m'a envoyé un mot pour m'avertir qu'il était en Angleterre, ce qui était fort courtois. Te le rappelles-tu, Verity ?

Elle l'avait connu à Canton, mais elle n'avait pas envie de raconter cette période de sa vie.

— Mon père en parlait de temps en temps, mais ma mère et moi ne rencontrions jamais ses associés.

À part Chenqua qui venait parfois rendre visite à Li-Yin et offrait de petits cadeaux à Verity.

— Alors, c'est entendu pour le *cèilidh* ! insista Mairead. Et je pense que Verity devrait habiter avec nous pendant son séjour à Melrose. La chambre des filles, dans le grenier, est très confortable. Cela te plairait ?

— J'adorerais ça ! s'exclama Verity, le cœur débordant de joie.

Mairead fit signe à son fils et à Kyle de sortir.

— Laissez-nous, vous deux. Janie et moi avons besoin de bavarder avec notre petite. Va donc annoncer la bonne nouvelle à ta sœur, James.

Verity tourna vers Kyle un visage si radieux qu'il en eut le cœur serré. Elle avait cette expression, au début, lorsqu'elle le regardait.

Devinant ce que les deux femmes avaient en tête, Kyle ne fut pas surpris de voir James allumer sa pipe dès qu'ils furent dehors.

— Je ne pense pas que vous ayez parlé de vos relations avec ma nièce, monsieur Maxwell. Êtes-vous fiancés ?

— Nous sommes amis.

Kyle ne savait quelle version donner de l'histoire.

— Comme Verity, je suis à moitié écossais, reprit-il, et afin de l'aider à quitter la Chine, je lui ai proposé un mariage à l'essai. C'est discutable sur le plan légal, mais le délai est presque terminé, donc, elle sera bientôt libre.

Alors elle s'installerait sûrement à Melrose, entourée de l'affection des siens. Il en était heureux pour elle, mais maintenant qu'elle avait une famille et une fortune convenable, elle n'avait plus du tout besoin de lui...

Les instituteurs, en général, sont bons lecteurs de l'âme humaine.

— Vous ne me dites pas tout, mon garçon, dit James. Avez-vous l'intention de l'épouser pour de bon ? Vous me semblez plus proches que de simples amis.

— Elle m'a sauvé la vie, en Chine. On me croyait mort, et je suis rentré en Angleterre quelques mois après elle. Actuellement, nous tentons de voir si nous voulons vraiment vivre ensemble.

— Mais vous êtes prêt à vous comporter en honnête homme ?

— Tout à fait. Elle a des doutes, et je la comprends... Non, je ne suis pas un libertin, si c'est ce à quoi vous pensez, mais je suis Lord Maxwell, pas M. Maxwell, et je suis l'héritier du comte de Wrexham. Verity n'est pas sûre de pouvoir s'adapter à mon univers, ni même d'avoir envie d'essayer.

— Elle a le bon sens de son père, ainsi que sa générosité. C'est un miracle de l'avoir ici !

James tira quelques bouffées de sa pipe, pensif.

— Au moins, si elle décide de vous épouser, poursuivit-il, elle ne pourra pas se dire que vous en voulez à son argent, puisque c'était visiblement autant une surprise pour vous que pour elle.

— Et une bonne surprise ! Quoi qu'il arrive, Verity a son avenir assuré. Mais en effet, je n'ai que faire de sa fortune, la mienne est si grande qu'aucun homme raisonnable n'en voudrait.

— Ainsi, vous vous êtes rendu compte que l'argent était autant une malédiction qu'une bénédiction. C'est pourquoi nous ne nous sommes guère servis de l'héritage de Hugh. Je préfère voir mes fils médecin et professeur, plutôt que dandies aux mœurs dissolues.

D'un geste, il désigna le cottage voisin.

— C'est la maison de ma sœur Annie. Elle a trois filles, alors préparez-vous à entendre piailler quand j'annoncerai la nouvelle. Ce n'est pas tous les jours qu'on se retrouve avec une fascinante cousine !

Ce n'était pas tous les jours non plus que l'on perdait une femme fascinante... Pourtant Kyle sentait que cela se produisait doucement, douloureusement.

40

Le *cèilidh* des Montgomery resterait longtemps dans les mémoires ! Il eut lieu dans la salle de réunion de l'auberge, offrit des montagnes de nourriture, des flots de boisson, rassembla des musiciens et la moitié de la population du comté !

On s'arrachait Verity, l'invitée d'honneur, pour danser ou simplement pour bavarder. Dans un coin discret, Kyle se contentait de l'observer. C'était sa soirée, elle méritait d'en jouir pleinement. Les cheveux défaits, les joues roses de plaisir, elle était magnifique ! Elle avait choisi, avec sagesse, l'une de ses robes les plus simples et, avec sa grâce d'athlète, elle n'avait eu aucun mal à assimiler les pas endiablés de la danse traditionnelle écossaise.

On avait l'impression qu'elle était née parmi ces gens. Et c'était presque le cas. Il lui avait seulement fallu du temps pour arriver chez elle.

Depuis qu'elle s'était installée chez sa grand-mère, Kyle la voyait moins, et toujours en présence de tiers. Il en avait espéré davantage de sa période de cour, mais peut-être était-ce mieux ainsi. Il commençait à se résigner à l'idée qu'il avait besoin d'elle alors qu'elle n'avait que faire de lui.

Deux femmes d'un certain âge vinrent se poster non loin.

— Elle semble gentille, dit l'une en regardant Verity, mais elle a vraiment un physique curieux.

— Les Montgomery ont l'air de ne pas s'en soucier, répondit l'autre. Moi, je n'aimerais pas que mon fils l'épouse !

— Même avec son héritage ?

La femme se mit à rire.

— Eh bien, je ne voudrais pas me mettre en travers du bonheur de mon fils !

Kyle fut tenté de se mêler à la conversation, mais Verity et sa famille n'apprécieraient pas qu'il provoque une altercation au beau milieu de la fête, aussi y renonça-t-il.

— Maxwell ! Un petit verre avec moi ?

Caleb Logan approchait avec une bouteille et deux verres. Bien que Kyle l'eût souvent rencontré à Canton, jamais il n'avait su que Logan avait été l'associé de Hugh Montgomery. Sinon, il se serait arrangé pour en apprendre davantage sur le père de Verity.

— Buvons à la santé de l'Écosse et de la fille la plus originale de la région ! déclara Logan, jovial, en leur servant un whisky couleur d'ambre.

— À l'Écosse et à Verity Montgomery !

Kyle avala l'alcool cul sec, se félicitant de ne pas avoir trop bu jusqu'à présent.

Logan était l'un des plus riches négociants de Canton, et il en avait le profil : rusé, pratique, déterminé à faire suffisamment fortune pour venir prendre une retraite royale en Écosse.

— Content de vous revoir, dit Kyle. Comment s'est passé votre retour de Chine ?

— Fort bien. J'ai voyagé avec une cargaison du meilleur thé, et je l'ai vendu un bon prix.

Logan se servit un autre verre.

— Hugh serait content de savoir que sa fille est ici, reprit-il.

— Lorsqu'il a péri dans ce naufrage, demanda Kyle, curieux, personne n'a pensé à envoyer Verity dans sa famille ?

Logan secoua la tête.

— Pas que je sache. Hugh les tenait à l'écart, elle et sa mère. Même moi, je ne l'avais jamais vue, alors que je travaillais quotidiennement avec lui. Après le naufrage, Chenqua m'a dit que la petite allait vivre avec des parents chinois, ce qui m'a semblé raisonnable. Ce n'était pas la peine de déstabiliser Verity en l'envoyant à l'autre bout du monde si elle avait de la famille sur place.

Chenqua avait dit que Verity avait des parents chinois ? Étrange ! Li-Yin venait du nord, et elle n'avait eu aucune relation avec les siens depuis qu'elle avait été vendue comme concubine.

Kyle se sentit soudain mal à l'aise. Chenqua avait-il menti à Logan afin de pouvoir se servir des talents linguistiques de Verity ? Il n'aimait pas du tout l'idée que Chenqua eût ainsi trahi la jeune fille. Mais peut-être avait-il sincèrement considéré qu'il offrait une chance à la petite métisse.

— Vous avez dû connaître une période difficile, quand Montgomery et son navire ont fait naufrage.

— Oui, il a fallu beaucoup de travail, ainsi que l'aide de Chenqua, pour éviter la faillite. L'année suivante, heureusement, tout était rentré dans l'ordre, et depuis, je m'en sors plutôt bien.

Se rappelant les paroles de Gavin Elliott, Kyle demanda :

— J'ai vaguement entendu parler d'un scandale au sujet de Montgomery. De quoi s'agissait-il ?

Logan lui lança un regard noir.

— On ne doit pas dire du mal des morts.

— Était-ce si grave ?

Logan eut un geste de dénégation.

— Ne croyez surtout pas que c'était un criminel. Hugh était le meilleur des hommes, seulement... parfois un peu hypocrite.

Hugh Montgomery s'était-il lancé dans le trafic d'opium, ou était-ce autre chose ? Logan avait raison, après tout, il était inutile de déterrer les vieilles histoires, d'autant qu'elles risquaient de blesser Verity. Il préféra changer de sujet.

— Vous avez de la famille, ici, en Écosse ?

— Oui. Ma femme m'accompagnait à Macao, au début, mais elle déteste ce climat, et après la naissance de nos deux enfants, elle a préféré rentrer en Europe par crainte des fièvres et de la maladie. C'est pourquoi je reviens régulièrement. Il faut bien que je leur rappelle qui est le seigneur et maître !

Il eut un petit rire.

— Évidemment, quand je suis ici, ma compagne chinoise me manque, mais je sais que l'accueil sera grandiose quand j'y retournerai.

Son regard s'attardait sur Verity.

— Ces Orientales ont un petit quelque chose qui manquera toujours aux Européennes.

— Vous auriez pu amener votre concubine, rien que pour votre plaisir, suggéra Kyle, ironique.

— J'y ai songé, mais cela aurait déclenché un véritable scandale ! Au fait, qu'y a-t-il de vrai dans ce que l'on raconte sur vous et la fille de Hugh ? Certains disent que vous l'avez épousée, d'autres non.

Kyle eut une fois de plus recours à la version officielle de l'histoire.

— Nous avons procédé à un mariage à l'essai afin qu'elle puisse venir en Angleterre. Le terme en est proche.

— Ça paraît sensé. La petite est jolie, mais il est évident qu'un homme de votre rang ne peut l'épouser pour de bon.

Si Logan avait suggéré que Kyle avait « épousé » Verity pour coucher avec elle avant de la répudier, Kyle lui aurait cassé la bouteille sur la tête. Mais l'homme était trop malin pour cela !

— J'ai bu du thé de la compagnie d'Elliott. Le thé du Comte. Délicieux ! Qu'y a-t-il dedans ?

Kyle sourit.

— Je ne suis pas un véritable négociant, mais je ne suis pas assez sot pour répondre à cette question !

— Cela valait la peine d'essayer ! Peu importe, avec le temps, je finirai bien par le découvrir. Tout est permis en amour, à la guerre et en affaires.

— Quand retournez-vous en Chine ?

— En juillet, ainsi je serai à Canton pour la nouvelle saison commerciale. J'avais envie de passer le printemps en Écosse. On dit que votre épouse et vous allez vous rendre dans les Highlands ?

— Nous partons après-demain pour Kinnockburn, au nord de Stirling. Ma mère en était originaire, et elle m'a laissé quelques terres là-bas.

— N'oubliez pas d'emmener Verity à Castle Doom, en route, le point de vue sur les Highlands y est étonnant. Vous y êtes déjà allé, je suppose ?

Il s'agissait d'une forteresse en ruine qui se dressait en haut d'un pic escarpé et d'où on avait en effet une vue exceptionnelle sur le centre de l'Écosse.

— Il y a des années que je ne m'y suis pas arrêté, mais vous avez raison, j'y emmènerai Verity.

Il fallait que ce voyage soit inoubliable, parce que ce serait sans doute la dernière chance qu'aurait Kyle de gagner le cœur de Verity.

Tellement exaltée qu'elle en oubliait toute prudence, Verity s'avança vers Kyle et lui prit les mains.

— Venez, monseigneur ! Je suis sûre que vous êtes le seul homme ici avec lequel je n'aie pas dansé.

— Vous n'avez pas dansé avec moi non plus, fit Logan, l'œil allumé.

Il faisait visiblement partie des individus attirés par l'exotisme, songea Verity.

— Verity, dit Kyle, impassible, je vous présente Caleb Logan, qui était autrefois l'associé de votre père.

— Bonsoir, monsieur Logan, dit Verity en le saluant gracieusement, comme si elle ne le connaissait pas, alors qu'elle l'avait rencontré cent fois à Canton.

Logan n'avait pas fait le rapprochement entre Jin Kang et la fille de son ancien associé, et elle n'avait aucune intention de le mettre au courant !

— J'ai entendu parler de vous par mon père, reprit-elle, mais c'était il y a bien longtemps.

— Et que disait-il ? s'enquit Logan, intrigué.

— Que vous étiez un homme d'avenir et que vous finiriez très riche.

Logan éclata de rire.

— Hugh avait un don de divination !

Comme une nouvelle danse commençait, Verity entraîna Kyle sur la piste.

— J'espère que vous n'avez pas bu trop de whisky, et que vous n'allez pas vous écrouler sur le plancher !

— Je suis suffisamment écossais pour mieux danser après deux ou trois verres !

C'était vrai ! Il dansait avec passion, le pied sûr, et la façon dont il la saisissait à la taille pour la faire tournoyer lui donnait le vertige ! Au diable la sagesse ! Elle se laissa aller à la magie du moment, car la danse était ce qui ressemblait le plus à l'amour.

La danse terminée, il la conduisit vers le buffet où ils se servirent deux verres de citronnade bien fraîche.

— Avez-vous abandonné votre entraînement? demanda Kyle. Je suis passé près du jardin des Montgomery ces deux derniers matins, mais je ne vous ai pas vue.

— En effet. Ma grand-mère et ma tante ne m'accordent pas un instant de répit. J'ignorais qu'on pût avoir autant de cousins!

Elle en aurait trouvé le temps, en réalité, mais elle craignait que cela ne choquât sa famille. Ils avaient accepté Verity de grand cœur, cependant, elle préférait attendre un peu pour leur présenter Mei-Lian.

— Ne trouvez-vous pas que Mairead ferait une merveilleuse *tai-tai*?

Kyle rit.

— Elle l'est déjà.

À cet instant, James Montgomery grimpa sur une chaise et réclama l'attention.

— Maintenant que nous sommes tous réunis, déclara-t-il d'une voix forte, j'aimerais porter un toast. Alors, que ceux qui n'ont pas de verre s'en procurent un.

Tout le monde s'exécuta, et James leva le sien en direction de Verity.

— C'est une joie de se connaître, un chagrin de se quitter, une joie de se retrouver. Que le soleil brille toujours sur toi, ma nièce, car tu as ramené mon frère à la maison.

Les larmes aux yeux, Verity serrait bien fort son verre, tandis que tous buvaient à sa santé. Il fallait qu'elle réponde, mais elle avait la gorge trop serrée.

Ce fut Kyle qui parla, et sa voix se répercuta aux quatre coins de la pièce.

— Je porte un toast aux Montgomery de Melrose, qui ont prouvé qu'il n'y a pas plus belle hospitalité au monde que celle des Écossais.

Les larmes de Verity faillirent déborder lorsque Kyle lui adressa un sourire complice. Personne ne pouvait comprendre mieux que lui l'importance que cette soirée revêtait pour elle.

Un son perçant vint troubler les conversations.

— Le cornemuseux, voilà le cornemuseux!

La foule sortit, et Kyle entoura les épaules de Verity afin de la protéger de la bousculade. Elle se sentait toujours tellement en sécurité avec lui quand il y avait du danger...

Les torches, dans la cour, illuminèrent l'approche du cornemuseux en grande tenue, le kilt dansant au vent, le son de son instrument à faire dresser les cheveux sur la tête. Verity regardait, fascinée. Rien d'étonnant que les soldats suivent la cornemuse au combat!

Elle comprenait pourquoi on en jouait toujours dehors – à l'intérieur cela aurait été assourdissant.

Quand le premier morceau fut terminé, les applaudissements crépitèrent, et Verity se tourna vers Kyle.

— Je croyais que la cornemuse appartenait davantage aux Highlands.

— C'est vrai, mais tous les Écossais ont été désolés quand les coutumes et les costumes des Highlands ont été supprimés, après l'insurrection jacobite de 1745. Maintenant que cornemuses et kilts sont de nouveau autorisés, ils sont les bienvenus partout en Écosse, surtout depuis que les régiments des Highlands se sont illustrés contre Napoléon. Il appelait les Highlanders les « diables en jupons ».

James Montgomery se détacha de la foule avec une paire d'épées qu'il déposa cérémonieusement en croix sur le sol avant d'annoncer :

— Le mari de ma sœur Annie, qui s'est battu à Waterloo, va exécuter la danse des épées.

Verity avait rencontré Tam Gordon, son oncle par alliance, mais elle n'avait pas entendu parler de son passé militaire. Le cornemuseux attaqua un air, et Tam se mit à danser au-dessus des épées, les bras levés, éblouissant d'agilité.

— On considérait comme un heureux présage pour la bataille du lendemain de terminer la danse sans avoir touché une des épées, souffla Kyle à l'oreille de Verity.

— Vous la connaissez ?

— Je l'ai apprise quand j'étais petit, mais il faut un kilt pour bien la danser. Les pantalons sont trop serrés pour les danses écossaises.

Il posa la main sur son épaule.

— Dominic aime bien l'Écosse, mais elle ne l'attire pas autant que moi. Peut-être parce qu'on m'a donné un prénom d'ici, et pas à lui.

Verity eut une image fugitive de Kyle en costume traditionnel. Les femmes devaient être folles de lui ! Elle frémit en se rappelant la dernière fois où ils avaient fait l'amour, sous les pommiers, à Dornleigh. Un court instant, il n'y avait plus eu de doute, plus d'hésitation.

La danse des épées terminée, le cornemuseux se lança dans un air de danse traditionnelle, et les couples se formèrent. Kyle prit Verity par la taille avec fermeté.

— Il faudrait un cœur de pierre pour ne pas se sentir écossais, ce soir !

— Et mon cœur n'est pas de pierre, monseigneur !

Elle s'abandonna au rythme de la danse, sa jupe virevoltant autour d'elle, les cheveux libres, et ils se déchaînèrent avec toute la fougue et la liberté de leurs ancêtres. Verity oubliait le passé, le présent, elle oubliait tout ce qui n'était pas le gémissement de la cornemuse et l'homme dont les mains, dont le corps tout entier l'embrasaient.

Elle essayait vaguement de se rappeler les bonnes raisons pour lesquelles elle ne voulait plus faire l'amour avec lui, mais le chagrin, l'orgueil lui paraissaient lointains, irréels, alors que l'appel de la chair était là, urgent, irrésistible.

Peut-être, durant leur voyage dans les Highlands, pourraient-ils s'unir une dernière fois… et tant pis pour les conséquences.

41

Bien qu'elle se fût couchée tard, Verity se leva de bonne heure, le lendemain de la fête, et se glissa subrepticement dans le jardin. Elle espérait à moitié que Kyle viendrait la rejoindre, mais il n'en fit rien. Peut-être avait-il fini par renoncer à elle.

Après les danses effrénées de la veille, ses muscles accueillirent avec joie les souples exercices de *taï chi*. Il faisait froid, à cette heure matinale, heureusement, les enchaînements familiers la réchauffèrent, l'apaisèrent.

Elle fut tirée de sa rêverie par la voix de sa grand-mère.

— Est-ce là une sorte de danse païenne, petite ?

Verity fit volte-face, un peu gênée d'être surprise avec ses vêtements chinois.

— Ce n'est pas vraiment une danse. En Chine, nous croyons que le *chi*, l'énergie vitale, se trouve en toutes choses et que les bons mouvements aident à l'équilibrer.

Mairead haussa les sourcils, sceptique.

— Je pense qu'il est bon de faire de l'exercice, à condition que tu n'attrapes pas une pneumonie, dans ce pantalon indécent. J'étais venue voir si tu désirais un petit déjeuner, après cette nuit mouvementée.

— C'était une fête merveilleuse, et je serai ravie de prendre un petit déjeuner !

Verity frissonnait, maintenant qu'elle ne bougeait plus, et elle suivit volontiers sa grand-mère à l'intérieur. Puis elle courut se changer dans sa chambre pendant que Mairead faisait frire des œufs et griller des toasts.

Elle profita pleinement de ce repas partagé avec la vieille dame, car James et sa femme étaient déjà sortis.

Elle finissait de manger lorsque Mairead disparut pour revenir un instant plus tard avec une liasse de papiers entourée d'un ruban.

— J'ai pensé que tu aimerais lire quelques-unes des lettres de ton père, dit-elle en les posant sur la table.

Verity retint sa respiration quand elle prit la première, qui avait été de toute évidence relue cent fois. Elle aurait reconnu n'importe où la belle écriture énergique de son père.

Nous avons une fille ! écrivait-il. Li-Yin va bien, mais elle est désolée de ne pas m'avoir donné un fils, cette petite sotte ! Nous avons appelé notre enfant Verity Mei-Lian (Joli Saule) et je suis tombé follement amoureux d'elle dès que je l'ai vue. C'est la plus jolie petite créature du monde !

Verity continua à parcourir les lettres, croyant entendre encore la voix de son père. Durant les années passées à Canton, elle avait oublié combien elle avait été chérie.

Comme les larmes l'empêchaient de poursuivre sa lecture, sa grand-mère lui tendit un mouchoir.

— Tu étais la joie de sa vie, Verity. Comme j'aurais aimé qu'il vive assez longtemps pour t'amener lui-même ici !

Verity enfouit son visage dans le mouchoir brodé en se demandant si cette propension à pleurer était un signe de grossesse.

— Merci de m'avoir montré ces lettres, grand-mère. J'ai l'impression qu'il est là, avec moi.

— Parfois, quand je ne supportais plus l'idée de sa mort, je les relisais et je faisais comme s'il était encore en vie à l'autre bout du monde.

Tendrement, Mairead renoua le ruban autour du paquet de lettres.

— Il n'est pas normal de survivre à ses enfants, ajouta-t-elle.

Verity se sentait en parfaite harmonie avec la vieille dame, et elle murmura :

— Je... je crois que je suis enceinte.

Mairead leva vivement les yeux.

— Tu en es sûre ?

— Il est trop tôt pour cela, mais j'en ai l'intime conviction.

— Tu ne te trompes sans doute pas. Les femmes ont cet instinct... Alors tu vas épouser Maxwell pour de bon ? Parce que je suppose que l'enfant est le sien, naturellement.

— Bien sûr, mais j'hésite à l'épouser.

Mairead fronça les sourcils.

— James lui a parlé, et Maxwell dit qu'il est prêt à faire ce qu'il doit. Serait-il menteur ?

Ce qu'il doit. Verity s'entêta dans sa résistance.

— Je suis certaine qu'il fera son devoir, mais je ne veux pas me marier par obligation. Je ne sais même pas si je veux me marier, d'ailleurs. J'ai pensé qu'avec le mariage à l'essai, il n'y avait pas de honte si le couple décidait de se séparer. Kyle n'a pas besoin de savoir, pour le bébé, car j'ai les moyens de l'élever sans son aide.

— Le mariage à l'essai est rare, dans notre région, surtout pour les gens qui ont de l'instruction. Qu'est-ce qui ne te convient pas, chez cet homme ? Il te bat ?

— Grands dieux, non ! Il s'est toujours montré bon et attentionné.

— Alors, tu ferais mieux de trouver une raison sérieuse pour ne pas l'épouser. À moins que ce ne soit la façon de penser chinoise ?

Verity eut un sourire sans joie.

— Au contraire ! En Chine on m'a dicté ma conduite pendant trop longtemps, maintenant, je veux être libre.

— Voilà bien la fille de Hugh Montgomery ! dit Mairead en pianotant sur la table. Tu es adulte, et nous ne pouvons te forcer à agir contre ton gré, mais réfléchis bien avant de décider que tu veux suivre ta route seule. Il faut être deux pour faire un bébé. Priverais-tu ton enfant de son père, et Maxwell de son enfant ?

Verity n'aurait jamais dû aborder ce sujet ! Évidemment, on ne pouvait cacher une grossesse pendant plus de cinq mois.

— Si je décide de ne pas épouser Maxwell, je ne serai plus la bienvenue chez vous ?

Mairead s'attendrit.

— Tu seras toujours ma petite-fille. Mais il y aura en ville ceux qui te désapprouveront, mariage à l'essai ou pas. Cela risque de rendre la vie difficile à ton enfant, si tu décides de l'élever ici. Et que feras-tu, si tu en veux d'autres ?

Verity serra les dents, têtue.

— Je me remarierai.

— Je doute qu'il y ait beaucoup d'hommes, par ici, qui te trouvent à leur goût. Tu pourrais aller à Édimbourg. Mon petit-fils James évolue dans des cercles intéressants, et tu y rencontrerais peut-être quelqu'un. Mais demande-toi d'abord ce que tu attends d'un époux, et que ne possède pas Maxwell. Il est assez séduisant pour qu'une femme sérieuse envisage de renoncer à sa respectabilité.

— Grand-mère ! s'offusqua Verity.

La vieille dame eut un sourire coquin.

— Je suis une veuve de quatre-vingts ans, mais je ne suis pas encore morte, mon petit. Si tu ne veux pas de Maxwell, il pourrait bien me prendre l'idée de vérifier s'il aime les femmes... mûres.

En riant, Verity se rendit dans sa chambre afin de préparer ses bagages pour le voyage dans les Highlands. Obstinée, elle résistait encore à l'idée d'épouser Kyle sous prétexte que c'était ce que l'on attendait d'elle. Elle était venue en Angleterre chercher la liberté, elle n'y renoncerait pas aisément.

— Donc, nous te revoyons dans une quinzaine de jours, fit Mairead en serrant sa petite-fille dans ses bras.

Verity se tourna ensuite vers sa tante. Elle ne les avait pas quittés qu'ils lui manquaient déjà, tous ! Elle laissait la majeure partie de ses bagages ainsi que Perle chez les Montgomery, et l'idée que ses malles restent sous ce toit la réconfortait.

— Je vous promets de bien prendre soin d'elle, déclara Kyle.

— Vous avez intérêt ! grommela Mairead tandis qu'il aidait Verity à monter dans le cabriolet loué pour l'occasion.

Verity s'agenouilla sur son siège afin d'adresser des signes d'adieu jusqu'à ce qu'elle perde de vue sa grand-mère et sa tante. Alors enfin elle s'assit.

— J'espère que Perle supportera bien la séparation.

— J'en suis certain. Votre grand-mère a élevé quatre enfants, je pense qu'elle saura veiller sur un chaton pendant deux semaines. Même aussi turbulent que Perle.

Kyle s'engagea sur la grand-route.

— Vous avez décidé de vivre ici ? reprit-il.

— Cela signifie-t-il que vous renoncez à me courtiser ?

Il y eut un long silence.

— Vous semblez si heureuse, si épanouie, à Melrose, qu'il est difficile d'imaginer que vous ayez besoin d'un époux, répondit enfin Kyle.

Elle avait en effet fugitivement rêvé d'acheter un cottage proche de celui de sa grand-mère. Elle aurait appris à cuisiner, à jardiner, elle se serait fait envoyer des livres d'Édimbourg, elle se serait procuré un brave cheval pour se promener dans les collines. Les gens qui s'étonnaient de son physique exotique s'habitueraient vite à elle et à son enfant, qui aurait des traits plus européens que les siens.

Mais sa conversation de la veille avec Mairead l'avait ramenée sur terre. Tout à sa joie d'être bien accueillie par la famille de son père, elle avait oublié qu'il existait des degrés dans la reconnaissance. Le lien du sang était fort, et il lui apportait le soutien, l'affection des Montgomery, ce qui ne voulait pas dire pour autant qu'ils approuveraient toujours ses actes.

Melrose était un petit bourg fermé, à la population réduite. Même un Highlander comme son oncle Tam Gordon y était considéré comme étranger. Quoi qu'elle fît, elle resterait toujours la fille chinoise de Hugh Montgomery.

Non seulement elle ne ferait jamais partie intégrante de la communauté, mais bien peu de ses voisins s'intéresseraient à sa vie de l'autre côté du monde. Même avec une famille aimante, elle se sentirait fort isolée.

— Je n'ai pas encore pris de décision, dit-elle d'un ton qu'elle voulait léger. Melrose est une ville ravissante mais petite, et j'aurais du mal à y trouver des amants secrets pour apporter à ma vie le *yang* qui lui manquera.

— Sur le plan du *yin* et du *yang*, nous n'avons jamais eu de problèmes, vous et moi.

— Mais ce n'est pas suffisant.

Il valait mieux éclaircir la situation dès le début de leur voyage, aussi Verity poursuivit-elle :

— Je ne comprends pas vos craintes au sujet du mariage, Kyle. Pourquoi pensez-vous que vous ne serez pas un bon époux ?

— Je vois que la subtilité orientale a été remplacée par la brutale franchise écossaise, fit-il remarquer sans quitter la route des yeux.

— Ce n'est pas une réponse.

— Si j'en avais une, je vous la donnerais. Je crains qu'il... ne me manque quelque chose.

Il tomba dans le silence, la laissant en vain s'interroger sur ses propos énigmatiques. Elle essaya une approche moins directe.

— Pourquoi teniez-vous tant à voyager ? Était-ce seulement pour voir le monde, ou y avait-il d'autres raisons, plus profondes ?

— Les deux.

Il tira sur les rênes, car ils arrivaient en vue d'un troupeau de moutons qui barrait la route.

— J'ai aimé visiter différents pays, tenter d'en connaître les coutumes, les idéologies, mais plus encore que la connaissance, je cherchais... une forme de compréhension.

— Et vous l'avez trouvée ?

— Parfois. Surtout à Hoshan, où j'ai ressenti une grande paix. Le début d'une compréhension quant à ma place dans l'univers. Mais tout cela s'est évanoui à Feng-tang, ajouta-t-il avec un sourire amer.

— Le manque dont vous parliez est peut-être une part de votre âme, car c'est l'essence même d'une personne, et un trou dans cette base fragilise la structure tout entière, dit-elle, songeuse.

— Vous avez sans doute raison, mais comment répare-t-on un trou dans l'âme ?

Il calmait les chevaux qui piaffaient, énervés par le flot de moutons qui les entourait.

— Maintenant que nous avons parlé de mon inaptitude au mariage, si nous nous occupions de vous? Vous redoutez mon univers, mais qu'est-ce qui vous y paraît si insupportable?

— Je ne me vois pas en comtesse, et moins encore en femme du monde londonienne, répliqua-t-elle, citant les barrières les plus évidentes.

— Pourquoi? Par timidité, par manque d'expérience, à cause de vos origines?

— Pour toutes ces raisons.

— Cependant, quand cela vous chante, vous êtes capable d'envoûter une salle de bal pleine d'aristocrates grâce à votre beauté, votre vivacité d'esprit, votre charme. Vous en avez donné la preuve à Dornleigh, et vous pourriez en faire autant à Londres, si vous le souhaitiez.

— Si j'ai impressionné vos amis du Northamptonshire, c'est que j'étais trop en colère pour me soucier de leur opinion.

— À la vérité, c'est souvent le secret des femmes très courtisées. Elles se moquent de l'impression qu'elles produisent. Leur confiance en elles, leur mépris du jugement d'autrui les rendent fascinantes, et belles, même si objectivement elles ne le sont pas - ce qui n'est pas votre cas.

Verity dut s'avouer qu'il n'avait pas tort. Et qu'elle y avait pris un plaisir certain.

— Vous le dites vous-même, tout ce que je peux attendre de votre père, c'est qu'il me supporte. Je ne veux pas que vous soyez tiraillé entre votre devoir vis-à-vis de lui et votre devoir vis-à-vis de moi, car ce sont les parents qu'il faut honorer en premier.

— Nous ne sommes pas en Chine, protesta Kyle, exaspéré. Écoutez-moi bien, Verity Montgomery. Si vous devenez mon épouse, vous aurez la première place. Si vous ne voulez pas vivre sous le même toit que mon père, nous habiterons ailleurs. Si vous préférez éviter le monde, qu'il en soit ainsi. Pourtant, je pense qu'une fois habituée à votre nouveau milieu, vous pourriez être une très grande dame, une hôtesse de classe recherchée par tous. Si vous ne voulez pas vivre à Londres durant la session du Parlement, vous séjournerez à Melrose en attendant mon retour, même si vous me manquez horriblement. Cela répond-il à vos inquiétudes ?

Elle le fixait, bouleversée par la passion qu'elle lisait dans son regard. Il redevenait l'homme qu'elle avait connu à Canton, plein de vie, d'enthousiasme. Et s'il continuait à lui affirmer qu'elle était belle, elle finirait par le croire...

— Je... je ne sais que dire, balbutia-t-elle.

— Ne dites rien pour l'instant. Nous avons tout le temps devant nous pour que vous m'opposiez de nouvelles objections et que je les réfute. Mais incluez ceci dans vos réflexions...

Il passa son bras libre autour de ses épaules et l'attira à lui pour un baiser exigeant. Presque malgré elle, elle y répondit, s'accrocha à son cou. À l'abbaye de Dryburgh, il l'avait embrassée avec tendresse, cette fois il mettait le feu aux poudres en lui rappelant l'intimité merveilleuse, dangereuse et magique qu'ils avaient partagée.

Elle aimait son indépendance, mais comment pourrait-elle la conserver si elle s'abandonnait à *cela* ? Lorsqu'ils étaient amants, elle était son esclave, elle était prête à faire tout ce qu'il lui demandait.

À vrai dire, il ne demandait qu'à lui donner du plaisir. Mais s'il apprenait qu'elle portait peut-être son enfant, il exigerait son corps et son obéissance jusqu'à la fin de ses jours, or, elle n'était pas encore prête à les donner. En tout cas, pas l'obéissance. Car pour le corps, elle aurait cédé sur-le-champ !

Il releva la tête, le souffle court, le regard aussi voilé de désir que celui de Verity.

Elle effleura ses lèvres d'une main tremblante.

— Je croyais que vous proposiez une période de cour d'où le lit serait exclu.

— Il ne s'agissait pas de séduction, seulement de vous donner matière à réflexion.

Le troupeau de moutons était enfin passé, et il remit la voiture en route.

— J'ai pensé que si je devais brûler, vous le pourriez vous aussi, ajouta-t-il.

Elle jeta un regard furieux à son profil.

S'il avait voulu qu'elle brûle, c'était réussi au-delà de toute espérance !

Qu'il aille au diable ! Au diable !

42

Castle Doom
Les Highlands

Abritant ses yeux du soleil, Kyle examinait les contours massifs du château qui surplombait la montagne.

— J'avais oublié combien cet endroit était sinistre ! dit-il. Il fait froid dans le dos.

— Mais vous vous rappeliez l'escarpement de la colline ! Croyez-vous que les chevaux pourront monter ?

— Jamais je ne le leur imposerai. Nous allons grimper à pied, ainsi nous verrons si les exercices *chi* ont été bénéfiques.

Il descendit du cabriolet, aida Verity à mettre pied à terre et conduisit les chevaux près d'un petit ruisseau où ils pourraient se désaltérer en les attendant.

— D'où vient ce nom de Doom Castle ? On le croirait tout droit sorti d'un roman gothique.

— Le nom d'origine avait plusieurs syllabes et il était gaélique, mais la première syllabe était « doom », qui signifie damnation, et cela lui convenait si bien que l'appellation est restée. C'est une forteresse du clan Campbell qui a été détruite par les Anglais après l'insurrection jacobite. Personne n'y a vécu depuis.

Il prit dans la voiture le pique-nique qu'avait préparé la femme du propriétaire de l'auberge où ils avaient dormi la nuit précédente. Ils avaient pris leur temps pour monter vers le nord, s'arrêtant ici et là lorsque Kyle pensait qu'un site intéresserait Verity.

Comme il l'espérait, ce voyage leur avait permis d'entretenir des rapports simples, détendus. Sauf quand il lui souhaitait bonne nuit, car alors, sans doute dans un esprit de vengeance bien féminin, elle l'embrassait avec une fougue qui menaçait d'avoir raison de sa volonté. Il était chaque fois sur le point de la supplier de partager son lit.

Et elle aurait sans doute accepté, ce qui rendait la situation plus difficile encore. Mais le but de Kyle était bien plus élevé qu'une nuit de plaisir, aussi rentrait-il seul dans sa chambre.

Ils traversaient le ruisseau sur un pont de bois rudimentaire.

— On se croirait au bout du monde, dit Verity, comme si personne n'avait mis les pieds ici depuis des dizaines d'années !

— Peu de gens y viennent. C'est à l'écart des grandes routes, et la fin du chemin est délicate, même pour un attelage léger comme le nôtre.

Il cligna des yeux en direction du château, et crut apercevoir une colonne de fumée qui s'en élevait. Mais non, c'était certainement un nuage.

— Il y a bien des années, je suis venu avec Dominic, et à mon avis, rien n'a dû changer. Pourtant, non loin d'ici, dans les Hébrides, de modernes vapeurs promènent les touristes dans un luxe inouï. Quel contraste !

— Des bateaux à vapeur ? J'aimerais en prendre un, un jour. Mais je préfère encore l'aspect sauvage de cet endroit.

Ils se turent quand ils commencèrent l'ascension de la montagne. Ils étaient au quart du trajet, lorsque Kyle, à bout de souffle, proposa :

— Arrêtons-nous un instant. Je n'en peux plus !

— Je parierais que les gens qui vivaient là-haut n'en descendaient jamais, de peur d'avoir à remonter ensuite !

Verity se laissa tomber sur une grosse pierre plate qui servait de garde-fou.

— Je suis heureuse que vous m'ayez suggéré de porter mon pantalon chinois, ajouta-t-elle. Ce n'est pas une excursion pour une dame.

— Ni pour un cardiaque ou un poitrinaire.

De toute évidence, Kyle n'était pas encore tout à fait remis de la malaria.

Réchauffée par la montée, Verity écarta un peu les pans du plaid qu'elle portait sur les épaules. Elle avait été ravie de trouver une boutique de tartans à Stirling, mais déçue qu'il n'y en eût pas pour les Montgomery.

Kyle l'avait consolée avec un plaid Campbell, en lui disant qu'elle avait le droit de le porter, puisque c'était le nom de sa mère à lui. Depuis, Verity ne s'en séparait pas, et avec la tenue chinoise, cela faisait un curieux et charmant mélange.

Elle se pencha au-dessus du muret.

— Il y a deux ruisseaux qui se rejoignent en bas de la colline, remarqua-t-elle.

— L'un s'appelle la rivière du Chagrin, l'autre la rivière du Désespoir. Une raison de plus pour avoir adopté le nom de Doom Castle.

Verity fit la grimace.

— Les Highlanders ne sont pas follement gais !

— Il y a du vrai dans les contes que Walter Scott et d'autres ont écrits sur les Highlands. La vie y est aussi rude qu'ils le disent. Je crois que ma mère a épousé mon père juste pour apporter de l'argent anglais sur son domaine, afin que les fermiers ne meurent pas de faim. C'était elle le chef héréditaire de la branche du clan Campbell. Son seul atout était sa grande beauté, aussi est-elle allée à Londres afin de trouver un Lord suffisamment amoureux pour accepter un mariage à ses conditions.

— Wrexham, amoureux ?

— Difficile à croire, mais vrai. Il l'adorait positivement. Dans leur contrat de mariage, il est spécifié que son domaine doit être exploité en fidéicommis, afin que les fermiers ne soient jamais obligés de quitter leurs terres, ce qui, hélas, s'est souvent produit dans les Highlands.

— Et votre père a accepté ? Je vais finir par l'apprécier, bon gré mal gré.

— Il n'est pas commode, mais c'est un homme juste. Il a compris le fidèle attachement de ma mère à son clan et son besoin de le protéger. Elle passait plusieurs mois par an en Écosse, en tant que maîtresse de Kinnockburn. Elle se promenait alors en plaid et nu-pieds comme n'importe quelle femme de paysan. Elle nous emmenait souvent, nous, les enfants. Surtout moi, puisque c'était moi qui devais un jour assurer la prospérité de la vallée.

— Et vous alliez nu-pieds, vous aussi ?

— Bien sûr !

— Les fermiers ont eu de la chance que votre mère ait pu négocier un tel marché. Votre père et elle s'aimaient ?

— Je le pense. Chacun plaçait son devoir avant son plaisir personnel, et c'était sans doute un de leurs liens les plus puissants.

— Votre mère devait être une femme admirable !

— Vous l'auriez aimée, Verity, et cela aurait été réciproque.

Verity s'enroula davantage dans le plaid Campbell.

— Je regrette de ne pas l'avoir connue.

— Lucia lui ressemble beaucoup. Nous avons tous les trois la passion de l'Écosse.

Le chemin zigzaguait à présent à flanc de montagne afin de rendre la montée plus praticable. Ils s'arrêtèrent plusieurs fois pour souffler, mais jamais Verity n'envisagea de renoncer.

Cependant, quand ils franchirent la grille brisée qui menait au niveau le plus bas du château, elle se dirigea en titubant vers l'ombre d'un arbre tout proche.

Elle allait se laisser tomber sur le sol quand un félin hérissé bondit des fourrés avec un grognement menaçant, tous crocs dehors. Verity bondit en arrière.

— Qu'est-ce que c'est ?

Kyle la prit par le bras pour l'éloigner davantage de l'animal.

— Un chat sauvage. Vous avez vu ses moustaches, ses rayures ? C'est un proche cousin de celui de votre grand-mère. Tous ses poils sont dressés, mais en dessous, il n'est pas plus gros qu'un chat de gouttière.

— La différence, c'est que celui de grand-mère m'aime bien, alors que celui-ci m'avalerait volontiers en guise de souper !

Elle continuait à observer l'animal sauvage avec méfiance.

— C'est sans doute une chatte. C'est la saison des petits, expliqua Kyle, et elle a dû installer ses chatons près de l'arbre. Si près du chemin, cela signifie qu'il ne doit pas y avoir beaucoup de touristes dans le coin. Les chats sauvages sont d'habitude très craintifs.

— Et le fait d'avoir des petits rend une femelle agressive ?

— C'est ce qu'on dit. Vous feriez une mère très féroce, j'en suis certain.

Elle lui lança un regard de biais avant de déclarer :

— Je meurs de faim ! Nous pourrions peut-être pique-niquer ici, et terminer l'ascension ensuite.

Kyle trouva l'idée excellente, et il étendit une couverture sous un arbre voisin d'où ils avaient une vue splendide sur les ruines. Tandis qu'ils se restauraient, le vent se leva, de gros nuages sombres se mirent à courir dans le ciel.

— Il pourrait y avoir de l'orage, dit Kyle. Mieux vaudrait que nous ayons regagné la voiture avant qu'il ne se déclenche.

— Le temps change sans cesse, ici, fit remarquer Verity. Avant de venir en Écosse, je n'avais jamais vu la pluie tomber quand il y avait du soleil. Je comprends pourquoi vous avez pris une voiture avec une capote amovible.

— Tout cela fait partie de votre rencontre romantique avec l'Écosse.

Verity était une merveilleuse compagne, et il avait envie de l'emmener partout, en Italie, en France, en Espagne...

Pourtant, elle annoncerait bientôt que le temps du mariage à l'essai était arrivé à son terme, et qu'il devait la débarrasser de sa présence. Cette idée lui était tellement intolérable qu'il eut envie de la prendre là, sur-le-champ, afin qu'ils se rappellent tous deux la passion unique qu'ils avaient partagée.

Il allait se pencher vers elle pour un baiser lorsqu'elle étouffa un bâillement et se roula en boule sur la couverture.

— Ai-je le temps de faire une petite sieste ? Cette ascension m'a épuisée.

Il s'efforça de se détendre.

— Vous avez le temps. Je vais me promener dans les environs.

Elle s'assoupit à demi, et Kyle ne put s'empêcher de la contempler, aussi innocente qu'un chaton. Quel merveilleux mélange d'Orient et d'Occident, quelle magnifique forme de visage ! Elle était coiffée en simple catogan, et de petites mèches auburn caressaient ses joues. Quant à son corps, à la fois féminin, souple, énergique…

Histoire de s'occuper les mains, il ramassa la tourte aux rognons que Verity n'avait pas aimée pour aller la déposer devant l'endroit où ils avaient vu le chat sauvage, puis il s'éloigna. Le félin ne tarda pas à sortir des buissons, jeta un coup d'œil prudent alentour, se saisit de la tourte et disparut bien vite.

En attendant le réveil de Verity, Kyle se promena à travers le niveau le plus bas de la forteresse. Malgré le soleil, il se sentait curieusement mal à l'aise.

L'enceinte du château occupait tout le sommet de la montagne. Les bas niveaux avaient surtout été des jardins, mais il découvrit une chapelle, dans un coin retiré. C'était étrange, le petit bâtiment était intact, jusqu'à son toit d'ardoise. Les soldats anglais qui avaient abattu Castle Doom avaient dû décider de laisser subsister la chapelle. Par peur de la colère divine ?

La première fois qu'il était venu, Kyle ne l'avait pas vue, car Dominic et lui faisaient la course pour arriver le premier au sommet. Comme d'habitude, ils l'avaient atteint pratiquement en même temps. Ils auraient pris moins de plaisir à la compétition s'ils n'avaient été aussi bien assortis.

La lourde porte bardée de fer tourna sur ses gonds en grinçant, et il pénétra dans le sanctuaire de paix et de lumière.

Des oiseaux avaient installé leurs nids dans les fonts baptismaux, mais la simple croix de bois dominait toujours l'autel et les bancs étaient en place. Sans doute des fermiers des environs venaient-ils de temps en temps mettre un peu d'ordre.

Il s'assit sur le premier banc, horriblement poussiéreux. Lorsqu'il se déciderait à engager un nouveau valet de chambre, l'homme brûlerait sans doute toute sa garde-robe tant Kyle lui en avait fait voir !

Les vitraux avaient depuis longtemps disparu, mais il en restait la structure dans laquelle le soleil jouait.

Kyle ferma les yeux. Le sentiment d'être dans un lieu sacré qui l'avait saisi parmi les splendeurs de Hoshan l'envahissait de nouveau dans cette humble chapelle.

« Dans mon aboutissement, je trouve mon commencement. »

La phrase lui revenait à l'esprit. À Hoshan, il lui avait paru cocasse de parcourir la moitié du monde pour faire dans un temple l'expérience spirituelle qui lui avait fait défaut dans ses propres églises. Maintenant, il bouclait la boucle. Mais si Hoshan avait provoqué en lui une brûlante transformation, ici, c'est une lente prise de conscience qui le submergeait.

Le flot montait, l'envahissait de chaleur et de joie sereine. Son esprit s'évadait vers d'autres endroits sacrés qui l'avaient profondément touché. Peut-être l'âme était-elle faite d'une mosaïque de minuscules instants de perspicacité, de moments transcendantaux. Il avait parcouru le monde afin de collectionner les pièces composant sa mosaïque personnelle, et maintenant, il commençait à en discerner le dessin général.

Il n'avait pas entendu de pas sur les dalles de pierre, pourtant il ne fut pas surpris lorsqu'il sentit la main de Verity se glisser dans la sienne. Elle s'assit sur le banc près de lui, et il ouvrit les yeux.

— Je crois que j'ai trouvé le morceau qui manquait à mon âme.

Elle le considérait gravement.

— Comment cela s'est-il passé ?

— À Hoshan, j'ai expérimenté une profonde conscience spirituelle, commença-t-il lentement. Cela a débuté par une reconnaissance douloureuse de mes erreurs et de mes défauts. Une fois dépouillé de mon arrogance et de mon orgueil, j'ai su que la compassion divine était assez immense pour me pardonner mes faiblesses et m'emplir de lumière.

Pour ceux d'entre nous qui ne sont pas des saints, je pense qu'il est impossible de conserver cet état d'exaltation, mais j'ai quitté Hoshan plus proche que je ne l'avais jamais été de la grâce spirituelle. Puis j'ai été capturé, et j'ai eu l'impression de perdre tout ce que j'avais appris. Je me rends compte seulement maintenant que la prison m'a enseigné une autre leçon capitale.

— Souffrir pour accroître la compassion ?

— En partie, mais surtout supporter de perdre totalement le contrôle. Pendant la plus grande partie de ma vie, j'ai eu le pouvoir de façonner mon univers. En prison, je n'avais plus rien. L'heure de mes repas, ce que je mangeais, mes mouvements, jusqu'à mon existence elle-même, tout était entre les mains des autres. Quand la fièvre m'a frappé, je n'étais même plus maître de mon corps. À la fin de ma captivité, j'appelais la mort de mes vœux. C'était comme si on m'avait arraché l'essence même de mon être.

Verity soupira longuement.

— Ce qui explique l'état désastreux dans lequel vous étiez lorsque vous êtes rentré en Angleterre. Votre âme avait été séparée de votre corps, et ils avaient du mal à se retrouver.

— C'est une bonne façon de l'exprimer. Votre expérience ressemble un peu à la mienne, n'est-ce pas? Votre emprisonnement était plus doux, votre cellule plus accueillante, mais vous n'étiez pas libre, vous non plus, vous n'aviez pas le droit de révéler que vous étiez une femme. Il n'est pas étonnant qu'ayant échappé à une prison, vous hésitiez à entrer dans une autre.

Elle ouvrit de grands yeux.

— Oui, C'est exactement ça! Le mariage me fait l'effet d'une prison.

— Jamais je ne vous mettrai en cage, Mei-Lian, dit-il doucement. Si mon expérience à Feng-tang m'a montré que je n'avais de pouvoir sur ma vie que si Dieu le voulait bien, je serais un triple idiot de tenter d'enfermer un esprit aussi indépendant que le vôtre.

Elle avala sa salive.

— Vous êtes dangereusement persuasif, Lord Maxwell.

— Au contraire, dit-il en se tournant vers la croix, sur l'autel. Je suis un balourd à qui il faut répéter cent fois les mêmes leçons.

— À chaque leçon, l'élève progresse un peu, répondit-elle en lui serrant davantage la main. Vous voulez devenir ministre de votre culte?

— Je n'y serais pas très bon. Mon ministère personnel, je crois, est d'utiliser le pouvoir dont j'ai hérité avec justice et bonté. Et à l'avenir... je me rappellerai qu'il faut que je visite des lieux comme celui-ci afin d'empêcher les trous de se former dans mon esprit.

Il baisa ses doigts.

— Voulez-vous que nous reprenions l'ascension ?

Elle lui offrit son éblouissant sourire.

— Oui, monseigneur.

Quand ils atteindraient le sommet, dominant tout le paysage environnant, il lui demanderait de l'épouser, décida-t-il. Après tout, le mariage n'était-il pas le but ultime d'une cour assidue ?

Et si elle refusait aujourd'hui... Eh bien, il le lui redemanderait demain.

43

Sa main dans celle de Kyle, Verity monta la dernière partie de la forteresse dans un merveilleux état d'exaltation. Même s'il ne lui avait rien dit, elle aurait su que la chapelle avait cristallisé sa guérison morale. Il s'était retrouvé peu à peu, tandis qu'il se battait pour récupérer sa santé physique et émotionnelle après l'épreuve endurée en Chine.

À contrecœur, elle devait bien s'avouer qu'elle ne l'avait guère aidé. Elle était passée directement de la servilité à la colère, oubliant le stade intermédiaire d'amie attentionnée, et plus encore celui de véritable épouse. Elle ne lui avait servi à rien... Ni à elle-même, d'ailleurs. Les semaines qui avaient suivi le retour de Kyle avaient été difficiles pour tous les deux. Malgré tout, ils avaient survécu, et ils regagnaient une harmonie intérieure. Où cela les mènerait-il ?

Le second niveau du château se composait d'abris éboulés, destinés aux marchandises et au bétail. Plutôt que de s'y attarder, ils continuèrent à grimper et franchirent enfin la grille du troisième et dernier niveau. Le donjon, le corps de garde et autres bâtiments utilitaires, tous privés de toit, se dressaient sur trois côtés de la cour. Le quatrième était formé du haut mur de pierre qu'ils venaient de franchir.

Le vent avait forci, mais cela ajoutait encore à la splendeur sauvage du spectacle. Verity, la tête renversée en arrière, éclata d'un grand rire. Elle était heureuse, elle était libre et folle comme Castle Doom, comme le vent.

Kyle désigna l'escalier de pierre qui s'élevait au sud-ouest de la cour et menait au chemin de ronde.

— Si vous avez le courage de grimper encore un peu, vous verrez la moitié de l'Écosse centrale.

Elle lui lança un regard provocant.

— J'y arriverai, mais vous, ce n'est pas sûr.

Avant qu'il pût répondre, un bruit assourdissant leur fracassa les oreilles. Verity frémit, pensant qu'il s'agissait du tonnerre.

Comme une autre explosion déchirait l'air, Kyle la saisit par la taille et l'entraîna jusqu'au donjon. Il la colla contre le mur, tandis que les explosions se succédaient.

— Que se passe-t-il ? balbutia-t-elle, complètement désorientée.

— Il y a quelqu'un dehors, et s'il tire, c'est pour tuer.

Tandis qu'il parlait, il y eut encore des coups de feu, et des débris de terre et de pierre pénétrèrent dans leur abri.

— Mais pourquoi nous tirerait-on dessus ? s'écria Verity, horrifiée.

— J'aimerais bien le savoir. Peut-être s'agit-il d'un fou qui s'est installé ici et déteste les intrusions.

Il la tenait serrée contre lui, et elle entendait les battements précipités de son cœur. Il la protégeait. Aucune balle ne pourrait l'atteindre sans avoir d'abord traversé son corps.

— Comment avez-vous deviné si vite ?

— En Inde, je me suis parfois joint à des patrouilles militaires à la frontière nord-ouest. Très instructif ! Les Afghans sont d'excellents tireurs, et on n'oublie pas le son que fait un fusil quand il vous vise au cœur.

Il ne s'était sans doute pas vanté de ces expéditions auprès de son père, et elle-même en avait rétrospectivement la chair de poule.

La fusillade avait cessé, aussi Kyle recula-t-il afin d'ôter son manteau. Puis il le suspendit devant la porte à hauteur d'homme. De nouveau une rafale. Comme Kyle remettait le vêtement, Verity s'aperçut que plusieurs trous laissaient voir le blanc de sa chemise.

— Il y a probablement deux hommes, armés de fusils à répétition. Ils doivent être dans le corps de garde, juste en face de nous, d'où ils ont une vue parfaite sur la cour. Nous ne pourrions pas faire dix pas sans nous retrouver criblés de balles.

— J'ignorais qu'il existait des fusils à répétition.

— Seuls quelques armuriers de Londres en fabriquent, mais ils coûtent très cher. Ce n'est pas le genre d'arme que pourrait s'offrir un ermite écossais un peu dérangé.

— Mais vous portez toujours une arme sur vous quand vous voyagez, n'est-ce pas ?

— Hélas, il s'agit d'un pistolet à un coup, et qui n'est précis que de près. Inefficace contre deux fusils.

Elle allait poser une autre question, mais il lui mit la main sur la bouche et prêta l'oreille. Il n'y avait d'autre bruit que le gémissement du vent. Si quelqu'un se dirigeait vers leur refuge, c'était dans le plus grand silence. Verity en avait les cheveux qui se dressaient sur la tête.

Kyle sortit son pistolet de voyage, l'arma et visa la porte.

— Si nous violons votre propriété, dit-il d'une voix forte, acceptez nos plus plates excuses. Laissez-nous partir, et vous n'entendrez plus parler de nous.

— D'accord ! tonna un homme au fort accent écossais. Sortez dans la cour et vous pourrez vous en aller si vous jurez de ne plus jamais revenir.

Verity eut l'impression de connaître cette voix, mais déjà Kyle reprenait :

— Je n'ai pas confiance en vous, Caleb Logan.

Elle en resta bouche bée. Que faisait-il là, et pourquoi voulait-il les tuer ?

— Ainsi, vous m'avez reconnu ! s'écria Logan, jovial, en reprenant sa voix normale. Et vous avez raison, vous ne quitterez pas Castle Doom vivants. Mais vous n'étiez pas pressés d'arriver ! Scouse et moi, on s'ennuyait ferme, en vous attendant.

— C'est Logan qui a suggéré que je vous amène ici, murmura Kyle. Jamais je n'aurais imaginé qu'il me tendait un piège ! Je ne comprends pas pourquoi il veut nous éliminer. Savez-vous qui est Scouse ?

— L'un de ses capitaines. On dit que c'est un diable vicieux.

— Le parfait complice pour un meurtre.

Kyle examinait le donjon qui leur servait d'abri, mais aussi de prison. Haut de quatre étages, il formait l'aile est des bâtiments en forme de U qui n'avaient plus de toits et étaient de hauteurs différentes. La porte par laquelle ils y avaient pénétré était la seule ouverture à ce niveau, les autres s'ouvraient beaucoup plus haut dans le mur.

Il s'attarda à la plus basse des fenêtres donnant au sud. Située au deuxième niveau, elle surplombait les ruines.

— Nous pourrions sans doute atteindre cette fenêtre et sortir, mais une fois au plus bas niveau du château, nous ferions des cibles de choix. Ou alors il faudrait descendre par la falaise... J'essaierai s'il n'y a pas d'autre solution, mais je n'y crois guère.

Verity avait peine à parler tant elle était effrayée, pourtant elle parvint à articuler à peu près calmement :

— Vous dites qu'il n'y a aucun moyen de sortir d'ici, et dans quelques minutes Logan et Scouse vont entrer et nous tirer comme des lapins.

— Je tenterais bien les falaises, mais je pense qu'il y a une meilleure solution.

Il la regardait intensément.

— Dieu, je déteste ça ! grommela-t-il.

— À quoi pensez-vous ?

— Vous êtes agile comme un singe et vous pouvez vous mesurer à n'importe quel homme. Les ruines entourent trois côtés de la cour, et elles offrent suffisamment de cachettes pour que quelqu'un puisse avancer jusqu'à l'arrière du corps de garde en passant inaperçu. Si je distrais Logan en le faisant parler, croyez-vous parvenir à l'attaquer par-derrière ? Le *kung fu* est inefficace contre un homme armé qui se tient à distance, mais si vous arrivez à les atteindre sans être vue, nous avons une petite chance.

Il lui faisait assez confiance pour la charger d'une telle mission ! Le calme descendit en elle, chassant la panique.

— Je peux le faire.

— Dieu vous bénisse, mon amour, dit-il avant de l'embrasser sur les lèvres. Ne soyez surtout pas choquée par ce que je pourrai dire plus tard.

Elle se débarrassa de son plaid et se dirigea vers le fond du donjon, tandis que Kyle criait :

— Vous avez des fusils, mais j'ai un pistolet. Le premier qui franchit le seuil est un homme mort.

— Je m'en doutais, sinon on serait déjà là. Mais on attendra, alors vous feriez mieux de dire vos prières, Maxwell.

— Comme l'attente risque d'être longue, pourquoi ne pas satisfaire ma curiosité ? Que diable ai-je bien pu faire pour que vous ayez décidé de me tuer ?

— Vous êtes venu en Chine, voilà tout.

Verity observait le mur sous la fenêtre. Heureusement, le mortier s'était détérioré avec les années, et une personne agile et légère parviendrait à l'escalader.

Il y eut un silence, puis Kyle reprit, sa voix se répercutant à travers les ruines :

— J'ai beau chercher, je ne vois pas en quoi j'ai pu vous offenser. Nous nous connaissons à peine. Si j'ai porté atteinte à votre honneur, je serai heureux de vous présenter mes excuses, ou de régler le problème par un duel.

Logan eut un rire qui ressemblait à un aboiement.

— Les affaires d'honneur, c'est bon pour les prétendus gentlemen, comme vous, mais pas pour les gens comme moi. Je ne suis qu'un commerçant de basse extraction et je vais droit au but sans finasser.

Verity avait atteint la fenêtre, et elle examinait les environs. Le bâtiment contigu était plus petit et plus bas que le donjon, sans entrée au niveau inférieur. Il fallait qu'elle arrive au mur arrière, puis elle passerait à la ruine suivante, juste un peu plus élevée.

Elle prit une profonde inspiration et sauta à l'extérieur pour se retrouver le visage collé à la pierre humide et froide. Ses nerfs lui hurlaient de se dépêcher, mais elle ne pouvait prendre de risque. On ne se déplaçait pas sur un mur comme une araignée sans être sûre de ses prises.

Kyle prit de nouveau son temps pour répondre.

— M'en vouloir pour ma naissance n'est pas une raison suffisante, d'autant que je suis moi-même dans le commerce. Pouvez-vous honnêtement dire que je vous ai manqué de respect, à vous ou à un autre négociant de Canton ?

— Peut-être pas, concéda Logan, mais vous ne saliriez pas vos aristocratiques mains en trafiquant de l'opium. Une fois à la Chambre des lords, vous risquez de mettre nos affaires en danger, ou même de les anéantir. Dommage que je n'aie pas réussi à vous éliminer quand vous étiez à Canton.

Verity se pétrifia. Ainsi, c'était Logan qui avait engagé des assassins pour éliminer Kyle ! Que les diables lui mangent le foie !

— Vous exagérez grandement mon pouvoir éventuel au Parlement !

— Le fait que vous ayez séjourné à Canton vous donnera du poids. Vos sales camarades lords vous croiront. Il y a même des négociants de Canton qui disaient que vous n'aviez peut-être pas tort. Vous êtes sacrément trop persuasif !

Verity avait atteint le haut du mur arrière, mais elle commit l'erreur de regarder en bas. Si elle tombait...

Elle ferma les yeux afin de combattre un étourdissement. Elle se rappela vaguement qu'il y avait une bande de terre en dessous et qu'elle s'y écraserait sans doute. Mieux valait cela que l'interminable dégringolade le long de la montagne escarpée. Mais elle se ressaisit. Elle n'avait aucune raison de tomber ! Le mur était assez large, elle y marcherait sans risque.

D'ailleurs, il fallait qu'elle réussisse, sinon Kyle et elle mourraient dans ce maudit château.

Elle s'élança sur le mur aussi vite que le lui permettait le vent. Les nuages s'amoncelaient, et la pluie rendrait les pierres beaucoup plus dangereuses.

— J'ai un marché à te proposer, Maxwell, criait Logan. J'aimerais autant qu'on ne trouve pas ton corps truffé de balles. Si tu jettes ton pistolet avant de sortir du donjon, tu pourras mourir d'une belle chute du haut de la falaise.

Kyle se mit à rire comme s'il s'agissait d'un sujet anodin et non d'un meurtre.

— De toute façon, je serai mort. Quel avantage aurais-je à me rendre sans résistance ?

Verity avait atteint le bout du premier bâtiment. Le second était un peu plus haut, mais elle n'eut pas trop de mal à l'escalader.

De là elle avait vue sur presque toute la cour. Le bâtiment où elle se trouvait jouxtait le corps de garde. Elle voyait nettement Logan et Scouse à l'entrée, leurs fusils à la main.

En face d'eux, le donjon où Kyle s'abritait, à gauche de la porte. Comme il possédait seulement un pistolet, les deux autres n'avaient pas besoin de se cacher. S'il sortait et chargeait, son arme ne serait pas assez puissante pour les atteindre.

Elle reconnaissait Scouse pour l'avoir vu à Canton. Trapu, forte tête, il était célèbre dans les débits d'alcool et les maisons closes de la colonie. Il avait commencé comme simple matelot et s'était hissé au rang de capitaine par la ruse et la force. Il serait un adversaire de taille !

— L'avantage, je le jure sur la tombe de ma mère, c'est que je veillerai à ce que ton corps soit découvert, ainsi ta famille saura que tu es vraiment mort. Autrement, tu disparaîtras, et personne ne saura jamais ce qui t'est arrivé.

Trop furieux cette fois pour différer sa réponse, Kyle hurla :

— Espèce de salaud !

Logan éclata d'un rire gras.

— Plus tu me fais attendre, plus je serai tenté de cacher ton corps là où seuls les corbeaux le trouveront. Tu mourras, Maxwell, mais si tu te rends assez tôt, au moins on croira savoir ce qui t'est arrivé.

Verity s'avança sur le dernier mur. Une fois au bout, elle descendrait sur le chemin de ronde et de là elle pourrait pénétrer dans le corps de garde. Mais il lui fallait être prudente. Si Logan ou Scouse se retournaient, ils la verraient se détacher sur le ciel où elle ferait une cible de choix ! Elle en eut la chair de poule.

Elle était au milieu du mur quand la pluie s'abattit d'un coup, avec une violence qui faillit la faire basculer. Elle s'accroupit afin de reprendre son équilibre, trempée jusqu'aux os en quelques secondes. Glacée, elle se remit en marche sans se relever.

Logan et Scouse lâchèrent une bordée de jurons contre cet orage soudain, et instinctivement Verity se plaqua sur le ventre juste avant qu'ils ne tournent la tête vers le ciel. Il faisait si sombre, désormais, qu'ils ne la distinguèrent pas, aplatie au sommet du mur.

Immobile, le cœur battant à tout rompre, elle vit Scouse parler à Logan, faire un geste en direction des créneaux et du rempart sud de la cour. Ils échangèrent quelques phrases, et Verity eut l'impression qu'ils se disputaient. Puis Logan haussa les épaules, et Scouse se mit à monter l'escalier de pierre qui menait au chemin de ronde.

Horrifiée, elle comprit que le capitaine avait dû dire à Logan qu'ils pouvaient en finir plus vite s'il faisait le tour par les murs afin d'arriver à la fenêtre du donjon, d'où il tuerait Kyle d'un seul coup de fusil.

S'il y parvenait, Kyle n'avait pas la moindre chance de s'en sortir. Verity se releva et se précipita vers le capitaine, espérant le rejoindre avant qu'il ne soit trop tard.

— Je vais peut-être vous aider, criait Kyle, mais à une seule condition.

— Laquelle ?

— Épargnez la vie de Verity Montgomery. Elle n'est pour rien dans tout cela.

Encore ce rire effrayant.

— Oh, mais si ! Elle sera sûrement furieuse d'apprendre que c'est moi qui l'ai expédiée à Canton, après la mort de son père, au lieu de la renvoyer en Écosse.

Un instant pris de court, Kyle répliqua :

— Alors, vous étiez derrière tout ça. Et également derrière le décès de Hugh Montgomery ?

— Ce n'est pas moi qui ai déclenché le typhon qui a causé le naufrage, mais quand un de ses employés m'a dit que la petite était un peu fiévreuse, je lui ai envoyé un message alarmant à Singapour dans lequel je lui disais que sa précieuse petite fille développait une maladie extrêmement grave. Alors, il est revenu à Macao plus vite qu'il n'aurait été raisonnable pendant la saison des moussons.

Verity fut tellement choquée qu'elle glissa sur les pierres humides et se retrouva à plat ventre sur le chemin de ronde, où elle demeura un moment immobile, assommée par ce qu'elle venait d'entendre. Logan n'avait pris aucun risque ! Si Hugh était arrivé sain et sauf à Macao, son associé lui aurait dit innocemment qu'il avait mal évalué la gravité de l'état de sa fille, et que, Dieu merci, l'enfant était sauvée. Quel esprit pervers !

— Pourquoi avez-vous fait ça ? demanda Kyle d'une voix qui tremblait un peu.

— Hugh était un garçon sympathique, mais il n'avait pas le sens des réalités. Comme vous, il était contre le trafic de l'opium. Après sa mort, j'ai pris l'argent et j'ai acheté cinq coffres du meilleur opium indien. Ç'a été le début de ma fortune.

Voilà donc pourquoi l'on racontait que le père de Verity était mort sans le sou ! Logan avait également fait courir de faux bruits à son sujet, afin de se mettre comparativement en valeur.

Une rage glaciale submergea Verity qui s'élança pour rattraper Scouse.

— Vous êtes malin, Logan ! dit Kyle, une nuance d'admiration dans la voix. Et vous connaissez bien la Chine. La fille de Montgomery est plus chinoise qu'anglaise, désormais. Si vous lui laissez la vie sauve, elle ira avec vous à Macao.

— Elle a envie de retourner en Orient ?

— Elle ne rêve que de ça. Elle a été profondément déçue par l'Écosse, et elle m'a fait promettre de la renvoyer dans son pays. Elle a trop froid, ici ! Et puis, elle est contrariée parce que son père avait prétendu que sa famille était riche. Vous les avez vus, ils sont à peine plus que des fermiers, or elle en espérait davantage. Si vous la prenez comme concubine, je vous jure que vous ne le regretterez pas. C'était une des femmes de Chenqua, et dans un lit, je n'en ai jamais connu de meilleure. Or croyez-moi, j'ai eu ma part d'aventures ! Il serait dommage de gâcher un tel talent en la tuant !

Logan semblait franchement intéressé, mais prudent.

— Comment serais-je sûr qu'elle ne va pas me trancher la gorge pour se venger ?

— Elle est chinoise, Logan, répondit Kyle patiemment. Elle a été éduquée dans la soumission totale à son maître. Quand vous m'aurez tué, il sera évident pour elle que vous êtes le chef, et elle fera tout ce que vous voudrez en échange de quelques bijoux de temps en temps et peut-être d'une esclave qu'elle pourra tyranniser à sa guise. Vous comprenez ce que je veux dire quand je vous affirme qu'elle est prête à tout ?

Logan devait laisser libre cours à son imagination perverse, car il insista d'une voix rauque :

— Alors, c'était une des catins de Chenqua… Je ne suis pas étonné, dans ce cas, qu'il l'ait recueillie chez lui, bien qu'elle n'ait été encore qu'une enfant. Le vieux libertin !

Heureusement que Kyle lui avait dit de ne pas s'étonner de ce qu'il dirait ! Vive comme l'éclair, Verity se lança à la poursuite de Scouse, elle l'atteignit juste avant qu'il n'arrive au mur sud.

— C'était sans doute un libertin, mais il l'a bien éduquée ! Si vous vous lassez d'elle, vous pourrez toujours la revendre un bon prix à un autre *Fan-qui*.

— Très bien, je la prends. Et si elle aussi bonne que tu le dis, j'en ferai ma *tai-tai* à Macao. Maintenant que tu as obtenu satisfaction, sors de là. Si tu me fais poireauter davantage sous la pluie, je risque de changer d'avis.

Verity était tout près de Scouse quand il se retourna, alerté par le bruit de ses pas. Il avait son fusil à la main, mais il resta un instant interdit, comme s'il ne pensait pas qu'elle pût représenter un quelconque danger.

D'un coup de pied, elle fit voler l'arme qui heurta la pierre avant de rebondir et de disparaître dans l'abîme. Scouse poussa un cri, et elle le frappa à la gorge sans toutefois lui faire grand mal. Son cou était une colonne solide comme le roc.

— Petite garce !

Le regard meurtrier, il chargea.

En attendant l'attaque, elle priait tous les dieux d'Orient et d'Occident de lui donner la force de gagner le plus difficile combat de sa vie.

44

Comme il entendait des cris, Kyle s'agenouilla pour jeter un coup d'œil à l'extérieur, avec l'espoir que sa tête ne servirait pas de cible au cas où les deux malfrats auraient leurs fusils braqués sur l'entrée du donjon.

Il vit d'abord le canon de l'arme de Logan. Puis Verity engagée dans une lutte à mort contre Scouse sur le chemin de ronde. Il eut l'impression que son cœur s'arrêtait de battre. Elle avait l'air d'une enfant, face à l'énorme capitaine. Elle évitait habilement ses coups, mais s'il arrivait à l'attraper, Scouse n'en ferait qu'une bouchée.

Comme elle reculait avec légèreté, il s'élança sur elle en poussant un cri guerrier, elle réussit à sauter sur un créneau et le repoussa du pied en profitant de son élan pour l'envoyer s'écraser sur l'étroit passage.

Hélas, le capitaine avait traîné ses guêtres dans les bas-fonds et il avait plus d'un tour dans son sac ! Il lui saisit la cheville pour la déséquilibrer. Kyle entendit l'impact lorsqu'elle tomba sur le chemin de ronde, frôlant la chute de peu.

Elle se libéra d'une secousse, se remit sur ses pieds, imitée par Scouse. Alerté par le bruit, Logan se retourna, son fusil dirigé vers Verity. Consciente du danger, elle se mit instantanément au corps-à-corps avec Scouse, afin d'empêcher Logan de tirer.

Il tira quand même. Comme Kyle se précipitait dans la cour, Scouse reçut une première balle, puis une seconde. Verity se plaqua contre la pierre lorsque le corps du capitaine bascula en arrière. Son long cri d'agonie s'arrêta avec une angoissante brutalité.

Cependant le créneau ne protégeait pas Verity contre Logan. Comme il la visait de nouveau, elle sauta et atterrit dans le petit espace entre le corps de garde et le mur sud.

Aussitôt, Logan se précipita pour lui bloquer la sortie. Elle s'élança en avant, espérant l'atteindre avant qu'il ait le temps de tirer.

— Vous êtes un homme mort, Logan ! hurla Kyle.

Comme il l'avait prévu, Logan se tourna pour faire face à ce nouveau danger. Il arma son fusil, appuya sur la détente.

Kyle plongea à terre tout en tirant.

Trois détonations assourdissantes emplirent la cour. Logan tournoya sur lui-même, une grande tache rouge sur sa chemise blanche, puis s'effondra lentement.

Du pied, Verity écarta le fusil, au cas où Logan ne serait pas mort, puis elle alla s'agenouiller près de Kyle, alors qu'une nouvelle averse s'abattait sur eux.

— Vous ne pouvez pas mourir, monseigneur. Vous n'avez pas le droit !

Elle essayait de le retourner afin de voir où il était blessé, quand Kyle lâcha son pistolet et la prit dans ses bras.

— Je n'en ai pas l'intention, haleta-t-il. Mon Dieu, Verity, vous n'avez rien ? J'ai cru cesser de respirer, quand il a commencé à vous tirer dessus.

Ils étaient serrés l'un contre l'autre, sans se soucier de la pluie.

— Il vous a raté, dit-elle. Mais comment est-ce possible ? Il a tiré trois fois, avec un fusil !

— Deux fois, rectifia Kyle. Je me suis jeté à terre, mais en même temps, j'ai tiré.

Kyle se redressa sans cesser pour autant de l'écraser contre lui.

La volonté qui avait soutenu Verity durant cette demi-heure d'enfer la lâcha, et elle se mit à trembler de tous ses membres tandis que ses larmes se mêlaient à la pluie sur ses joues.

Kyle attendit qu'elle fût un peu calmée pour suggérer :

— Voulez-vous que nous allions à la chapelle ? C'est le seul bâtiment qui dispose encore d'un toit.

Elle acquiesça et il l'aida à se remettre debout.

— Attendez ici un instant.

Verity le vit chercher le pouls de Logan.

— Justice est faite, annonça-t-il gravement avant d'aller chercher le plaid de Verity dans le donjon.

Un bras autour des épaules de la jeune femme, il la guida sur le chemin devenu glissant qui menait au niveau inférieur du château.

— Comment avez-vous pu le tuer à une telle distance ? demanda-t-elle, claquant encore des dents. Je croyais que votre pistolet n'était efficace que sur quelques mètres.

— Je suis bon tireur, répondit simplement Kyle.

Elle aurait dû s'en douter !

Ils atteignirent enfin le sanctuaire de la chapelle, abri bienvenu contre la pluie. Aussitôt Verity se sentit envahie par une grande sérénité, une impression d'harmonie et de calme, comme lorsque sa mère la berçait, autrefois.

Dès qu'ils furent à l'intérieur, Kyle entreprit de la débarrasser de ses vêtements trempés, la tirant de sa torpeur.

— À quoi pensez-vous ? s'écria-t-elle en essayant de l'en empêcher.

Il eut un petit sourire coquin.

— Pas à la même chose que vous, petite dévergondée. Nous sommes trempés, et avec la brusque chute de température, nous allons attraper une pneumonie si nous ne nous réchauffons pas rapidement.

Il avait raison.

— Je peux me débrouiller seule, répliqua-t-elle. Occupez-vous de vos vêtements.

Il s'exécuta, et quand Verity fut nue, il l'enroula dans le plaid à peine humide. Malgré la chaleur de la laine, elle frissonnait au plus profond de son être.

Comme Kyle avait laissé le panier de pique-nique dans la chapelle, il put récupérer la couverture qu'il drapa sur ses épaules. Puis il s'assit, appuyé au mur, et attira Verity sur ses genoux. Quand elle fut lovée contre lui, il l'enferma aussi dans la couverture.

Elle avait la joue contre sa poitrine, et son parfum la rassurait.

Pendant longtemps, ils s'abstinrent de parler. Tous deux se remettaient avec peine du drame qui avait bien failli leur coûter la vie.

Il était moins transi qu'elle, et bientôt il lui communiqua sa chaleur.

— Je ne parviens pas à y croire, murmura-t-elle enfin. Deux hommes gisent tout près, morts, sous la pluie.

— Je donnerais tout pour que cela ne soit pas arrivé, fit Kyle d'une voix tendue. Quand je pense que des paroles prononcées à Canton ont traversé la moitié du globe et ont failli vous tuer...

Elle ouvrit les yeux pour se débarrasser de l'image de Logan s'effondrant, sa chemise ensanglantée.

— Mais nous sommes vivants, et je ne peux pas regretter la mort de Logan. Sans son faux message, mon père serait peut-être encore de ce monde.

Kyle lui massait doucement la nuque, les épaules, et la vie remontait en elle.

— Je n'ai de regrets ni pour l'une ni pour l'autre de ces canailles, dit-il. Scouse a certainement commis plus que sa part de crimes. Quant à Logan, non seulement il est indirectement responsable du décès de votre père, mais en plus, il vous a condamnée à un demi-esclavage en Chine alors que vous auriez pu vivre en Écosse, choyée par votre famille.

Elle songea à ce qu'aurait été sa vie. Des scones et du pudding, des cousins qui seraient devenus aussi proches que des frères et sœurs. La reconnaissance.

— Vivre parmi eux aurait été merveilleux, et bien plus facile que ce que j'ai connu en Chine, dit-elle lentement. Pourtant... je ne regrette pas d'avoir vécu à Canton. Sans ces années, j'aurais perdu mon côté oriental. Maintenant, je suis réellement chinoise et écossaise.

— Que Dieu en soit remercié! Il n'existe pas au monde deux femmes comme vous, Verity Mei-Lian Montgomery.

— Sans doute pas.

Et il n'y avait pas un autre homme au monde capable d'accepter aussi totalement que Kyle les deux aspects de sa nature. Les Montgomery la considéraient principalement comme une Écossaise, malgré ses yeux bridés. Chenqua l'avait trouvée étrange mais utile, et digne de sa protection en tant que traductrice et fille de son père.

Mais Kyle lui faisait confiance, comme à une égale, il l'avait envoyée se battre contre l'ennemi parce qu'il la savait plus efficace que lui. Et quand elle s'était trouvée face à la mort, il avait détourné vers lui le fusil de Logan. Il aurait pu être tué...

Elle frissonna.

— Vous avez encore froid ? demanda-t-il.

— Non, je suis bien.

Plus que bien, dans les bras de Kyle !

— Le danger clarifie merveilleusement les idées, dit-il tendrement. Lorsque j'ai cru que vous alliez mourir, j'ai compris combien je vous aimais. Voulez-vous m'épouser, pour de bon et dans les règles, cette fois ?

Elle renversa la tête afin de le regarder.

— Je croyais que vous ne pouviez plus aimer.

— Je l'ai pensé, en effet. J'ai parfois l'esprit très lent. Je savais que j'éprouvais pour vous une passion et une tendresse comme je n'en avais pas connu depuis des années, je savais que j'avais besoin d'être avec vous. Mais parce que c'était différent de ce que j'avais ressenti pour Constancia, j'étais convaincu que ce n'était pas le genre d'amour que vous méritiez.

Le fantôme de Constancia rôderait sans doute toujours entre eux.

— Je me contenterai d'être la seconde, monseigneur, si vous m'aimez.

— Vous n'êtes pas la seconde !

Il prit le visage de Verity entre ses mains.

— On ne peut mesurer l'amour, ni le peser, et il ne faut surtout pas le comparer. Constancia était mon cœur, vous, ma chérie, vous êtes mon âme.

Il captura ses lèvres et l'embrassa avec une ferveur qui en disait plus que toutes les paroles.

— Je vous ai toujours aimé, Kyle, souffla-t-elle. Depuis le premier jour, vous avez été le seigneur de mon corps, de mon cœur, de mon âme.

Il n'avait pas envisagé d'aller plus loin qu'un baiser, dans ce lieu sacré, après le drame qu'ils avaient vécu, mais la passion qui les embrasa soudain déclencha en eux un immense incendie que seule la réunion de leurs corps pouvait éteindre. Il trouva ses seins, les sentit palpiter sous ses doigts. L'ondulation des hanches de Verity le rendait fou, jusqu'à ce qu'elle se tourne et se mette à califourchon sur lui.

Il ne supporta pas longtemps la douce torture et entra enfin en elle.

Ils restèrent de longues secondes parfaitement immobiles, frémissants, tendus. Puis Kyle commença à se mouvoir en elle, et Verity adopta bien vite son rythme, poussée par l'urgence de l'accomplissement. Ils crièrent ensemble et leurs voix se mêlèrent au martèlement de la pluie, au grondement du tonnerre.

Elle se laissa aller contre lui, épuisée, et il sentit un immense apaisement l'envahir. Il roula sur le côté, l'entraînant avec lui, et ils s'endormirent, protégés par le plaid des Campbell.

Kyle n'aurait su dire combien de temps ils avaient dormi, mais lorsqu'il s'éveilla, la chapelle ruisselait de soleil. Il se redressa sur un coude et admira les jeux de lumière et d'ombre sur le beau visage de Verity.

Elle ouvrit les yeux.

— J'ignore si ceux qui ont construit cette chapelle approuveraient, mais c'était un excellent moyen de se réchauffer.

— Je ne pense pas que Dieu nous en voudrait, puisque c'est lui qui nous a fait ce cadeau magnifique qu'est l'amour. Mais mieux vaudrait nous mettre en route si nous souhaitons trouver un abri plus confortable pour la nuit prochaine.

Verity eut un sourire qui lui donna de nouveau envie de faire l'amour.

— Je serai heureuse de ne plus remettre les pieds à Doom Castle !

— J'espère que ce que nous avons fait signifie que vous acceptez ma demande en mariage ?

Il se sépara d'elle à regret.

— Parce que, poursuivit-il, il se pourrait que nous ayons mis un enfant en route aujourd'hui. Je l'espère, en tout cas.

Elle se leva et s'habilla sans le quitter des yeux.

— Je suis presque certaine que nous l'avons déjà fait à Dornleigh.

— Seigneur !

Il faillit s'étrangler en passant trop vite sa chemise par-dessus sa tête.

— Et quand aviez-vous l'intention de m'en parler ?

— J'avais résolu de vous le dire si nous décidions de nous marier.

Il y avait du défi dans son regard. Il enfilait son pantalon encore mouillé en pestant contre son étroitesse.

— En d'autres termes, si vous aviez renoncé à m'épouser, je n'aurais jamais su que nous avions un enfant. Vous ne vouliez pas que je me serve de cet argument pour vous forcer à m'épouser.

Il n'était pas en colère, et elle se détendit un peu.

— Vous n'avez pas l'esprit lent du tout ! dit-elle. Je ne voulais pas prendre un mari simplement parce que tout le monde approuvait cette idée.

Il secoua la tête.

— Vous êtes une vraie Écossaise, Verity. Prête à payer n'importe quel prix pour avoir votre indépendance, et au diable les conséquences !

Il rangea la couverture dans le panier, et ils sortirent dans une nature lavée par l'orage. La brise faisait tomber les dernières gouttes de pluie qui s'attardaient sur les fleurs, et les Highlands se profilaient au loin dans un brouillard bleu lavande.

Le chemin s'était transformé en un petit torrent, aussi durent-ils marcher sur le bas-côté, main dans la main.

— Juste pour confirmation... Vous avez bien accepté de m'épouser, n'est-ce pas ?

Les yeux de Verity avaient un reflet presque doré, dans le soleil.

— Oui, mon très cher seigneur. Je serai votre épouse, je m'efforcerai d'apprécier votre dragon de père, et peut-être un jour deviendrai-je une bonne hôtesse, comme vous m'en croyez capable.

Il était déjà heureux, mais rien qui pût se comparer à l'exaltation qui s'empara alors de lui. Il lâcha le panier et prit les mains de Verity dans les siennes.

— Alors, marions-nous ici, tout de suite. Wrexham exigera sans doute une cérémonie plus officielle ensuite, mais nous avons de l'eau vive, nous sommes en Écosse, alors cette fois, on ne pourra pas contester la validité de notre union. Je veux que vous soyez ma femme, mon bel amour, et je ne puis attendre davantage.

En riant, elle sauta de l'autre côté du chemin ruisselant, mettant l'eau entre eux, sans lui lâcher la main.

— Kyle Renbourne, je vous donne ma foi, mon cœur et mon corps, ma fidélité et ma loyauté, jusqu'à ce que la mort nous sépare.

Il sourit en se rappelant leur premier échange de vœux, celui qui les avait liés plus étroitement qu'ils ne l'avaient compris à l'époque.

— Verity Mei-Lian Montgomery, je vous donne mon amour, ma protection et ma fidélité pour l'éternité et au-delà.

Il baisa ses mains.

— Je sais enfin ce qui me poussait à courir le monde. C'était pour vous trouver, vous, mon épouse chinoise.

Elle eut un sourire radieux.

— La volonté divine, mon cher seigneur. Le *yin* et le *yang*, un et indivisible.

L'homme et la femme, en équilibre parfait. Pour toujours.

Rendez-vous au mois de décembre
avec un nouveau roman de la collection

Aventures et Passions

Le 3 décembre 2001

Atout séduction

de Connie Mason (n° 6017)

Jack Graystoke est un noble désargenté, amoureux des femmes. C'est pourquoi la perspective d'épouser Victoria – une alliance pour l'argent – ne le dérange pas : il poursuivra ses frasques extraconjugales. Seulement, c'est sans compter lady Amelia, le fantôme de la famille qui veille sur Jack. Son premier acte précipite la jeune Moira O'Toole sous les roues de la voiture de Jack. Il recueille la blessée et, à la veille de son mariage, n'est pas insensible au charme de la jeune femme...

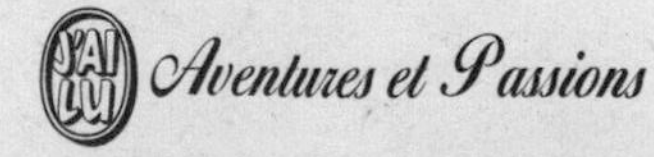

Quand l'amour s'aventure très loin, il devient passion

Ce mois-ci, découvrez également
deux nouveaux romans de la collection

Amour et Destin

Le 2 novembre 2001
Lieutenant Eve Dallas –8
Conspiration du crime
de Nora Roberts (n° 6027)

Le lieutenant Eve Dallas enquête sur les meurtres de plusieurs personnes, sur lesquelles l'assassin a systématiquement et proprement prélevé un organe, cœur ou rein... Le coupable serait un chirurgien et l'enquête d'Eve s'oriente tout naturellement vers le milieu médical. Avec l'aide de son mari Roarke et de sa fidèle Peabody, elle parvient à mettre au jour une conspiration...

Le 23 novembre 2001
Une nouvelle chance
de Lisa Jackson (n° 6028)

Maggie mène avec sa fille une vie paisible à la campagne, jusqu'à ce qu'elle reçoive un message par télépathie de sa sœur jumelle l'appelant à l'aide. Le même jour, Thane, son ex-amant et l'ex-mari de Mary Teresa, vient annoncer à Maggie que sa sœur a disparu et que la police le soupçonne. Maggie le suit à Denver pour retrouver la trace de sa jumelle. Elle se méfie de Thane qui jadis l'a trahie, mais s'aperçoit qu'elle est encore amoureuse de lui...

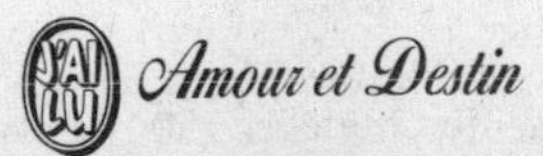

Quand l'amour donne aux femmes le choix de leur destin

6009

Composition Interligne B-Liège
Achevé d'imprimer en Europe (France)
par Maury-Eurolivres à Manchecourt
le 2 octobre 2001.
Dépôt légal octobre 2001. ISBN 2-290-31261-4

Éditions J'ai lu
84, rue de Grenelle, 75007 Paris
Diffusion France et étranger : Flammarion